Autors: MARTA MAS PRATS
ALBERT VILAGRASA GRANDIA

LLIBRE D'EXERCICIS I GRAMÀTICA

VEUS 2

CURS COMUNICATIU DE CATALÀ

ENFOCAMENT PER TASQUES

Publicacions de l'Abadia de Montserrat

Primera edició, juny de 2007
Segona edició, juny de 2010

© Autors: Marta Mas Prats i Albert Vilagrasa Grandia, 2007

© Fotografia coberta: Jordi Salinas, 2007

© Il·lustracions: Linhart i Javier Olivares, 2007

© Fotografies: Getty Images 2007

© Fotògrafs: Pau Guerrero, Ingrid Morató i Jordi Salinas, 2007

Disseny: Blanca Hernández i Jordi Avià

La propietat d'aquesta edició és de Publicacions de l'Abadia de Montserrat
Ausiàs Marc, 92-98 - 08013 Barcelona
ISBN: 978-84-9883-292-1
Dipòsit legal: B. 22.333-2010

Imprès a Tallers Gràfics Soler, S.A. - Enric Morera, 15 - 08950 Esplugues de Llobregat

Col·laboradors en l'elaboració dels exercicis:

Plàcida Mingarro Muñoz i Carles Vilches Latorre.

Agraïments:

Agraïm als professors i als alumnes de català de les Escoles Oficials d'Idiomes de Barcelona Drassanes i de Girona la seva participació en el pilotatge de les unitats.
Agraïm especialment els suggeriments i la col·laboració de Plàcida Mingarro, Gemma Verdés i Carles Vilches.
Volem fer una menció especial d'amics, de col·legues, de familiars i d'alumnes que ens han animat a tirar endavant aquest projecte.
També agraïm la col·laboració de totes aquelles persones, especialment de Josep Peres i Monter, que amb els seus suggeriments han fet possible la millora d'aquesta edició.

Unitat 1

AIXÍ, COM QUEDEM?

UNITAT 1

AIXÍ, COM QUEDEM?

1 Completa els diàlegs amb els verbs **agradar** o **preferir** i, quan calgui, amb els pronoms.

1 A mi ________________ els karaokes. I a tu?

A mi, no. Jo ________________ les discoteques.

Sí? Doncs a mi no ________________ anar a la disco perquè no ________________ ballar.

2 Vols venir al cinema o ________________ quedar-te a casa?

________________ quedar-me a casa perquè no ________________ les pel·lícules subtitulades.

3 Què ________________ més la platja o la muntanya?

A nosaltres? ________________ anar a la muntanya, perquè a la platja hi ha molta gent.

4 A l'Anna, què ________________ fer els caps de setmana?

Normalment ________________ sortir amb els amics, però aquest dissabte ________________ no sortir de casa perquè està malalta.

5 ________________, a tu i a l'Enric, organitzar festes a casa?

A mi no ________________, però a l'Enric ________________ moltíssim.

Doncs l'Andreu i jo ________________ anar a les festes dels nostres amics; les festes a casa nostra no ________________ perquè els veïns es queixen.

6 El Joan i el Carles ________________ passar les vacances aquí o a l'estranger?

El Joan ________________ viatjar a l'estranger i el Carles ________________ quedar-se aquí, però a tots dos ________________ moltíssim passar les vacances sols.

7 Jo no vaig al teatre perquè no ________________. ________________ el cinema. I tu també ________________ el cinema?

El cinema? A mi no ________________ gens perquè tothom menja crispetes. És horrible!

2 Canvia les formes verbals del verb **preferir** per la forma corresponent d'**estimar-se més**.

1 L'Ona i jo preferim sopa.

2 Què preferiu: comprar un CD o baixar la música d'internet?

3 La Maria prefereix anar a la piscina.

4 Prefereixes un cafè o un te?

Prefereixo un cafè, si pot ser.

5 Saps si la Carla i la Txell prefereixen celebrar el seu aniversari a casa?

No, prefereixen sopar en un restaurant.

Que avorrit! Jo prefereixo una festa a casa seva.

6 M'agrada anar als comiats de solter, però prefereixo anar-hi amb algú. I vosaltres?

Doncs nosaltres preferim no anar-hi, perquè són molt ordinaris.

7 El Pep i el Jordi prefereixen comprar un pis. I les seves companyes?

Prefereixen llogar-lo.

3 Completa els diàlegs amb els pronoms, quan calgui.

1 ________ prefereixes comprar al mercat o ________ estimes més anar al supermercat?
________ agrada anar al mercat perquè és més barat.
Doncs jo ________ prefereixo comprar per internet, perquè anar al supermercat és molt pesat i els mercats no ________ agraden perquè sempre hi ha molta gent.

2 Saps si el Joan vol venir al cinema amb nosaltres?
No ho crec. Aquestes pel·lícules no ________ agraden. ________ estima més les pel·lícules romàntiques.

3 Avui és la Festa Major del barri de Sant Pere. Hi anem?
Ui! Jo ________ estimo més no anar-hi. Les festes majors, les trobo avorrides. I a tu, ________ agraden?
Sí, molt.

4 A nosaltres ________ agraden moltíssim els viatges organitzats. I a vosaltres?
A nosaltres, no. ________ estimem més comprar un bitllet d'avió i viatjar sols.

5 Demà tinc un dinar familiar. Vols venir?
No, gràcies. No ________ agraden els dinars familiars. ________ prefereixo dinar sola.

6 En Pere sempre explica acudits. És tan avorrit que ________ prefereixo no anar a la seva festa.
Doncs, a mi ________ agraden. Els trobo divertits, perquè són els acudits de tota la vida.

7 Voleu quedar amb l'Anna la nit de Sant Joan o ________ estimeu més sortir sense ella?
Li trucarem, però ________ preferim veure-la un altre dia.

8 Demano una cervesa o ________ estima més vi, senyor Roure?
________ prefereixo una copa de vi. La cervesa no ________ agrada.

9 Als teus fills, ________ agrada la música clàssica?
Sí, molt. ________ prefereixen anar a un concert de música clàssica que anar a la disco.
Doncs els meus ________ estimen més anar a la disco.

4 En cada frase hi ha un error. Corregeix-lo.

1 A mi m'agrada les novel·les policíaques.
2 Jo m'estimo les pel·lícules d'acció que les d'amor.
3 No m'agraden els sopars amb grup. Les trobo insuportables.
4 Jo me avinc amb la Sandra perquè ens coneixem molt bé.
5 Vosaltres ens aveniu molt, oi?
6 Jo prefereixo més el bàsquet que el futbol. És més excitant.
7 No ens agrada els llibres vells perquè són bruts.
8 Et va de gust anar al mercat de Sant Antoni?
9 A l'Enric no li agrada força dinar a l'escola.
10 Ell li prefereix anar a dinar a casa.
11 La Sílvia li estima més pagar. No li agrada que la convidin.
12 Als meus pares li agraden els restaurants tradicionals.
13 A vostès us agrada llegir?
14 L'estimes més carn o peix per sopar?
15 No m'estimo més sortir després de sopar.

5 Completa els diàlegs amb **el, la, els, les** o **ho.**

1 T'agrada viatjar?
No gaire. ________ trobo perillós. I a tu?
A mi m'agrada molt. Els viatges, ________ trobo molt interessants.

2 Què t'estimes més anar al circ o a un espectacle de dansa?
Tant me fa. El circ, ________ trobo ridícul i la dansa, ________ trobo avorridíssima.
Doncs jo, quedar amb tu, ________ trobo poc pràctic perquè no vols anar enlloc!

3 Vols sortir aquesta nit? Podem anar a sopar amb l'Helena i la Mònica.
Ho sento, però no puc. A més a més, no ________ trobo gens divertides.

4 Quedem per anar a una festa a casa de la Marta?
Ai, no! Les festes de la Marta són una mica estranyes. El Lluís i jo ________ trobem massa modernes.

5 T'agraden els concerts de música clàssica?
Gens. ________ trobo horribles. I a tu?
A mi m'agraden molt. ________ trobo relaxants.

6 Quin programa de la tele t'estimes més veure?
Tant me fa. Les pel·lícules que fan, ________ trobo llarguíssimes.

7 Vols que demani una pizza aquesta nit?
Ai, no! ________ trobo horrible, menjar una pizza cada dissabte.
Doncs jo, la pizza, ________ trobo molt bona. M'encanta!

8 Vaig a una conferència en anglès. Véns?
Ai, no! No en sé prou, d'anglès. Les conferències en anglès, ________ trobo massa difícils.

9 T'agrada dibuixar?
No gaire. ________ trobo molt difícil. I a tu?
A mi m'agrada molt. ________ trobo molt relaxant.

10 Què t'estimes més rentar els plats o fer el dinar?
Tant me fa. Cuinar, ________ trobo pesat i rentar els plats, ________ trobo avorridíssim.
Doncs jo, cuinar i rentar els plats per a tu, ________ trobo poc pràctic.

6 Completa els diàlegs amb la forma adequada de l'adjectiu que hi ha entre parèntesis.

1 T'agraden les festes majors?
No, no les suporto. Les trobo ____________ (ordinari) i avorrides. I a tu, sí?
Dona... a vegades són ________________ (entranyable) i ________________ (excitant).

2 L'Eulàlia anirà a Londres en un viatge organitzat!
Els viatges organitzats, els trobo ________________ (horrorós).
Sí, ja ho sé. Però ella diu que són ________________ (pràctic).

3 Aniràs a veure els focs artificials?
No, perquè no m'agraden. Els trobo ________________ (perillós).

4 Vindràs a la festa de carnaval que organitza el Pep?
No. Les festes de disfresses les trobo ________________ (insuportable) i les disfresses em semblen ________________ (ridícul).
Doncs jo sí que hi aniré. Pot ser una festa molt ________________ (divertit)!

5 T'agrada estudiar català?
Sí, molt, perquè la llengua catalana és ________________ (fàcil), però hi ha llengües que són molt ________________ (difícil).

7 Relaciona les preguntes amb les respostes.

1		Què et sembla si juguem a cartes?
2		T'agraden les exposicions de fotografia?
3		Vols fer els deures amb mi?
4		Us agraden els nens?
5		Et ve de gust sopa de peix?
6		Prefereixes un concert o una pel·lícula?
7		Després de sopar anirem a la festa?
8		Us agrada aquest llibre?
9		Què t'estimes més la cuina xinesa o l'àrab?
10		A l'Anna li agraden els comiats de solters?

a	No, si us plau. La trobo horrorosa.
b	Tant me fa. Totes dues coses les trobo avorrides.
c	Sí, però m'agraden més les de pintura.
d	Ai, quin pal! Ho trobo molt avorrit.
e	Sí, perquè els trobo molt difícils.
f	Depèn. De vegades els trobem divertits.
g	Les trobo originals, però prefereixo la d'aquí.
h	El trobem molt interessant.
i	Sí, molt, però jo els trobo ordinaris.
j	Ai, no! No em ve gaire de gust anar-hi.

8 Completa el quadre amb **moltíssim, molt, força, una mica, gaire, gens** o **gens ni mica.** Escriu-ne el perquè. Compara els teus gustos amb els de la teva parella i comprova si t'hi avens.

El dinar de Nadal	m'agrada moltíssim	perquè és entranyable
Els karaokes	no m'agraden gens	perquè els trobo ridículs
Els sopars íntims		
Els comiats de solter		
Celebrar el meu aniversari		
Anar a la discoteca		
Les pel·lícules subtitulades		
Els viatges organitzats		
Conèixer bars nous		
Convidar els amics		
Pintar		
Aprendre català		
La cuina catalana		
El cinema de terror		
Dinar sol		
Planificar la setmana		
Netejar el pis		
Anar al mercat		
Anar a la platja a l'hivern		
Anar al gimnàs		
Escriure cartes		
Fer exercicis de català		

9 Completa els textos amb **estimar-se, preferir, agradar** o **avenir-se.**

Text 1

L'Annie i el Bill són companys de classe i són anglesos. Es coneixen des de fa uns mesos, però ________________ (1) molt, tenen els mateixos gustos i les mateixes aficions. Els ________________ (2) sortir cada dia i passar algunes hores junts, però ________________ (3) viure en pisos diferents. ________________ (4) més compartir coses amb altres amics, conèixer gent i parlar català amb algú, perquè quan estan junts sempre parlen anglès.

Text 2

Jo no ________________ (1) gens amb la Montserrat perquè sempre està enfadada. No té sentit de l'humor i jo ________________ (2) estar amb gent alegre, que riu i que és divertida. M' ________________ (3) la gent, però no m'hi ________________ (4), si no són persones amb ganes de fer coses i de passar-s'ho bé.

Text 3

A la meva mare li ________________ (1) molt la música, però no li ________________ (2) gaire els balls. ________________ (3) més convidar els amics a casa que sopar a casa dels altres i ________________ (4) viatjar amb tren en lloc de viatjar amb avió. En canvi, el meu pare ________________ (5) més ballar que escoltar música. Li ________________ (6) moltíssim sopar fora de casa i ________________ (7) més volar que passar unes hores al tren. De fet, són molt diferents i encara no sé per què ________________ (8) tant.

10 Completa els diàlegs amb les expressions del quadre.

quin pal!
jo m'estimo més
em sap greu
a mi m'agradaria
d'acord
et sembla si
a mi no em ve gaire de gust

1 Hola, Joan! Per què no sortim aquesta nit?
Vols dir? ________________ i, a més, demà em llevo d'hora.
D'acord. Quedem un altre dia.

2 Anna, què ________________ anem a París per Nadal?
Em sembla perfecte. No he estat mai a París.

3 ________________ anar a ballar...
Ai, no! ________________. En aquella discoteca sempre hi ha molta gent. ________________ prendre una copa.
________________.

4 Et ve de gust organitzar una festa?
________________, però no puc. Tinc molta feina i no tinc temps.

11 Completa els diàlegs amb la forma adequada dels verbs **anar** o **venir.**

1 Pere, vols ________________ a prendre una copa amb nosaltres?

Ho sento, però no puc. Vull ________________ una estona a la biblioteca.

2 Ei, Albert! On ________________ tan de pressa?

________________ a l'estació a recollir la meva mare.

Ah, doncs jo ________________ amb tu i així parlem una estona.

3 Joan, pots ________________ un moment?

________________ de seguida.

4 Voleu________________ al cine avui? És que tinc tres entrades i no vull ________________-hi sol.

No, jo no puc ________________. És que tinc un sopar.

Doncs jo sí que ________________. Truco a la Maria per si vol ________________.

5 Voleu ________________ al Liceu aquest vespre? És que tinc dues entrades i jo no hi puc ________________.

No, jo no hi puc ________________. És que tinc un sopar.

Doncs jo sí que hi puc ________________.

6 Hola, Ricard! Entrem a classe?

Sí, sí.

Per què no ________________ ahir?

No ________________ perquè tenia molta feina.

7 Ens han convidat al sopar, però no sé si ________________-hi. Tu, vols ________________-hi?

Jo sí que vull ________________-hi! Segur que ens ho passarem bé.

8 L'altre dia ________________ a passejar per la Barceloneta i avui vull ________________ a passejar pel Born.

Ah, sí? Doncs jo també ________________.

9 Vols ________________ amb la Marta a sopar a casa meva?

Ai, no! Vull ________________ amb tu a sopar en un restaurant.

10 Isabel, vols ________________ a passar uns dies a Berlín amb mi?

Ui! No puc. Vull ________________ amb el Marc a Galícia.

11 Ei, Carles! On ________________ per aquest barri?

________________ a l'hospital a veure l'Ester, que ha tingut un nen.

Ah, sí? Doncs ________________ amb tu, així coneixeré el nen.

12 Pep, pots ________________ un moment?

Ara estic ocupat. No puc ________________.

13 ________________ a la meva festa d'aniversari?

No ho sé. Vull ________________, però he quedat amb una amiga.

Per què no ________________ amb la teva amiga?

Bé. Si ella vol ________________, ________________ totes dues.

12 Relaciona els rellotges amb els diàlegs.

1 Bon dia, senyor Ferrer. A quina hora és la reunió?

Bon dia, senyor Dalmau. No ho sé, però quedem a la una tocada al meu despatx.

D'acord.

2 A quina hora hem quedat per anar al teatre?

Cap a quarts de deu.

Ah, molt bé.

3 Quedem a quarts de dues per prendre una cervesa?

D'acord. Ens trobem a la terrassa de la Rambla.

4 Vols venir a dinar a casa?

D'acord. A quina hora vinc?

Cap a quarts de tres. Et sembla bé?

Sí, molt bé.

5 A quina hora queden per esmorzar els teus companys?

Normalment cap a les deu. És quan hi ha poca feina al despatx.

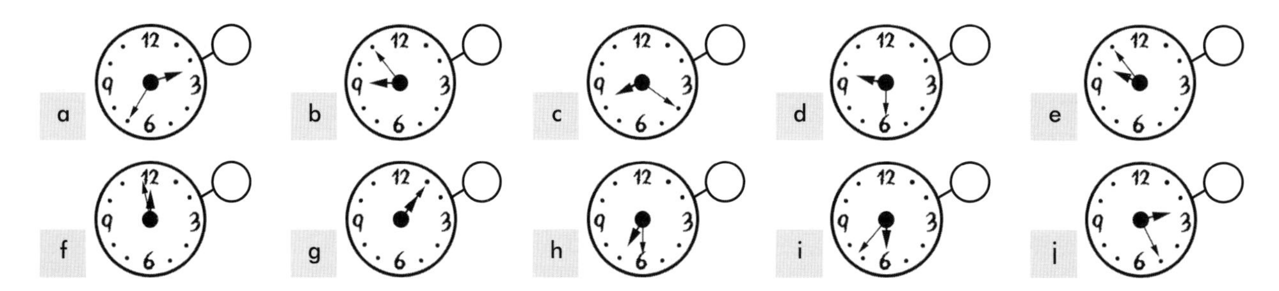

13 Escolta els diàlegs. A quina hora queden les persones? Dibuixa les hores.

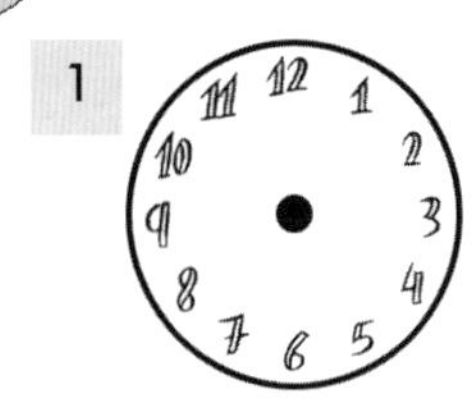

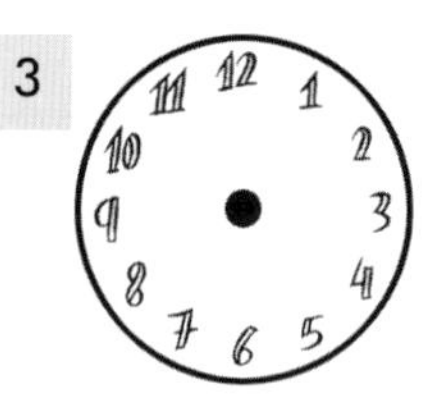

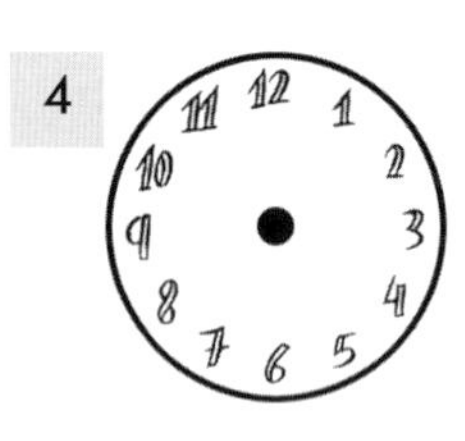

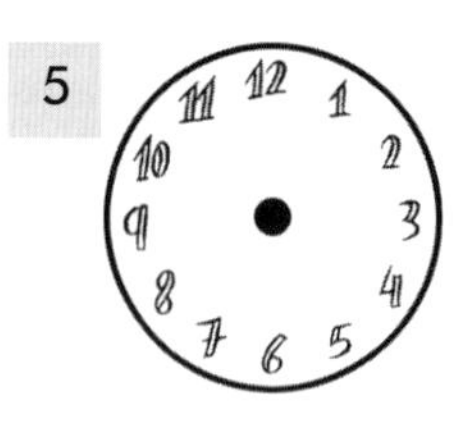

14 Completa les frases amb una sola paraula, quan calgui.

1 La Nati i jo ens trobem cada dia a ________ dues en punt a la biblioteca.

2 Quedem ________ ________ tres quarts ________ ________ tres per prendre un cafè?

3 Quina hora és? Són ________ quarts ________ quatre ________ ________ tarda.

4 Tinc hora al metge a un ________ i ________ deu de deu.

5 Cada dia arribo a casa ________ ________ una tocada.

6 I si anem al cinema? No puc. És que és massa ________ hora.

7 La pel·lícula comença ________ aquí ________ mitja hora.

8 Cada dia arribo ________ a classe de català. No hi ha mai ningú.

9 ________ quarts de dues surto de casa per arribar a l'escola ________ ________ dues.

10 Jo no sóc puntual i quedo amb els amics ________ ________ les tres o a partir ________ ________ tres.

11 Ja no hi ha entrades perquè és ________ ________. La funció comença ara mateix.

12 A mi m'agrada arribar a la feina ________, però si m'acompanya el Ramon arribo ________. És tan impuntual...

13 Jo sempre em llevo ________, en canvi el Marc sempre es lleva ________ ________, li agrada molt dormir.

14 Sempre va a dormir ________ perquè plega ________ ________ dues de la matinada.

15 Sempre va a dormir ________, per això es lleva ________ migdia.

15 Completa les frases amb la forma adequada dels verbs **quedar** o **quedar-se.**

1 Abans-d'ahir jo ________________ a casa perquè tenia feina i ________________ amb la Gina per anar al cine un altre dia.

2 Ahir jo ________________ amb l'Anna per estudiar i després totes dues ________________ a casa seva per veure una pel·lícula.

3 Nosaltres sempre ________________ a prop de la Rambla perquè el Joan després ________________ allà, perquè viu molt a la vora.

4 Quasi cada matí ________________ amb el Ramon per prendre un cafè, però de vegades ________________ al despatx, si tinc molta feina.

5 Vols que ________________ per comprar els regals o ________________ a estudiar i hi anem demà?

6 En Toni i jo ________________ per anar al Liceu, però no va venir.

7 ________________ aquí i espero la Montse.

8 Ahir va venir la Laura i ________________ a casa. No vam sortir.

9 Demà el Lluís ________________ a treballar una hora més.

10 Vols ________________ amb algú o t'estimes més ________________ sol?

16 Completa els textos amb la forma adequada dels verbs **ser** o **haver-hi.**

1 Un dels llocs més clàssics per quedar amb els amics a la meva ciutat és el Zurich, que ________ un bar que ________ a la cantonada del carrer Pelai amb la plaça de Catalunya, a l'edifici del Triangle, davant de la parada del metro Catalunya, de la línia 3, la verda.

2 Tothom queda a Piccadilly Circus. Segur que, mentre t'esperes, trobaràs algú que fa temps que no veies. ________ una plaça on ________ molts cartells publicitaris i també, molt trànsit. A sota mateix de la plaça ________ una parada de metro.

3 La Piazza Spagna és un dels punts de reunió dels romans i dels estrangers. La gent hi queda perquè es pot esperar assegut a les escales. A dalt de tot de les escales ________ l'església de Trinità dei Monti i a baix ________ una font.

4 La porta de la catedral ________ en aquella plaça quadrada on ________ un parc. Tothom hi queda perquè ________ lloc per seure i sempre ________ músics tocant. A la cantonada ________ un bar molt petit que ________ el lloc ideal per prendre-hi un cafè.

5 A la sortida del metro ________ la plaça de Centre. ________ un lloc molt típic per quedar encara que sempre ________ tanta gent que és molt difícil trobar-hi algú!

17 Completa els textos amb **que** o **on**.

1 La Plaka és un barri d'Atenes ________ hi ha baixant de l'Acròpolis. És un barri ________ hi ha moltes botigues i restaurants per als turistes.

2 Nyhavn és el port ________ hi ha a Copenhaguen. Al seu voltant hi ha una zona ________ hi ha molts bars, molts músics de carrer i molta gent.

3 El pont de Carles IV és el més conegut ________ hi ha a Praga. És sobre el riu Moldava i hi pots trobar gent de tot arreu. És un pont ________ hi ha estàtues i molts artistes de carrer.

4 El parc més gran ________ hi ha a l'illa de Manhattan és el Central Park. En aquest parc és ________ hi ha el famós Metropolitan Museum.

5 A Tarragona molta gent queda al final de la Rambla Nova, ________ hi ha el balcó del Mediterrani.

18 Completa els diàlegs amb la forma adequada de l'imperatiu dels verbs **agafar**, **pujar** o **baixar**.

1 Què et sembla si anem a la platja de la Barceloneta?
Molt bé. Com s'hi va?
______________ l'autobús 64 i
______________ a l'última parada.
Hi podria anar amb metro?
Sí, és clar. ______________ la línia groga i
______________ a la Barceloneta.
D'acord.

2 Quedem per anar a ballar aquesta nit?
D'acord. On quedem?
Ens trobem a les 12 al Bar B?
I com s'hi va?
______________ el metro a plaça Urquinaona i ______________ a Joanic. T'espero a la sortida del metro.

3 I si fem una festa a casa meva?
Que bé! I com s'hi va?
És fàcil. Si véns amb metro
______________ a la plaça de Catalunya i
______________ a Fontana. És allà mateix.

19 Escriu les frases anteriors canviant l'imperatiu pel present d'indicatiu.

20 Escriu els diàlegs canviant el present d'indicatiu per l'imperatiu.

1 Com es va al teu gimnàs?
És molt fàcil. Agafes la línia tres en direcció Canyelles i baixes a Drassanes. Puges una mica i és allà mateix.

2 On és l'escola?
És a prop de l'estació. Agafes el tren fins a la plaça Catalunya. Baixes al final del trajecte i agafes l'autobús 44. Baixes a la segona parada.

3 Com podem anar a la fira?
Agafeu el metro de la línia 1 i baixeu a la plaça Espanya. Agafeu l'autobús de l'aeroport i baixeu a l'Hospitalet. És allà mateix.

21 Completa els diàlegs.

1 Què us sembla ______________________?

Molt bé. Com ______________________?

______________________ a la parada de ______________________.

Hi podríem anar amb autobús?

Sí, és clar. ______________________ el 34 i ______________________

a ______________________.

D'acord.

2 ______________________ anar a ballar aquesta nit?

D'acord. On ______________________?

Ens ______________________ a les 12 al Bar B.

I com s'hi va?

______________________. Jo ja hi seré.

3 I si ______________________?

Ostres, a mi el rock no m'agrada.

Doncs... ______________________?

Ah, molt bé. Com ______________________?

A quarts de deu davant de l'entrada.

4 Us ve ______________________?

A mi el menjar japonès no m'agrada gaire.

A mi tampoc. Què ______________________?

Perfecte! M'encanten les pizzes.

D'acord.

22 Completa les frases amb **amunt, avall, a dalt o a baix.**

1 On és la biblioteca?

______________. Però has de pujar a peu perquè no hi ha ascensor.

2 L'ascensor no funciona bé. Va ______________ i ______________ sense parar!

3 A la dreta hi ha una botiga i una mica més ______________ hi ha un restaurant. Has de pujar fins a la cantonada.

4 ______________ de tot de la Rambla hi ha el Zurich i ______________, l'estàtua de Colom, és tocant al mar.

5 Si baixes aquest carrer una mica més ______________ de seguida veuràs la parada del metro. És allà mateix.

23 Relaciona les preguntes amb les respostes.

1		Et va bé quedar a les 11?
2		I si anem al cinema?
3		Voleu venir al concert?
4		A mi m'agradaria anar a París.
5		Et ve de gust prendre un te?
6		Voleu venir a la platja?
7		Per què no anem al circ?
8		Tens ganes de jugar a futbol?
9		Vindreu a la meva festa?
10		Anem a veure els avis dissabte o diumenge?

a	No, no en tinc ganes.
b	Ho sento, però no ens va gaire bé.
c	Jo sí, però el Sebastià diu que no té diners.
d	Un altre cop? Prefereixo anar al teatre.
e	Ho sento, però tinc hora al metge a les 10.30.
f	A mi m'és igual perquè els veig cada dia.
g	Vols dir? Amb aquest temps?
h	Doncs a mi, no. M'estimo més anar a Berlín.
i	No. Prefereixo un cafè.
j	Quin pal! Els pallassos són ridículs.

24 Escolta els diàlegs i completa el quadre segons el que sentiràs.

	Diàleg 1	Diàleg 2	Diàleg 3	Diàleg 4
Persones	A: B:	A: B:	A: B:	A: B:
Propostes	A:	A:	A:	A:
Accepta?	B:	B:	B:	
Excusa	B:	B:	B:	
Contraproposta	A:	B:		B:
Accepta?	B:	A:		A:
Excusa	B:	A:		A:
Contraproposta	A:	B:		B:

25 Completa els diàlegs amb la forma del present d'indicatiu dels verbs que hi ha entre parèntesis.

1 Joana, que ________ (voler) venir al cine amb mi?

Ho sento, no ________ (poder). És que ______ (voler) anar a sopar amb la Gemma, que fa temps que no ens veiem.

2 I vosaltres ________ (voler) venir amb mi o ________ (voler) anar amb els vostres pares?

________ (voler) venir amb tu, però no ________ (poder) perquè hem d'anar amb els nostres pares.

3 Enric, si ________ (voler), ________ (poder) estudiar més hores.

Ni ________ (poder) ni ________ (voler), perquè ja sé que no aprovaré.

4 Quedem a les nou?

Jo no ________ (poder) tan tard. ________ (poder) quedar a les vuit?

Molt bé. Doncs quedem a les vuit.

5 Saps si diumenge l'Eva ________ (poder) venir a dinar?

Crec que sí que ________ (poder), però em penso que no ________ (voler).

6 Nois, ________ (poder) venir a les vuit?

El Francesc i jo sí que ________ (poder), però els altres no ________ (poder).

No ________ (poder) o no ________ (voler)?

Ells diuen que no ________ (poder).

26 Completa els diàlegs amb els verbs **poder** o **voler.**

1. Gabriel, ________ anar al mercat aquesta tarda? És que jo no tinc temps.
   No, ni ________ ni ________ anar-hi. Ja hi anirà el Pep.
2. Nosaltres ________ anar de vacances a Nova York, però de moment no ________.
   Ah, no? Doncs hi ha vols molt barats.
3. El Josep ________ sortir cada nit, però l'endemà no ________ aixecar-se perquè té son.
   De veritat? Doncs la Gina no ________ sortir amb ell perquè diu que no li agrada sortir de nit.
4. L'Enric i tu ________ anar a classe quan treballeu al matí?
   Sí, però no ens agrada el professor i ________ canviar de grup.

27 Les frases següents corresponen a dues converses telefòniques. Escriu-les.

a. No, tranquil, és que tinc classe d'aquí a cinc minuts. Ja ens trucarem al vespre.

b. Sí, sí. Digues...

c. De la Rosa. A quina hora hi serà?

d. Li puc deixar un missatge, per si arriba abans?

e. Doncs et truco al vespre.

f. De part de qui?

g. No, en aquest moment no hi és.

h. Hola, Guim! On ets? Pots parlar?

i. La trobaràs a les tres.

j. Que hi ha la Marisa?

k. Ai! Ara no, perdona. És que estic amb un client.

l. No, ara et truco jo.

Conversa 1

- ______________________________
- ______________________________
- ______________________________
- ______________________________
- ______________________________
- ______________________________
- ______________________________

Conversa 2

- ______________________________
- ______________________________
- ______________________________
- ______________________________
- ______________________________

28 Completa els diàlegs telefònics següents.

1 Sí? _______________?
Hola, Marc! Que _______________ la Roseli?
Sí, sí que _______________. Ara _______________ posa.
Gràcies. Adéu, Marc.

2 Hola, que _______________, el Xavier?
No, ara no _______________.
Saps quan _______________?
Potser al vespre...
D'acord. Gràcies. Adéu.

3 Hola, que _______________ la Rosa?
Sí, _______________ jo. Qui _______________?
_______________ el Josep.
Ah! Hola, Josep. Ara no et coneixia. Què hi ha?
Bé! Et trucava _______________ vols venir al cine aquest vespre.
Ah, molt bé!

4 Hola, Lourdes, sóc el Jordi. On _______________? _______________ parlar?
Hola, Jordi! Ara _______________ al despatx. _______________ trucar d'aquí a una estona? _______________ ara tinc molta feina.
Bé, ja _______________ al migdia. Et va bé?
Sí, sí.

29 Les frases següents corresponen a quatre converses. Escriu-les.

1 Aniré a França uns dies i després vindran els meus pares a casa meva.

2 I es quedaran gaires dies?

3 I si anéssim al bar d'en Pep, que és més a prop, i dissabte, a la discoteca?

4 Què faràs per vacances?

5 Jo em quedaré a casa, però ells aniran igualment d'excursió.

6 Què farem el cap de setmana que ve?

7 Dijous no puc, però hi aniré dimecres amb els meus amics.

8 Doncs ja ens veurem a classe divendres.

9 Divendres podríem anar a la discoteca nova.

10 Doncs si no plou, vindré amb vosaltres, si no us molesto.

11 Us quedareu a casa si plou o anireu a la muntanya?

12 Vindràs al teatre dijous amb els companys de classe?

13 Dues setmanes, però anirem quatre dies a la platja.

Les vacances
- _______________
- _______________
- _______________
- _______________

El cap de setmana
- _______________
- _______________
- _______________

El temps
- _______________
- _______________
- _______________

El teatre
- _______________
- _______________
- _______________

30 Ordena cronològicament les expressions temporals que fan referència al futur.

aquesta tarda | demà | la setmana que ve | l'any que ve | d'aquí a dos dies | l'endemà | demà passat | aquest vespre

31 Completa els textos amb la forma adequada del futur o del passat perifràstic d'indicatiu dels verbs que hi ha entre parèntesis.

Text 1

Dissabte que ve la Rosa i jo ______________ (1) (fer) una visita turística a la ciutat de Terrassa. La setmana passada el Jim hi ______________ (2) (anar) i em ______________ (3) (dir) que val la pena anar-hi. Així doncs, a les deu del matí ens ______________ (4) (trobar) a l'estació de Sants, per anar a Terrassa. ______________ (5) (visitar) el centre de la ciutat, ______________ (6) (anar) al Museu Tèxtil i també ______________ (7) (veure) alguns edificis modernistes. ______________ (8) (dinar) al restaurant Can Plats, que tenen cuina típica catalana i no és gaire car. Quan el Jim hi ______________ (9) (anar) li ______________ (10) (agradar) molt. Després ______________ (11) (poder) visitar l'església de Sant Pere i ______________ (12) (passejar) pel parc de Vallparadís, que és un dels parcs urbans més grans de Catalunya. No sé si ______________ (13) (tenir) temps per visitar més coses. ______________ (14) (tornar) a Barcelona cap a les vuit del vespre.

Text 2

El cap de setmana que ve tots els meus amics ______________ (1) (anar) a Perpinyà, a un concert de jazz, però jo no hi ______________ (2) (anar) perquè l'any passat ja hi ______________ (3) (anar) i no em ______________ (4) (agradar) gaire. I a més diuen que ______________ (5) (fer) molt vent i ______________ (6) (ploure), i el concert és a l'aire lliure. ______________ (7) (quedar-se) a Girona i ______________ (8) (anar) a un concert de jazz que fan a Palafrugell. Un amic meu hi ______________ (9) (anar) la setmana passada i em ______________ (10) (dir) que era molt bo. Com que no hi vull anar tot sol, ______________ (11) (trucar) a l'Albert i li ______________ (12) (preguntar) si vol venir. Segur que ______________ (13) (venir). Després del concert ______________ (14) (prendre) una copa a un local nou que ______________ (15) (obrir) fa un mes. L'Albert hi ______________ (16) (anar) dimecres passat i es veu que està molt bé.

Text 3

T'escric per convidar-te a passar un cap de setmana meravellós. Aquest cap de setmana que ve ______________ (1) (ser) molt assolellat i per això tu i jo ______________ (2) (fer) una escapada a la Costa Brava. Què et sembla? ______________ (3) (venir) a buscar-te divendres a la tarda a casa teva i ______________ (4) (anar) directament a Tossa. Recordes quan hi ______________ (5) (anar) fa deu anys? ______________ (6) (quedar-se) al mateix hotel i ______________ (7) (sopar) al mateix restaurant on et vaig dir que t'estimava. Dissabte al matí ______________ (8) (llevar-se) d'hora i ______________ (9) (banyar-se) a la platja de Tossa. Després ______________ (10) (agafar) el cotxe i ______________ (11) (anar) cap a Cadaqués. Hi ______________ (12) (arribar) cap al migdia. ______________ (13) (dormir) al mateix hotel de l'altra vegada. Et ve de gust? ______________ (14) (tenir) temps per parlar de moltes coses. Espero que no ______________ (15) (haver-hi) cap problema i que ______________ (16) (poder) venir. Si no em dius res, ho ______________ (17) (entendre)... Sé que estimes un altre home, però jo no ______________ (18) (perdre) mai l'esperança.

32 **Escolta el text de l'exercici 15 del llibre de l'alumne i després llegeix-lo en veu alta.**

33 **Completa els textos de les previsions meteorològiques amb les formes del futur dels verbs caure, fer, haver-hi, nevar, ploure o ser. Es poden repetir.**

Text 1

Aquest cap de setmana a la Catalunya del Nord hi haurà temperatures mínimes sota zero. Per això segurament hi ________________ (1). A la costa, dissabte, hi ________________ (2) sol i calor intensa; diumenge, però, el temps canviarà: ________________ (3) núvols i potser hi ________________ (4) alguns ruixats. A les Illes Balears s'espera un cap de setmana assolellat, amb temperatures altes i, fins i tot, hi ________________ (5) xafogor. No ________________ (6) cap núvol.

Text 2

Al País Valencià al llarg del cap de setmana ________________ (1) núvols alts i mitjans que deixaran el cel entre mig i molt ennuvolat. Segurament hi ________________ (2) algun ruixat. Les temperatures ________________ (3) una mica més baixes i hi ________________ (4) vent entre moderat i fort. A l'interior del Principat hi ________________ (5), i en alguns punts fins i tot hi ________________ (6) xàfecs. A la costa no ________________ (7) boira. ________________ (8) als Pirineus, perquè les temperatures són molt baixes.

Text 3

A la Franja de Ponent ________________ (1) núvols i les temperatures ________________ (2) baixes. Hi ________________ (3) vent entre fluix i moderat. Al Principat no s'esperen xàfecs, però sí que ________________ (4) alguns ruixats a la costa. Les temperatures ________________ (5) més baixes i no hi ________________ (6) sol. ________________ (7) alguna tempesta amb llamps i trons a la zona pre-litoral. A Andorra el cel ________________ (8) serè en general durant el matí, però ________________ (9) núvols cap a la tarda i hi ________________ (10) alguns ruixats al vespre.

34 **En parelles A i B. (A tapa el mapa de B, B tapa el mapa de A.) Demana i dóna la previsió meteorològica del mapa. Dibuixa els símbols al mapa.**

Plourà a la costa demà?

No, no hi plourà, però hi farà vent.

A

B

35 Completa els diàlegs amb el temps verbal adequat dels verbs que hi ha entre parèntesis.

1 El Manel i jo, aquest cap de setmana que ve, _______________ (1) (anar) a Andorra, si _______________ (2) (nevar).

I si no _______________ (3) (nevar), què _______________ (4) (fer)?

Doncs, si no _______________ (5) (nevar), _______________ (6) (quedar-se) a casa!

2 On vas?

_______________ (1) (anar) a la piscina.

Mira quin temps fa! Està a punt de ploure!

Hi penso anar, encara que _______________ (2) (ploure). Ahir no hi _______________ (3) (anar) i al final _______________ (4) (sortir) el sol.

Doncs vés-hi. També et mullaràs!

3 Què faràs aquest cap de setmana?

Dissabte segurament _______________ (1) (anar) al teatre amb la Mariona, si encara _______________ (2) (fer) l'obra de Shakespeare.

Ah, jo hi _______________ (3) (anar) dissabte passat i em _______________ (4) (agradar) molt. I diumenge, què _______________ (5) (fer)?

Doncs, si _______________ (6) (fer) sol, vull anar a la platja.

Un diumenge a la platja? Jo prefereixo prendre el sol a la terrassa de casa. A la platja hi ha molta gent.

Jo hi _______________ (7) (anar), encara que _______________ (8) (haver-hi) molta gent. Potser _______________ (9) (conèixer) algú interessant!

4 Com es presenta el cap de setmana?

Si no _______________ (1) (ploure), _______________ (2) (anar) d'excursió a Banyoles.

Ostres! Hi _______________ (3) (fer) molt fred i _______________ (4) (haver-hi) molta humitat!

Sí, però hi anirem encara que _______________ (5) (fer) molt fred i _______________ (6) (haver-hi) humitat. Està decidit.

36 Escolta les persones i completa el quadre.

	1	2	3	4
Projectes				
Canvis				
Motiu				

37 Completa el text.

Toni: Què podem fer aquest vespre?

Lali: I si ______________ (1) tots a casa de la Montse a veure una pel·lícula de terror?

Toni: Ai, no! Una pel·lícula de terror! ______________ (2) trobo avorridíssimes!

Jo ______________ (3) més sortir que ______________ (4) a casa, davant de la tele.

______________ (5) no anem a la discoteca a ballar una estona?

Montse: Home! ______________ (6) dir? Ahir tots ______________ (7) a dormir tard. A més, els dissabtes tothom ______________ (8) i no suporto els llocs on ______________ (9) tanta gent. I a la Lali, les discos tampoc ______________ (10). Oi que no, Lali?

Lali: Ballar? No m'agrada ______________ (11) ni mica.

Toni: I mirar com balla la gent?

Lali: Mirar com ballen els altres? No ______________ (12) suporto.

Toni: D'acord. Doncs que algú proposi alguna cosa.

Lali: Què ______________ (13) si anem a fer una copa a una terrassa de la platja?

Hi ha ______________ (14) bars que estan ______________ (15) bé. El problema és

que ______________ (16) ser molt cars.

Montse: A una terrassa?

Toni: A mi tant ______________ (17). Ja m'està bé. Abans de veure una pel·li de terror, qualsevol cosa!

Carles: Jo hi ______________ (18) fa quinze dies i ______________ (19) vaig passar molt bé.

Toni: Bé, doncs, què fem? Ja són ______________ (20) de deu!

Carles: Fet, anem a fer una copa.

Montse: Creieu que hi ______________ (21) fred, a la platja?

Lali: Dona, a prop del mar sempre hi ha més ______________ (22).

Toni: Jo hi vaig, encara que ______________ (23) fred! A tu, Montse, no ______________ (24) gust res! Vols ______________ (25) amb nosaltres o no?

Montse: Sí, sí... però primer ______________ (26) a casa a menjar alguna cosa.

Carles: D'acord. Doncs ______________ (27) a les 11 davant de la font que ______________ (28) al passeig.

Montse: La font ______________ (29) davant de la parada d'autobús, oi?

Carles: Sí, exacte. Si ______________ (30) l'autobús 42, et deixarà davant mateix.

1

1. m'agraden, prefereixo, m'agrada, m'agrada
2. prefereixes, Prefereixo, m'agraden
3. us agrada, Ens agrada
4. li agrada, li agrada / prefereix, prefereix
5. Us agrada, m'agrada, li agrada, preferim, ens agraden
6. prefereixen, prefereix, prefereix, els agrada
7. m'agrada, Prefereixo, prefereixes, m'agrada

2

1. ens estimem més sopa
2. us estimeu més: comprar
3. s'estima més anar
4. T'estimes més un cafè, M'estimo més un cafè
5. s'estimen més celebrar, s'estimen més sopar, m'estimo més una festa
6. M'estimo més anar-hi, ens estimem més no anar-hi
7. s'estimen més comprar, S'estimen més llogar-lo

3

1. Ø, t', M', Ø, m'
2. li, S'
3. m', t'
4. ens, Ens
5. m', Ø
6. Ø, m'
7. us, Ø
8. s', Ø, m'
9. els, Ø, s'

4

1. m'agraden
2. m'estimo més
3. Els trobo
4. m'avinc
5. us aveniu
6. m'estimo més
7. ens agraden
8. Et ve de gust
9. no li agrada gaire / gens (ni mica) / li agrada força
10. Ell prefereix
11. s'estima més
12. els agraden
13. els agrada
14. T'estimes
15. No m'agrada sortir / M'estimo més no sortir

5

1. Ho, els	2. el, la, ho
3. les	4. les
5. Els, Els	6. les
7. Ho, la	8. les
9. Ho, Ho	10. ho, ho, ho

6

1. ordinàries, entranyables, excitants
2. horrorosos, pràctics
3. perillosos
4. insuportables, ridícules, divertida
5 fàcil, difícils

7

1. d	2. c	3. e	4. f
5. a	6. b	7. j	8. h
9. g	10. i		

9

Text 1
1. s'avenen; 2. agrada; 3. prefereixen; 4. S'estimen
Text 2
1.m'avinc; 2. prefereixo; 3. agrada; 4. avinc
Text 3
1. agrada; 2. agraden; 3. S'estima; 4. prefereix; 5. s'estima; 6. agrada; 7. s'estima; 8. s'avenen

10

1. A mi no em ve gaire de gust
2. et sembla si
3. A mi m'agradaria, Quin pal!, Jo m'estimo més, D'acord
4. Em sap greu

11

1.venir, anar; 2. vas, Vaig, vinc; 3. venir, Vinc; 4. venir, anar, venir, vinc / vindré, venir; 5. anar, anar, anar, anar; 6. vas venir, vaig venir; 7. anar, anar, anar; 8. vaig anar, anar, vinc / vindré; 9. venir, anar; 10. venir, anar; 11. vas, Vaig, vinc; 12. venir, venir; 13. Véns / Vindràs, venir, véns, venir, venim / vindrem

12

1. g; 2. d; 3. a; 4. j; 5. e

13 Solucions orientatives

1. 7.15 h; 2. 5.55; 3. 2.50; 4. 2.10; 5. 11.25

14

1.les; 2. a / cap a, de; 3. dos / tres, de, de la; 4. quart, Ø; 5. a la; 6. d'; 7. d', a; 8. aviat / d'hora; 9. A, a les; 10. a / cap a, de les; 11. molt / massa tard; 12. aviat / d'hora, tard; 13. aviat / d'hora, més / molt tard; 14. tard, a les; 15. tard, al

15

1. em vaig quedar, vaig quedar
2. vaig quedar, ens vam quedar
3. quedem, es queda
4. quedo, em quedo
5. quedem, ens quedem
6. vam quedar
7. Em quedo
8. ens vam quedar
9. es quedarà / es queda
10. quedar, quedar-te

16

1. és, hi ha; 2. És, hi ha, hi ha; 3. hi ha, hi ha; 4. és, hi ha, hi ha, hi ha, hi ha, és; 5. hi ha, És, hi ha

17

1. que, on; 2. que, on; 3. que, on; 4. que, on; 5. on

18

1. Agafa, baixa, Agafa, baixa; 2. Agafa, baixa; 3. puja, baixa

19

1. Agafes, baixes, Agafes, baixes; 2. Agafes, baixes; 3. puges, baixes

20

1. Agafa, baixa, Puja; 2. Agafa, Baixa, agafa, Baixa; 3. Agafeu, baixeu, Agafeu, baixeu

21 Solucions orientatives

1. si anem a..., quedem, Quedem, taxis, Agafeu, baixeu, l'última parada
2. Us agradaria / Et ve de gust, quedem, podem trobar, Agafa / Agafeu... i baixeu...
3. anem a... / anéssim a..., anem a... / per què no anem a..., quedem
4. de gust anar a..., us sembla si anem a...

22

1. A dalt; 2. amunt, avall; 3. amunt; 4. A dalt, a baix; 5. avall

23

1. e; 2. d; 3. c; 4. h; 5. i; 6. g; 7. j; 8. a; 9. b; 10. f

24

Diàleg 1
Persones: A: Lluís, B: Joan
Propostes: A: sortir a la nit
Accepta? B: no
Excusa: B: surt amb la Mònica
Contraproposta: A: sortir tots tres
Accepta? B: no
Excusa: B: vol sortir sol amb la Mònica
Contraproposta: A: sortir demà
Diàleg 2
Persones: A: Lola, B: Jaume
Propostes: A: anar a una pizzeria
Accepta? B: no
Excusa: B: hi ha massa gent i les pizzes no li agraden gaire
Contraproposta: B: anar a sopar a casa seva
Accepta? A: no

Excusa: A: no li agraden els sopars del Jaume
Contraproposta: B: sopar a casa seva: ell fer-se el sopar, ella demanar una pizza

Diàleg 3
Persones: A: Pere, B: Enric
Propostes: A: anar a la festa dels veïns
Accepta? B: no
Excusa: A: li agraden les festes tranquil·les

Diàleg 4
Persones: A: Sandra, B: Júlia
Propostes: A: trobar-se a la porta del Liceu
Contraproposta: B: trobar-se al Zurich i baixar passejant per la Rambla
Accepta? A: no
Excusa: A: hi ha massa gent i no es trobaran
Contraproposta: B: quedar al vestíbul del Liceu

25

1. vols, puc, vull
2. voleu, voleu, Volem, podem
3. vols, pots, puc, vull
4. puc, Podem
5. pot, pot, vol
6. podeu, podem, poden, poden, volen, poden

26

1. pots, puc, vull; 2. volem, podem; 3. vol, pot, vol; 4. podeu, volem

27

Conversa 1: j, g, f, c, i, d, b
Conversa 2: h, k, e, l, a

28

1. Digui, hi ha, hi és, s'hi
2. hi és, hi és, hi serà
3. hi ha, sóc, ets, Sóc, per si
4. ets, Pots, sóc, (Em) pots, És que, (et) trucaré

29

Les vacances: 4, 1, 2, 13
El cap de setmana: 6, 9, 3
El temps: 11, 5, 10
El teatre: 12, 7, 8

30

aquesta tarda / aquest vespre / demà / demà passat / d'aquí a dos dies / l'endemà / la setmana que ve / l'any que ve

31

Text 1
1.farem; 2. va anar; 3. va dir; 4. trobarem; 5. Visitarem; 6. anirem; 7. veurem; 8. Dinarem; 9. va anar ;10. va agradar; 11. podrem; 12. passejarem; 13. tindrem; 14. Tornarem

Text 2
1. aniran; 2. aniré; 3. vaig anar; 4. va agradar; 5. farà; 6. plourà; 7. Em quedaré; 8. aniré; 9. va anar; 10. va dir; 11. trucaré; 12. preguntaré; 13. vindrà; 14. prendrem; 15. van obrir; 16. va anar

Text 3
1. serà; 2. farem; 3. Vindré; 4. anirem; 5. vam anar; 6. Ens quedarem; 7. soparem; 8. ens llevarem; 9. ens banyarem; 10. agafarem; 11. anirem; 12. arribarem; 13. Dormirem; 14. Tindrem;15. hi haurà; 16. podràs; 17. entendré; 18. perdré

33

Text 1
1. nevarà; 2. farà; 3. hi haurà; 4. cauran; 5. farà; 6. hi haurà

Text 2
1. hi haurà; 2. caurà; 3. seran; 4. farà; 5. plourà; 6. cauran; 7. hi haurà; 8. Nevarà

Text 3
1. hi haurà; 2. seran; 3. farà; 4. cauran; 5. seran; 6. farà; 7. Hi haurà / Farà; 8. serà; 9. hi haurà; 10. cauran

35

1.
1. anirem; 2. neva; 3. neva; 4. fareu; 5. neva; 6. ens quedarem

2.
1. Vaig; 2. plogui; 3. vaig anar; 4. va sortir

3.
1. aniré; 2. fan; 3. vaig anar; 4. va agradar; 5. faràs; 6. fa; 7. aniré; 8. hi hagi; 9. coneixeré

4.
1. plou; 2. anirem; 3. farà; 4. hi haurà; 5. faci; 6. hi hagi

36

Conversa 1
Projectes: Pirineus de divendres a diumenge. Fer una excursió divendres
Canvis: fer l'excursió dissabte al matí
Motiu: pluja

Conversa 2
Projectes: Visitar pobles dels voltants de Camprodon
Canvis: quedar-se a l'apartament
Motiu: neu

Conversa 3
Projectes: anar dissabte a la platja
Canvis: estudiar
Motiu: pluja

Conversa 4
Projectes: Anar al Parc Güell o quedar-se a casa amb la Rosa
Canvis: quedar-se a casa
Motiu: pluja

37

1. anem / anéssim
2. Les
3. m'estimo
4. quedar-me
5. Per què
6. Vols
7. vam anar
8. surt
9. hi ha
10. (no) li agraden
11. gens
12. ho
13. us sembla
14. uns / alguns / molts...
15. molt / força / bastant
16. deuen
17. me fa
18. vaig anar
19. m'ho
20. quarts
21. farà
22. humitat
23. faci
24. et ve de
25. venir
26. aniré
27. quedem / ens trobem
28. hi ha
29. és
30. agafes

Unitat 2

NOTÍCIES FRESQUES

UNITAT 2

NOTÍCIES FRESQUES

1 Relaciona els infinitius amb els participis.

	infinitiu	participi
1	anar	
2	vestir	
3	convidar	
4	trucar	
5	esmorzar	
6	llegir	
7	sortir	
8	dir	
9	conèixer	
10	creure	
11	encendre	
12	morir	
13	tenir	
14	voler	

anat — conegut — dit — conviden — truques — convidat — vestit — volgut — vol — anava — sortit — vestia — trucat — llegit — esmorzat — esmorzes — llegiu — encès — mors — mort — tindrà — deies — tingut — cregut — conec — creies — sortia — encén

2 En parelles A i B. (A tapa el quadre de B, B tapa el quadre de A.) Demana quins són els participis dels infinitius.

infinitiu	participi
aprendre	après
treure	tret
venir	
entendre	entès
escriure	
viure	viscut
poder	
obrir	obert
veure	
fer	fet
moure	
prendre	pres
beure	

Quin és el participi d'aprendre?

Après.

Com s'escriu? Amb accent?

Sí, amb accent obert a la e.

B

infinitiu	participi
aprendre	après
treure	
venir	vingut
entendre	
escriure	escrit
viure	
poder	pogut
obrir	
veure	vist
fer	
moure	mogut
prendre	
beure	begut

3 **Escriu els participis dels dos exercicis anteriors, segons les terminacions.**

-at	-ut	-it	-es / -ès	altres

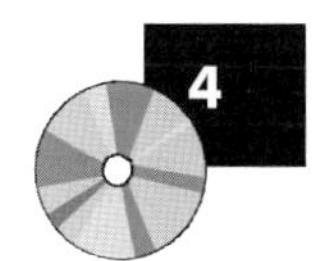

4 **Escriu els participis dels verbs següents. Escolta i comprova si ho has fet bé.**

	participi	infinitiu		participi	infinitiu
1		beure	11		poder
2		conèixer	12		prendre
3		creure	13		ser
4		dinar	14		tenir
5		dir	15		treballar
6		entendre	16		treure
7		escriure	17		venir
8		fer	18		veure
9		morir	19		viure
10		moure	20		voler

5 **Transforma les frases en perfet d'indicatiu.**

1 Jo li escric un correu electrònic, i tu?
Jo li he escrit un correu electrònic, i tu?

2 Tu llegeixes el diari cada dia i, en canvi, l'Anna no llegeix mai cap diari.

3 Treballeu al matí o a la tarda?
Avui només treballem al matí.

4 Tu obres el correu electrònic cada dia, oi?

5 Els nens no poden arribar d'hora al col·legi, perquè l'autocar no arriba.

6 Nosaltres no prenem cafè després de sopar. I vosaltres, preneu te o cafè?

7 Les meves filles surten de classe a les 5. I la teva, a quina hora surt?

8 Nosaltres venim de Roma i ells, d'on vénen?

9 Què veieu des de la finestra?
Veiem els focs artificials.

____

10 Jo prenc un gelat per postres i vosaltres, què preneu?
Jo prenc un pastís i l'Isaac no pren res.

____

11 Us quedeu a casa?
Jo sí que m'hi quedo, però la Patrícia surt.

____

12 Jo no dic res. I tu, què dius?

____

13 Amb aquest professor aprenem molt de pressa, però els de tercer no aprenen res.

____

14 Jo et conec. I tu, no em coneixes?

_______ _______________

15 On vius, a Terrassa o a Sabadell?
Visc a Terrassa.

____

16 Al matí els nens fan el llit abans de sortir i nosaltres preparem l'esmorzar.

____

17 El Pep parla massa; en canvi, els seus fills no parlen gens.

____

18 Jo bec vi. I tu, què beus?

____

19 Després de dinar encenc un cigarret.

____

6 Completa les frases amb la forma adequada del perfet d'indicatiu del verb que hi ha entre parèntesis.

1 Aquest matí el Miquel ha esmorzat (esmorzar) a dos quarts de vuit.

2 Els meus pares _______________ (anar) al cine dos cops aquesta setmana.

3 El teu germà i tu _______________(dinar) a les dues i _______________ (sopar) a les vuit, oi?
Sí, però no _______________ (berenar).

4 La meva dona i jo _______________ (escoltar) música aquesta tarda.

5 Aquest matí la meva parella i jo _______________ (poder) esmorzar junts.

6 Aquesta tarda el Manel _______________ (veure) el Xavi pel carrer.

7 Avui nosaltres no _______________ (saber) la resposta correcta de l'exercici.

8 Aquesta setmana jo _______________ (llegir) els textos de classe. I tu, els _______________ (llegir)?

9 Quantes hores _______________ (dormir) tu i en Ramon, aquesta nit?

10 Els teus companys _______________ (fumar) a la pausa?
No, però jo, sí. I tu, _______________ (fumar)?
No, perquè no _______________ (sortir) al carrer.

7 Completa els diàlegs amb els pronoms adequats.

1 A quina hora ________ heu llevat, avui?
________ hem llevat a dos quarts de vuit. ________ hem dutxat, ________ hem vestit i hem anat a la feina.

2 A quina hora ________ han llevat, els teus fills?
Avui ________ han llevat una mica més tard perquè és diumenge.

3 Què has fet aquest matí?
________ he llevat tard, ________ he vestit i he anat al gimnàs.
I no ________ has dutxat, abans de sortir?
No, perquè ________ he dutxat al gimnàs.

4 Què estan fent els nens?
La Joana ja ________ ha pentinat i l'Ignasi ________ ha vestit tot sol.
I tu, ja ________ has afaitat?
Sí, però encara no ________ he rentat les dents.

5 Ostres! Què has fet al bany tanta estona?
________ he tenyit els cabells.

6 Saps si la Pepa i el Marc ________ han casat?
I tant! ________ han casat aquesta setmana.

7 Ja ________ heu vestit, nens?
Sí, ja ________ hem vestit.
I ja ________ heu rentat les dents?
Sí, i també ________ hem rentat les dents. Que pesada!

8 La Rita ha arribat a casa, ________ ha dutxat, ________ ha maquillat i també ________ ha tenyit els cabells.
I on ha anat?
No ho sé. ________ ha canviat de roba i ha marxat.
Que estrany!

9 Aquest vespre ________ he trobat la Magda.
________ has trobat la Magda? Quina casualitat! Jo ________ he trobat la seva germana.

8 Completa els textos amb els pronoms adequats, quan calgui.

Text 1

Aquest matí ________ (1) he llevat molt d'hora. Primer ________ (2) he dutxat, ________ (3) he vestit, ________ (4) he pintat i després ________ (5) he esmorzat. Abans de sortir de casa, ________ (6) he telefonat a la meva mare, ________ (7) he rentat els plats i ________ (8) he marxat. ________ (9) he treballat tot el dia. Quan ________ (10) he plegat, ________ (11) he tornat a casa i ________ (12) he canviat de roba. Després ________ (13) he trucat al meu xicot per quedar. ________ (14) he arreglat una mica i ________ (15) he sortit al carrer per agafar un taxi.

Text 2

Avui no ________ (1) hem esmorzat, perquè ________ (2) hem despertat tard. El Joan ________ (3) ha anat a la feina amb taxi i jo ________ (4) he decidit treballar a la tarda. Els nens també ________ (5) han llevat tard, però ________ (6) han arribat a l'escola a l'hora, perquè tampoc ________ (7) han esmorzat. A l'hora de dinar, ________ (8) hem menjat molt i, havent dinat, el Joan ________ (9) ha dutxat i ________ (10) ha canviat de roba. Després tots dos ________ (11) hem quedat a casa i ________ (12) hem treballat una mica amb la traducció que hem de fer. A la nit, els nens ________ (13) han banyat, ________ (14) han rentat les dents i ________ (15) han anat a dormir.

9 Completa les frases amb els verbs del quadre en perfet d'indicatiu.

anar
llevar-se
conèixer
escriure
discutir
viure
obrir
entendre
veure
quedar
prometre

1 Aquest cap de setmana en Hans i jo _______________ a Mallorca.

2 Jo _______________ un cap de setmana a Port Aventura als meus fills.

3 L'Albert i jo _______________ amb uns amics al cafè Zurich.

4 Aquest estiu no _______________ cap dia més aviat de les 12. És que m'agrada molt dormir.

5 Aquesta setmana el meu cosí i jo _______________ cada dia, perquè no tenim paciència.

6 Els meus alumnes _______________ la diferència entre el passat perifràstic i el perfet.

7 Ei, nois! _______________ l'Helena? Sabeu on és?

8 Aquest matí _______________ el nostre professor de català. Sembla molt simpàtic.

9 Ei, Marta, _______________ l'ampolla de cava?

10 Aquest any _______________ sis mesos a París i sis mesos a Lleida. I Lleida no m'ha agradat gens.

11 Avui el senyor Arnau i jo _______________ un correu electrònic al president del Barça.

10 Completa els textos amb les paraules del quadre.

Text 1

primer
ara mateix
havent
més tard
després d'

Estimat diari,

M'he llevat molt trista perquè em pensava que en Joel no em feia cas. _______________ (1) esmorzar he anat a l'escola i a l'hora del pati en Joel ha vingut a jugar amb mi.

_______________ (2) no he volgut jugar amb ell, però _______________ (3) he canviat d'opinió i li he dit que d'acord. Hem jugat fins a la classe de mates.

Aquesta tarda m'ha enviat un missatge al mòbil. M'ha demanat si he fet els deures. Ell no els ha fet. Li he contestat que sí, i hem quedat que demà li deixaré copiar els deures. _______________ (4) he enviat un missatge a la Mariona per explicar-li que demà tinc una cita! Segur que la Mariona em contestarà _______________ (5) sopat.

Text 2

primer
fa mitja hora
llavors
al cap d'una estona
aleshores
a la tarda
aquest migdia

_______________ (1), cap a la una, he quedat amb la Montse. Que bé!

_______________ (2) hem passejat una estona pel parc i després, _______________ (3), ens hem assegut en un banc. Hem parlat del futur. _______________ (4) hem vist el marit de la Montse que passejava amb una dona. Sort que no ens ha vist. El seu marit ha fet un petó a la dona i la Montse s'ha posat molt nerviosa.

_______________ (5) li he dit que ha de deixar el seu marit. M'ha promès que s'ho pensarà. _______________ (6) hem anat al piset i no ens hem mogut d'allà.

_______________ (7) que se n'ha anat. Acabo de trucar a PizzaPlat perquè tinc gana. He trucat a la Joana per dir-li que arribaré tard, que he tingut una reunió.

Text 3

després de
llavors
més tard
abans d'
primer
després

Avui m'he llevat a dos quarts de vuit, i _______________ (1) dutxar-me, he despertat els nens. _______________ (2) he preparat l'esmorzar. _______________ (3), quan els nens han acabat d'esmorzar, s'ha llevat el seu pare, ha esmorzat i ha llegit el diari. _______________ (4) anar-se'n a la feina, m'ha fet un petó, no sé per què. Els nens a l'escola i el pare a la feina. M'he quedat sola a casa. M'he organitzat: _______________ (5) he netejat la casa i _______________ (6) he anat a comprar. De vegades m'agradaria ser com els humans d'aquesta família, però m'estimo més ser el que sóc, un robot feliç!

11 Completa el text amb els verbs del quadre en perfet d'indicatiu. Escolta el text i comprova si ho has fet bé.

aprendre
casar-se (2)
conèixer (2)
dir
enamorar-se
entendre (2)
escriure
guanyar
mirar
patir
perdre
ser
tenir
visitar
viure (2)
voler

Presentador: Avui tenim amb nosaltres una lleidatana que _______________ (1) una vida plena d'aventures. Ara viu a Barcelona al barri del Raval. Es diu Antònia Pelegrí i Cabrenys, té 83 anys i és feliçment casada. Perquè vostè _______________ (2), si ho _______________ (3) bé, cinc vegades, oi?

Antònia: Això mateix, _______________ (4) cinc vegades. L'última, aquesta mateixa setmana, amb un jove molt trempat, un artista que _______________ (5) que el món no és només vida material.

Presentador: _______________ (6) fa una estona, abans de començar aquesta entrevista, que _______________ (7) als cinc continents.

Antònia: Sí, és veritat. _______________ (8) una vida molt moguda, i tant! _______________ (9) Àsia, Àfrica, Amèrica, Austràlia i puc dir que _______________ (10) les ciutats europees més importants. De París, Londres i Barcelona, per exemple, ho conec tot.

Presentador: És una dona amb molt de caràcter, vostè. I forta, ja es veu!

Antònia: _______________ (11) quatre guerres, _______________ (12) centenars d'articles de premsa. També _______________ (13) fotògrafa i _______________ (14) set idiomes. _______________ (15) artistes, _______________ (16) d'homes molt diferents, _______________ (17) un món millor, _______________ (18) i _______________ (19), però sempre _______________ (20) endavant.

12 **Escriu a cada columna les frases corresponents a ahir o avui. Després transforma-les.**

	ahir	avui
1	Vaig convidar els meus pares a sopar.	He convidat els meus pares a sopar.
2		
3		
4		
5		
6		
7		
8		
9		
10		
11		
12		
13		
14		
15		
16		
17		
18		
19		
20		

He convidat els meus pares a sopar.
He conegut un noi guapíssim.
La meva xicota em va deixar.
He dinat a Can Pinxo.
No vam fer els deures de català.
He quedat amb uns amics.
Vau veure un ovni?
Em vaig casar.
Heu vist la pel·lícula que han fet a la tele?
Vaig conèixer l'amor de la meva vida.
Vau llegir el diari al cafè?
S'ha llevat tard.
Vam beure massa.
Vas escriure un correu electrònic?
No has sortit de casa en tot el dia.
Vau perdre les claus?
Van obrir una ampolla de cava.
La Xènia va viure 3 anys a Mallorca.
Vau encendre els llums quan vau arribar?
Has vingut molt d'hora.

13 **A partir de la informació que ha apuntat la Meritxell a l'agenda, continua el diari que ha començat a escriure.**

Dissabte Març 24

08.00 h	llevar-se, dutxar-se i esmorzar
08.45 h	esport amb la Raquel
10.00 h	supermercat
10.45 h	platja amb en Pau
11.30 h	tren cap a Sitges
14.00 h	paella
17.00 h	tornar a casa i descansar
20.00 h	cine amb la Lali i en Roger
22.00 h	copa
24.00 h	trucar al Pau i dormir

Avui a les vuit ha sonat el despertador. M'he llevat...

14 **Torna a escriure el text de l'exercici anterior, explicant què va fer ahir la Meritxell.**

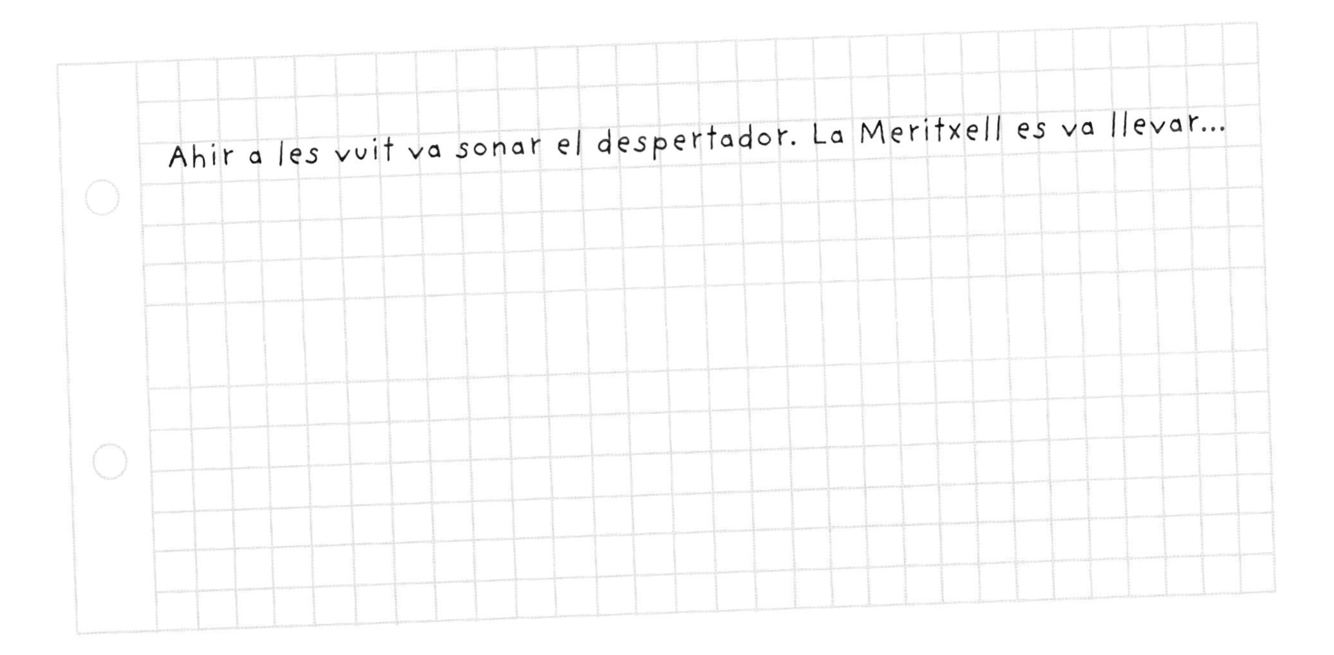

Ahir a les vuit va sonar el despertador. La Meritxell es va llevar...

15 Llegeix les frases i ordena-les per formar un text.

1 Després, a la feina, el seu cap la va cridar al seu despatx i la va esbroncar perquè va perdre uns documents.

2 Abans de tornar a casa, han passat per un restaurant japonès i han comprat menjar per emportar: soparan a casa!

3 Ahir, la Carme va tenir un mal dia.

4 S'ha llevat molt tard perquè no ha treballat.

5 Finalment, quan va arribar a casa, se'n va anar a dormir sense sopar.

6 Avui, però, la Carme ha tingut un dia millor.

7 Primer el seu xicot se'n va anar de casa perquè es van barallar.

8 Més tard, quan va plegar de la feina, va agafar el metro per tornar a casa i va perdre la bossa amb el mòbil i les claus.

9 Llavors va anar a casa de la seva germana a buscar una còpia de les claus.

10 Després ha anat a esmorzar en una cafeteria del barri.

11 S'ha dutxat, s'ha vestit i ha anat a comprar el diari.

12 Aleshores s'han abraçat i s'han fet molts petons.

13 Mentre esmorzava, ha entrat en Pol, s'ha assegut amb ella i han parlat molta estona.

14 Llavors en Pol li ha dit: "t'estimo, vull tornar amb tu."

16 Quins dels marcadors següents estan associats a cada temps verbal?

perfet d'indicatiu	passat perifràstic d'indicatiu
avui	ahir

avui
ahir
aquest vespre
l'any passat
fa un mes que no
aquesta setmana
abans-d'ahir
l'altre dia
la setmana passada
aquest curs
fins ara
fa dos dies
l'1 de gener de 2000
el mes passat
aquest mes
fa una estona
aquest any
aquest estiu
fa una setmana
aquesta tarda

17 Tria el connector temporal adequat.

1 ________ m'he llevat d'hora cada dia.
a Aquesta setmana
b La setmana passada

2 ________ vaig anar a Roma per Nadal.
a Aquest curs b L'any passat

3 ________ he perdut l'avió.
a Ahir b Avui

4 ________ em vaig banyar al mar de nit.
a Fa una setmana b Aquest mes

5 ________ he viatjat per tot Europa.
a Aquest estiu b A l'agost

6 ________ vaig tenir un accident greu.
a Aquest matí b Ahir al matí

7 ________ vaig tenir molta sort.
a Fins ara b Abans-d'ahir

8 ________ m'ha tocat la loteria.
a Aquest any b El curs passat

9 ________ vaig sortir a la tele.
a Fa una estona b Fa una setmana

10 ________ he menjat massa.
a L'altre dia b Aquests dies

11 ________ he arribat tard a classe.
a Dilluns b Aquest dilluns

12 Vaig anar al dentista ________.
a fa una estona b fa temps

13 Ha arribat l'Àngela ________.
a ara mateix b fa dos dies

14 ________ vaig tenir molta feina.
a Aquests dies b Dimarts

15 ________ he anat al cine.
a Aquest cap de setmana
b Dissabte a la nit

18 Tria el temps verbal adequat.

1 Fins ara ________ totes les explions.
a vaig entendre b he entès

2 Les vacances ________ el mes passat.
a es van acabar b s'han acabat

3 Busques l'Ester? Fa només deu minuts que ________, però segurament tornarà aviat.
a se'n va anar b se n'ha anat.

4 Aquell estiu ________ de veure'ns i, des d'aleshores, moltes vegades ________ tornar a veure-la, però fins ara ________ impossible.
a hem deixat b vam deixar
a vaig intentar b he intentat
a ha sigut b va ser

5 Aquests últims mesos la Isabel no ________ gaire bé de salut. Al febrer ________ de la moto i no duia casc.
a va estar b ha estat
a va caure b ha caigut

6 Quan estudiava a la universitat ________ els que ara són els meus amics.
a he conegut b vaig conèixer

7 Ja fa molts anys que el Josep ________ amb una actriu, però ________ al cap d'uns mesos i ara ________ a casar.
a es va casar b s'ha casat
a s'ha divorciat b es va divorciar
a es va tornar b s'ha tornat

8 Aquests últims tres anys ________ els millors de la meva vida.
a han sigut b van ser

9 Quan vas viure a Barcelona, ________ alguna vegada al Tibidabo?
a vas anar b has anat

10 Aquests últims anys ________ molts problemes amb la meva parella.
Dissabte ________ que es vol separar.
a vaig tenir b he tingut
a em va dir b m'ha dit

19 **Completa els textos amb la forma del temps verbal adequat.**

Text 1

Aquesta setmana he fet (fer) moltes coses importants. Dilluns al matí _______________ (1) (divorciar-se). Dimarts _______________ (2) (deixar) la feina. Dimecres _______________ (3) (comprar) un pis. Dijous _______________ (4) (fer-se) vegetariana. Divendres _______________ (5) (decidir) adoptar un fill. Dissabte _______________ (6) (anar) al casament del meu primer exmarit i avui, que és diumenge, _______________ (7) (enamorar-se) bojament d'un pilot d'avió. Quina setmana!

Text 2

La meva amiga Mireia no té sort. Per cap d'any _______________ (1) (conèixer) un noi australià molt trempat. _______________ (2) (viure) junts exactament tres setmanes fins que un dia, de sobte, l'australià _______________ (3) (anar-se'n) de casa. Aquest matí _______________ (4) (parlar) amb ella i m'ho _______________ (5) (explicar) tot. Es veu que, quan l'australià _______________ (6) (marxar), només li _______________ (7) (deixar) una nota que deia: "Ho sento, sóc al·lèrgic als gats". Dos dies després el gat de la Mireia _______________ (8) (caure) des d'un setè pis i _______________ (9) (matar-se). Quin greu! Ara, doncs, la Mireia _______________ (10) (quedar-se) sense xicot i sense gat. Quina pena, oi?

Text 3

La setmana passada els meus pares _______________ (1) (anar) a Grècia de vacances amb uns amics. El primer dia, quan _______________ (2) (arribar) a l'aeroport d'Atenes, no sé ben bé què _______________ (3) (passar), però els meus pares _______________ (4) (perdre) les maletes i la bossa on tenien els diners i _______________ (5) (haver) de tornar a Catalunya. Quina mala sort! Aquest matí, però, _______________ (6) (rebre) un correu electrònic de la companyia aèria. Els diuen que _______________ (7) (trobar) les maletes i la bossa, però sense diners.

Text 4

Fa una estona _______________ (1) (parlar) per telèfon amb la Mireia perquè aquest matí ella _______________ (2) (examinar-se) per treure's el carnet de conduir: _______________ (3) (suspendre) un altre cop, per dissetena vegada! Que fort! Li _______________ (4) (dir) que _______________ (5) (tenir) mala sort i que segur que aprovarà la pròxima vegada.

20 Relaciona la pregunta amb la resposta. Hi ha més respostes que preguntes.

1		Has anat al metge?
2		Fa temps que no escrius cartes?
3		Ja has rebut el regal?
4		Quan et vas comprar l'últim disc compacte?
5		Quan ha estat l'última vegada que has dit t'estimo?
6		Has vist mai cap extraterrestre?
7		Quan has anat al lavabo?
8		Quantes vegades has fet un petó aquesta setmana?
9		Quants cops t'has fet el llit?
10		T'has rentat les dents?

- a Els he fet cada dia.
- b Hi vaig anar ahir.
- c Ho he dit aquest matí.
- d No me n'he fet mai.
- e Les vaig escriure ahir.
- f Me n'he comprat un avui mateix.
- g No ho sé. N'he fet molts.
- h Sí, me'ls he rentat havent dinat.
- i No me l'he fet cap dia.
- j No n'he escrit cap fa anys.
- k No n'he rebut cap.
- l Sí, hi vaig anar ahir.
- m Sí, ja me les he rentat.
- n La vaig dir fa dos dies.
- o No n'he vist mai cap.
- p No l'he vist mai.
- q En vaig rebre ahir.
- r Me'l compro sovint.

21 Completa els espais amb els pronoms **hi, l', el, la, els, les, en o n'**, quan calgui.

1 Quants cops ________ heu anat a l'òpera?
Només ________ hem anat una vegada.
Doncs jo ________ vaig sovint.
És que l'òpera ________ trobo una mica avorrida.

2 Has fet els deures de català cada dia?
I tant! ________ he fet cada dia, no com tu que no ________ fas mai.
No és veritat! Ahir ________ vaig fer!
Sí, però només ________ vas fer un exercici!
Què dius! ________ vaig fer tres!

3 Quantes vegades heu rentat els plats aquest mes?
________ hem rentat cada dia.
I vosaltres?
Només ________ vam rentar dilluns. Però els altres dies ________ hem preparat el sopar.

4 Quants cops has mirat la tele aquesta setmana?
________ he mirat cada vespre, quan fan les notícies.
Doncs nosaltres no ________ mirem mai.

5 Ja has conegut els companys del curs de català?
Sí, ________ he conegut alguns
i ________ trobo bastant simpàtics. I tu?
Sí, també ________ he conegut uns quants, però ________ vaig conèixer més el curs passat.

6 La Teresa ha visitat el museu Dalí de Figueres?
No, encara no ________ ha visitat. I tu?
Sí, ________ vaig anar ahir.
I et va agradar l'exposició?
Sí, ________ vaig trobar molt interessant.

7 Quants cops ________ has anat al cinema aquesta setmana?

________ he anat un cop. I vosaltres ________ heu anat?

Sí, també un cop. ________ vam anar dissabte.

8 Heu menjat xocolata avui?

Jo encara no ________ he menjat.

Jo tampoc, però ahir sí que ________ vaig menjar. I molta!

9 Quants cops has perdut les claus de casa teva?

________ he perdut una vegada.

Només? Jo ________ he perdut dos cops, aquesta setmana.

10 Quantes pizzes han menjat aquest mes els teus fills?

No ho sé exactament, però crec que ________ han menjat moltes. Dissabte ________ van menjar dues!

És que ________ troben boníssimes.

Doncs els meus fills no ________ mengen mai pizzes.

11 Quantes vegades ________ has vist aquesta pel·lícula?

________ he vist dos o tres cops. I tu?

Jo, cap, però la Marina també ________ ha vist. ________ va veure fa dos anys.

12 La Lluïsa ha convidat els seus pares?

No ho sé, però crec que no ________ ha convidat, perquè ja ________ va convidar el cap de setmana passat.

22 Completa els diàlegs amb la combinació dels pronoms em, et, es + el, la, els, les, en.

1 T'has fet el sopar cada dia?

Jo sí que ________ he fet cada dia, però el Jordi no ________ ha fet mai.

Sí que ________ va fer un dia de la setmana passada.

2 Quants cops s'ha rentat les dents, la Pilar?

Jo crec que ________ ha rentat havent dinat i havent sopat. I tu?

Doncs jo ________ he rentat només havent sopat.

3 S'ha fet el llit, el Joan, aquest matí?

No, no ________ ha fet. I tu, ________ has fet?

No, tampoc ________ he fet, però ahir sí que ________ vaig fer.

4 T'has menjat tot el pastís?

Sí, ja ________ he menjat. En volies una mica?

No, gràcies. Jo ________ vaig menjar un ahir.

5 Quina cara que fas d'adormit!

Sí, és que encara no ________ he rentat. M'acabo de llevar.

Doncs si ________ rentes, et despertaràs.

6 Ja t'has acabat els pastissos?

Ostres! Ho sento. Sí, ________ he menjat tots!

Quina cara! Jo només ________ he menjat un!

23 Relaciona els enunciats amb una de les il·lustracions.

a Que bé! Ja tinc pis. No és gaire gran, però per a mi ja està bé.

b Que fort!

c Ostres! Un altre cop sense aigua calenta!

d Quina sort! És la segona vegada que li toca.

e Enhorabona!

f Moltes felicitats! És molt maco i a més és igual que el pare.

g Llàstima! Per dos minuts!

24 **En parelles. Llegeix a la teva parella un dels textos de l'activitat 12 del llibre de l'alumne perquè escrigui en cada quadre les expressions que s'hi diuen amb que, quin o quina.**

que	quin	quina
Que fantàstic!	Quin rotllo!	Quina meravella!

25 Completa les expressions amb **que, quin, quina, quins** o **quines**.

1	________ fort!	9	________ meravella!	17	________ avorriment!
2	________ barra!	10	________ pesats!	18	________ pena!
3	________ bestiesa!	11	________ fàstic!	19	________ casualitats!
4	________ rotllos!	12	________ nit!	20	________ fantàstic!
5	________ avorrits!	13	________ sort!	21	________ bé!
6	________ tip de riure!	14	________ maques!	22	________ bestieses!
7	________ mandra!	15	________ por!	23	________ emoció!
8	________ llàstima!	16	________ pesada!	24	________ nervis!

26 Tria cinc exclamacions de l'exercici anterior i escriu una frase per a cadascuna.

Demà em donen el resultat de l'examen! Quins nervis!

27 Escolta les afirmacions i tria la millor expressió per a cadascuna.

	a	b	c
1	Quina bestiesa!	Que avorrit!	Quina barra!
2	Quina por!	Quina meravella!	Quin tip de riure!
3	Quina emoció!	Quin rotllo!	Quina por!
4	Quina casualitat!	Quina sort!	Quina bestiesa!
5	Què dius ara?	Quin avorriment!	Que pesada!
6	Que bé!	Quina mandra!	Ostres!
7	Llàstima!	T'ho juro!	Déu n'hi do!
8	Quina sort!	Llàstima!	Que fort!
9	No ho sabies?	Que avorrit!	De veritat?
10	No fotis!	Que divertit!	Pobre!

28 Completa les frases amb els adverbis **encara no, mai (no), ja, moltes vegades** o **alguna vegada.**

1 He visitat París moltes vegades, però ______________ he pujat mai a la torre Eiffel. En canvi, al Louvre, ______________ hi he anat tres vegades.

2 M'agrada gairebé tot. M'agrada molt la paella, n'he menjat ______________, sempre en demano al restaurant. No m'agrada gaire el peix cru, però ______________ l'he tastat. En canvi, no sé si m'agraden els cargols perquè no n'he menjat ______________, em fan fàstic.

3 Avui ______________ he esmorzat perquè no he tingut temps. Em passa ______________ perquè sóc una mica dormilega i em llevo amb el temps just per agafar el tren. No em passa sovint, però ______________ fins i tot l'he perdut.

4 Avui he acabat la feina d'hora, ______________ he fet tot el que havia de fer. Només hi ha una cosa que ______________ he fet: trucar al Joel per quedar.

5 M'agrada molt treballar, per això ______________ faig vacances. Però ______________, per Nadal, vaig a esquiar un dia. Amb un dia de festa a l'any ______________ en tinc prou.

6 ______________ has visitat la muntanya de Montserrat?
No, ______________. I tu?
Sí, ______________. Hi vaig dos o tres cops cada any.

7 ______________ has tastat el pa amb tomàquet?
No. ______________ n'he menjat.
Ah, no? Però si ______________ fa tres mesos que vius a Girona!

8 Quan vivia a Austràlia, ______________ vaig tastar la carn de cangur.
I ______________ l'has tastat?
No. No sé quin gust té.

29 Relaciona les frases amb **perquè** o **(i) per això.** Escriu-les.

1		El pare de la Laia és de Londres.	a	Està de moda.
2		L'Enric és cantant de rock.	b	Parla molt bé l'anglès.
3		M'agrada viatjar i conèixer gent.	c	No vaig poder venir a la festa.
4		El Barça ha tornat a guanyar la lliga.	d	Sempre ha volgut ser famós.
5		Aquest matí m'he adormit.	e	Estudio idiomes.
6		Hi ha molts turistes a Barcelona.	f	He arribat tard a la feina.
7		La Mariona ha deixat el Felip.	g	Se n'ha anat del país.
8		No heu aprovat l'examen.	h	Aquest any té un bon equip.
9		La policia el busca.	i	No vau estudiar gens.
10		Ahir a la nit vaig tenir un accident.	j	S'ha enamorat del professor de tennis.

30 **Uneix amb el connector perquè les frases de la primera columna amb totes les de la segona (sempre que tinguin sentit) i transforma els verbs en negreta al temps verbal més adequat. Escriu tantes frases com puguis.**

1. Ahir la cantant Terry no **poder** entrar a casa
2. Divendres passat la cantant Terry no **actuar**
3. Aquest matí la cantant Terry **arribar** tard a l'assaig
4. Avui la cantant Terry **dormir** fins a les dues del migdia
5. Aquesta tarda la cantant Terry **quedar-se** sense diners
6. La setmana passada la cantant Terry **cancel·lar** la pròxima gira
7. Avui a la tarda la cantant Terry **convidar** els seus amics

perquè

- ahir a la nit **anar-se'n** a dormir molt tard
- **anar** de rebaixes
- aquest matí **tenir** assaig
- aquest matí **tenir** una entrevista molt important
- **atracar** pel carrer
- **barallar-se** amb el director
- **barallar-se** amb el xofer
- **deixar** les claus a la feina dues vegades aquesta setmana
- **discutir** amb el seu representant últimament
- el seu amant **abandonar**
- el seu marit no **obrir** la porta
- **fer** una festa ahir
- **firmar** un contracte per actuar a Miami la temporada que ve
- no **sentir** el despertador
- **saber** que està embarassada fa una estona

Ahir la cantant Terry no va poder entrar a casa **perquè** el seu marit no va obrir la porta.

Ahir la cantant Terry no va poder entrar a casa **perquè** la van atracar pel carrer.

31 **Completa el text amb les paraules adequades del quadre (hi ha més paraules que espais) i conjuga els verbs que hi ha entre parèntesis.**

al cap
des de
doncs
es veu que
fa
fins a
llavors
no se sap si
per això
perquè
però
per què
quan

El torero tarragoní, Josep Anton Bou, ha fet avui l'última *corrida*, perquè demà _______________ (1) (casar-se) amb la folklòrica sevillana Rocío de Triana, embarassada de vuit mesos. El torero i la folklòrica _______________ (2) (conèixer) fa vuit mesos _______________ (3) participaven al concurs televisiu *El germà petit*. La folklòrica es va casar per primera vegada _______________ (4) tres anys i es va quedar vídua _______________ (5) de tres setmanes. El torero _______________ (6) (casar-se) fa un any amb la coneguda Raquel Mosquits, que fa de perruquera, _______________ (7) al cap de dos mesos sembla que _______________ (8) (començar) els problemes, _______________ (9) la perruquera va mantenir una curta relació amb el seu entrenador de tennis. _______________ (10) aquesta va ser la causa de la ruptura, però la perruquera i el torero es van separar. _______________ (11) el torero va participar al concurs televisiu *El germà petit*, on va conèixer la folklòrica. _______________ (12) es van enamorar a primera vista... i _______________ (13) demà hi ha casori.

32 **Completa els espais amb els pronoms adequats, quan calgui.**

1 Saps què ________ ha passat al Carles?
No.
Doncs que ________ ha separat.
I com ________ has sabut?
________ ha dit la Maria, que és la seva germana.

2 Sabies que la Rosa no ha aprovat l'examen?
Com ________ saps? Qui ________ ha dit?
________ ha dit la Carla, que ha vist les notes.
Ja ________ ha vist?
Sí. Però jo no ________ crec, perquè la Rosa ________ va estudiar molt.

3 Què ________ passa, Carme?
Doncs que el meu nebot ________ ha enamorat.
Dona, això no ________ és greu!

4 Saps que el rei ________ ha divorciat?
Què ________ dius? Com ________ saps?
És que ________ ha explicat l'Enric, que ________ ha sentit a la ràdio. No ________ sabies?
No, no ________ sabia. Però no ________ crec.

33 Relaciona les definicions amb les paraules del quadre.

un accident
un atemptat
un atracament
una baralla
un incendi
una inundació
una manifestació
un terratrèmol

1 _______________ és un fet que passa sense voler i que, sovint, provoca algun ferit o alguna destrucció.

2 _______________ és un foc gros que es va estenent i que pot cremar una casa, un bosc o una ciutat.

3 _______________ és una acció violenta que es fa contra algú per matar-lo o contra alguna cosa per destruir-la.

4 _______________ és un grup de persones que surten al carrer per protestar d'alguna cosa o per demanar alguna cosa.

5 _______________ és un fenomen pel qual un lloc es cobreix d'aigua.

6 _______________ és una sèrie de moviments bruscos o de tremolors de la superfície de la Terra.

7 _______________ és un robatori amb amenaça.

8 _______________ és una actuació entre dues o més persones que discuteixen molt fort i que poden fins i tot donar-se cops.

34 Completa les frases amb una de les paraules del quadre. Si és un verb, conjuga'l.

manifestar-se
baralla
xocar
manifestació
inundació
incendi
tremolar
inundar-se
cremar-se
accident

1 Saps que aquest matí hi ha hagut un _______________? S'ha calat foc al garatge del supermercat i _______________ part del supermercat.

2 Aquesta nit hi ha hagut una _______________. Dos nois s'han pegat quan sortien d'una discoteca.

3 Semblava un terratrèmol perquè el terra _______________, però va durar poc.

4 Saps que el Pau ha tingut un _______________?

No, no ho sabia.

Doncs _______________ contra un altre cotxe, però no s'ha fet res.

5 Què és tanta gent?

Deu ser una _______________.

I saps per què _______________?

Crec que contra de la guerra.

6 Si continua plovent tant, segur que hi haurà una _______________, com l'any passat.

És veritat que l'any passat _______________ dos pobles.

Relaciona el vocabulari del quadre amb un dels titulars. Escolta les notícies de l'activitat 17 del llibre de l'alumne i comprova el vocabulari que correspon a cada notícia.

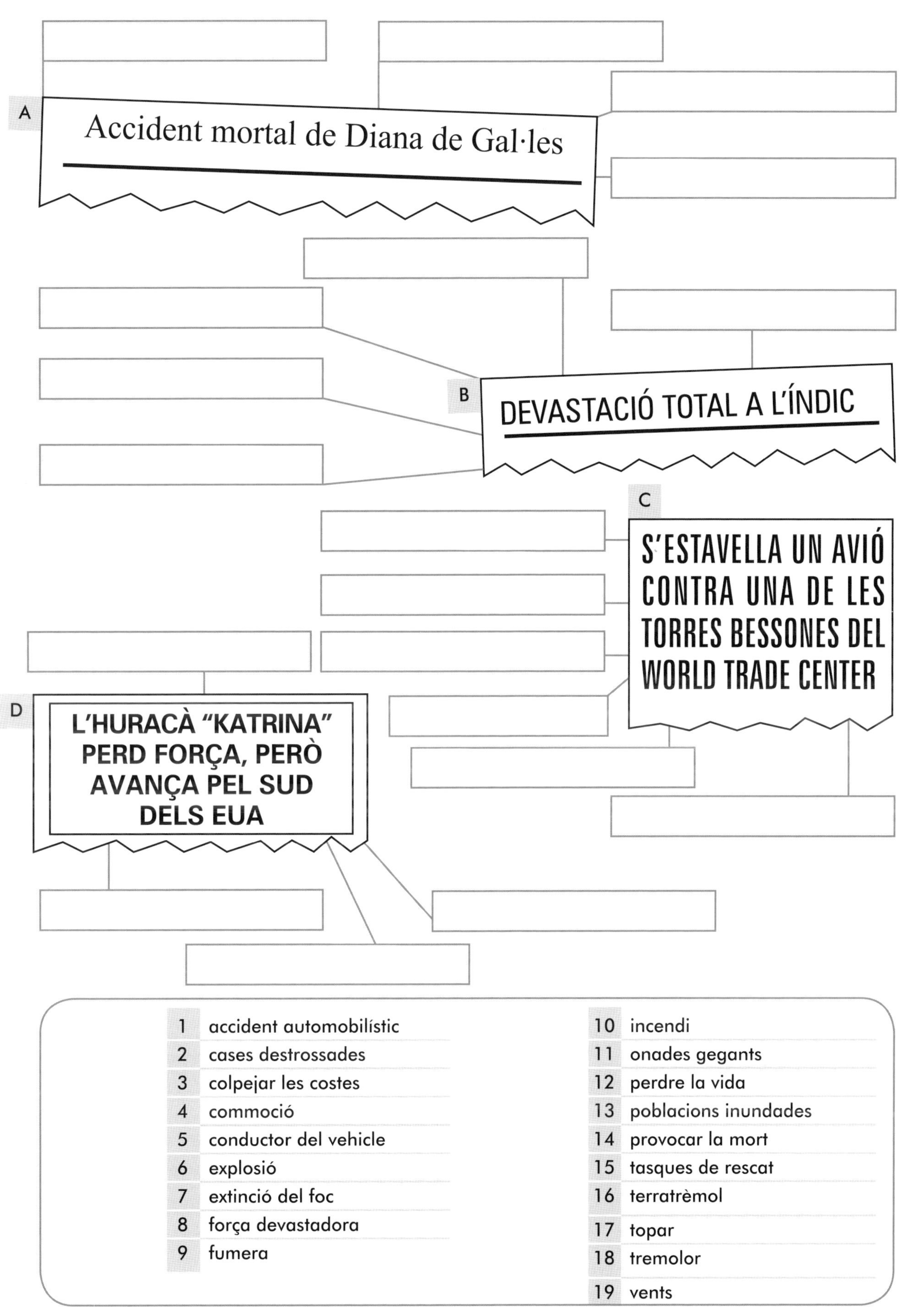

1	accident automobilístic	10	incendi
2	cases destrossades	11	onades gegants
3	colpejar les costes	12	perdre la vida
4	commoció	13	poblacions inundades
5	conductor del vehicle	14	provocar la mort
6	explosió	15	tasques de rescat
7	extinció del foc	16	terratrèmol
8	força devastadora	17	topar
9	fumera	18	tremolor
		19	vents

36 Completa els textos amb les paraules del quadre.

Text 1

un incendi
les flames
una cigarreta
el foc
dany personal

Aquest migdia hi ha hagut ______________ (1) a la fàbrica de paper Paperfix, a Granollers. Es desconeixen els motius que l'han causat. Segons sembla ______________ (2) mal apagada en podria ser la causa. ______________ (3) s'ha estès ràpidament per tota la nau. ______________ (4) han arribat a fer més de 6 metres d'alçada. Per sort, no hi ha hagut cap ______________ (5).

Text 2

Ahir més de cent mil persones ______________ (1) des de la plaça d'Espanya fins a la plaça de Catalunya, segons els ______________ (2). Avui els ______________ (3) han desmentit aquesta ______________ (4) i han apuntat que a la manifestació hi ______________ (5) només quinze mil persones.

es van manifestar
mossos d'esquadra
organitzadors
van participar
xifra

37 Completa les notícies.

Text 1

Avui s'ha ______________ (1) a Girona l'exposició de l'artista mallorquí Biel Oliver. L'artista ha volat des de Palma fins a Girona per participar a la taula rodona que ha ______________ (2) el Centre Mallorquí a Girona amb la col·laboració de l'Ajuntament per ______________ (3) artistes mallorquins. L'exposició es podrà visitar ______________ (4) 3 de març.

Text 2

Un home de 56 anys i veí de Lleida ha mort aquesta matinada en un accident de ______________ (1). El conductor ha ______________ (2) frontalment contra una furgoneta que circulava en direcció a Lleida. El conductor de la furgoneta ha resultat ______________ (3) greument i ha estat traslladat a l'hospital de Lleida. Abans-d'ahir hi va haver un accident al mateix ______________ (4) de la carretera entre un cotxe i una furgoneta, també. Els ocupants dels vehicles, però, en van sortir ______________ (5).

Text 3

Aquesta nit hi ha hagut tres ______________ (1) al carrer Robadors. Els ______________ (2) han entrat a tres botigues situades als números 13, 15 i 17 del carrer Robadors i han robat els diners de la caixa i els aparells electrònics del magatzem. Probablement els autors tenien les claus de les botigues perquè la policia no ha trobat cap porta ______________ (3).

Text 4

Aquest matí hi ha hagut un nou ______________ (1) al sud de l'Índia. De moment no se sap si hi ha hagut ______________ (2). Els ______________ (3) materials són molt greus. De moment ningú se n'ha fet responsable, però tot apunta que ha estat un altre ______________ (4) del grup radical.

Text 5

Aquest migdia, dos homes i una dona armats han entrat a una joieria del centre de Tarragona. Mentre un dels _______________ (1) retenia el propietari, els altres dos s'han endut totes les joies de l'aparador i han _______________ (2) amb un cotxe que els esperava a la porta. Dues hores més tard, una patrulla dels mossos d'esquadra han trobat el cotxe _______________ (3) a la carretera de Reus. Aquest ha estat el tercer _______________ (4) en una joieria en una setmana.

Text 6

Dos joves, de 19 i 22 anys, han sortit d'una discoteca del centre de la ciutat i han volgut agafar un taxi. Sembla que tots dos han volgut pujar al mateix taxi. Quan el taxista ha vist que els joves començaven a _______________ (1), ha marxat. Llavors els joves, indignats, s'han _______________ (2) fins que han arribat els mossos d'esquadra.

Text 7

Un centenar de treballadors, la majoria dels quals eren dones, van _______________ (1) dijous a la nit en un _______________ (2) que es va produir en una fàbrica tèxtil de la ciutat portuària de Chittagong, al sud-est de Bangladesh. A la fàbrica, de tres pisos, hi treballen un miler de persones, però en el moment del _______________ (3) n'hi havia 500, les quals van tenir dificultats per _______________ (4) de les flames perquè les portes eren tancades.

38 **Completa les notícies amb la forma del temps verbal adequat dels verbs que hi ha entre parèntesis.**

Atemptats a França

Aquesta setmana _______________ (1) (haver-hi) tres atemptats a la capital francesa. El primer atemptat _______________ (2) (ser) dilluns passat a la nit en un centre comercial. No _______________ (3) (haver-hi) danys personals, perquè el centre comercial estava tancat. En canvi, els danys materials _______________ (4) (ser) bastant importants. Els altres dos atemptats _______________ (5) (tenir) lloc dimecres a la tarda, a dos garatges públics del centre de la ciutat. L'explosió _______________ (6) (provocar) molts problemes de circulació, però no _______________ (7) (haver-hi) cap ferit, perquè a l'hora que _______________ (8) (explotar) els artefactes no hi havia ningú als garatges. Avui el president francès _______________ (9) (reunir-se) amb presidents d'altres països per debatre el problema del terrorisme. Demà _______________ (10) (fer) una roda de premsa per presentar les línies d'actuació. Algunes associacions _______________ (11) (manifestar-se) divendres que ve, per protestar per l'onada de violència que _______________ (12) (afectar) el país.

Incendi provocat?

Aquesta matinada _______________ (1) (haver-hi) un incendi a la població de Montornès. Aquest és el tercer incendi d'aquest mes. Dissabte passat n'_______________ (2) (haver-hi) un de poca importància i abans-d'ahir _______________ (3) (cremar-se) una gran extensió de bosc no gaire lluny del nucli urbà. El foc d'avui _______________ (4) (originar-se) a l'altra banda del poble i sembla que _______________ (5) (ser) provocat. La població té por que aquests incendis no s'aturin i les autoritats fins ara no _______________ (6) (dir) res, només fan investigacions. Sembla que a partir d'aquesta tarda el foc _______________ (7) (quedar) controlat. Fa un moment l'alcaldessa _______________ (8) (convocar) una sessió a l'Ajuntament per a aquesta tarda en què _______________ (9) (parlar) d'aquest problema que afecta la població. Mentrestant _______________ (10) (haver-hi) controls a les dues entrades del poble fins que el foc estigui controlat.

Lladres una mica despistats

Aquesta tarda _______________ (1) (haver-hi) un robatori en un supermercat del centre de la ciutat. Els lladres _______________ (2) (agafar) els diners de la caixa, però _______________ (3) (oblidar-se) de tancar les portes del supermercat. Un policia, que anava a comprar, _______________ (4) (entrar) al supermercat i els _______________ (5) (agafar) sense cap dificultat. Sembla que són els mateixos lladres que la setmana passada _______________ (6) (atracar) una joieria del centre i _______________ (7) (emportar-se) totes les joies de l'aparador. Estranyament no _______________ (8) (agafar) els diners de la caixa forta, que estava oberta en aquell moment. Potser _______________ (9) (pensar) que era buida, o potser aquests lladres no són gaire professionals. Aquest matí a la ràdio local el cap dels mossos d'esquadra _______________ (10) (comunicar) que a partir d'aquesta tarda _______________ (11) (reforçar-se) la vigilància perquè creuen que aquests lladres poden formar part d'una banda internacional.

39 **Escriu dues notícies que incloguin les paraules del quadre. Explica què ha passat, on, quan, per què i com. Després, afegeix-hi un titular.**

Notícia 1

ahir a la nit
incendi
hotel
turistes
bombers
més tard
aquest any
segons sembla

Notícia 2

lladres
abans-d'ahir
banc
llavors
pistola
robar
aleshores
50 milions d'euros
aquest matí
cotxe negre
es veu que
matrícula de València

1

1. anat; 2. vestit; 3. convidat; 4. trucat; 5. esmorzat; 6. llegit; 7. sortit; 8. dit; 9. conegut; 10. cregut; 11. encès; 12. mort; 13. tingut; 14. volgut

3

-at: anat, convidat, trucat, esmorzat
-ut: conegut, cregut, tingut, volgut, vingut, viscut, pogut, mogut, begut
-it: vestit, llegit, sortit, dit, escrit
-es / -ès: encès, après, entès, pres
altres: mort, tret, obert, vist, fet

4

1. begut; 2. conegut; 3. cregut; 4. dinat; 5. dit; 6. entès; 7. escrit; 8. fet; 9. mort; 10. mogut; 11. pogut; 12. pres; 13. sigut / estat; 14. tingut; 15. treballat; 16. tret; 17. vingut; 18. vist; 19. viscut; 20. volgut

5

1. he escrit
2. has llegit, ha llegit
3. Heu treballat, hem treballat
4. has obert
5. han pogut, ha arribat
6. hem pres, heu pres
7. han sortit, ha sortit
8. hem vingut, han vingut
9. heu vist, Hem vist
10. he pres, heu pres, he pres, ha pres
11. Us heu quedat, m'hi he quedat, ha sortit
12. he dit, has dit
13. hem après, han après
14. t'he conegut, m'has conegut
15. has viscut, He viscut
16. han fet, hem preparat
17. ha parlat, han parlat
18. he begut, has begut
19. he encès

6

1. ha esmorzat
2. han anat
3. heu dinat, heu sopat, hem berenat
4. hem escoltat
5. hem pogut
6. ha vist
7. hem sabut
8. he llegit, has llegit
9. heu dormit
10. han fumat, has fumat, he sortit

7

1. us, Ens, Ens, ens; 2. s', s'; 3. M', m', t', m'; 4. s', s', t', m'; 5. M'; 6. s', S'; 7. us, ens, us, ens; 8. s', s', s', S'; 9. m', T', m'

8

Text 1
1. m'; 2. m'; 3. m'; 4. m'; 5. Ø; 6. Ø; 7. Ø; 8. Ø; 9. Ø; 10. Ø; 11. Ø ;12. m'; 13. Ø; 14. M'; 15. Ø

Text 2
1. Ø; 2. ens; 3. Ø / se n'; 4. Ø; 5. s'; 6. Ø; 7. Ø; 8. Ø; 9. s'; 10. s'; 11. ens; 12. Ø; 13. s'; 14. s'; 15. Ø / se n'

9

1. hem anat; 2. he promès; 3. hem quedat; 4. m'he llevat; 5. hem discutit; 6. han entès; 7. Heu vist ; 8. hem conegut; 9. has obert; 10. he viscut; 11. hem escrit

10

Text 1
1. Després d'; 2. Primer; 3. més tard; 4. Ara mateix; 5. havent

Text 2
1. Aquest migdia; 2. Primer; 3. al cap d'una estona; 4. Llavors / Aleshores; 5. Llavors / Aleshores; 6. A la tarda; 7. Fa mitja hora

Text 3
1. després de; 2. Llavors / Després; 3. Més tard / Llavors / Després; 4. Abans d'; 5. Primer; 6. després / més tard

11

1. ha viscut; 2. s'ha casat; 3. he entès; 4. m'he casat; 5. ha entès; 6. Ha dit; 7. ha viscut; 8. He tingut; 9. He conegut; 10. he visitat; 11. He patit; 12. he escrit; 13. he sigut; 14. he après; 15. He conegut; 16. m'he enamorat; 17. he volgut; 18. he guanyat; 19. he perdut; 20. he mirat

12

1. Vaig convidar, He convidat
2. Vaig conèixer, He conegut
3. em va deixar, m'ha deixat
4. Vaig dinar, He dinat
5. vam fer, hem fet
6. Vaig quedar, He quedat
7. Vau veure, Heu vist
8. Em vaig casar, M'he casat
9. Vau veure, van fer, Heu vist, han fet
10. Vaig conèixer, He conegut
11. Vau llegir, Heu llegit
12. Es va llevar, S'ha llevat
13. Vam beure, Hem begut
14. Vas escriure, Has escrit
15. vas sortir, has sortit
16. Vau perdre, Heu perdut
17. Van obrir, Han obert
18. va viure, ha viscut
19. Vau encendre, vau arribar, Heu encès, heu arribat
20. Vas venir, Has vingut

13 Solucions orientatives

...m'he dutxat i he esmorzat. A tres quarts de nou he anat a fer esport amb la Raquel. Més tard, a les deu, he anat al supermercat. A tres quarts d'onze he anat a la platja amb en Pau. Hem agafat un tren a dos quarts de dotze cap a Sitges. Al migdia, a les dues, hem dinat, hem menjat una paella i després de dinar, a les cinc, he tornat a casa i he descansat. Al vespre, a les 8, he anat al cine amb la Lali i en Roger. Quan hem sortit, a les deu, hem anat a fer una copa. Me n'he anat a dormir a les dotze, però abans he trucat al Pau.

14 Solucions orientatives

...es va dutxar i va esmorzar. A tres quarts de nou va anar a fer esport amb la Raquel. Més tard, a les deu, va anar al supermercat. A tres quarts d'onze va anar a la platja amb en Pau. Van agafar un tren a dos quarts de dotze cap a Sitges. Al migdia, a les dues, van dinar, van menjar una paella i després de dinar, a les cinc, va tornar a casa i va descansar. Al vespre, a les 8, va anar al cine amb la Lali i en Roger. Quan van sortir, a les deu, van anar a fer una copa. Se'n va anar a dormir a les dotze, però abans va trucar al Pau.

15

3, 7, 1, 8, 9, 5, 6, 4, 11, 10, 13, 14, 12, 2

16

Perfet d'indicatiu: avui, aquest vespre, fa un mes que no, aquesta setmana, aquest curs, fins ara, aquest mes, fa una estona, aquest any, aquest estiu, aquesta tarda

Passat perifràstic d'indicatiu: ahir, l'any passat, abans-d'ahir, l'altre dia, la setmana passada, fa dos dies, l'1 de gener de 2000, el mes passat, fa una setmana

17

1. a; 2. b; 3. b; 4. a; 5. a; 6. b; 7. b; 8. a; 9. b; 10. b; 11. b; 12. b; 13. a; 14. b; 15. a

18

1. b; 2. a; 3. b; 4. b, b, a; 5. b, a ; 6. b; 7. a, b, b; 8. a; 9. a; 10. b, a

19

Text 1
1. em vaig divorciar; 2. vaig deixar; 3. vaig comprar; 4. em vaig fer; 5. vaig decidir; 6. vaig anar; 7. m'he enamorat

Text 2
1. va conèixer; 2. Van viure; 3. se'n va anar; 4. he parlat; 5. ha explicat; 6. va marxar; 7. va deixar; 8. va caure; 9. es va matar; 10. s'ha quedat

Text 3
1. van anar; 2. van arribar; 3. va passar; 4. van perdre; 5. van haver; 6. han rebut; 7. han trobat

Text 4
1. he parlat; 2. s'ha examinat; 3. ha suspès; 4. he dit; 5. ha tingut

20

1. l; 2. j; 3. k; 4. f; 5. c; 6. o; 7. b; 8. g; 9. i; 10. m

21

1. Ø, hi, hi, la; 2. Els, els, els, Ø, En; 3. Els, els, Ø; 4. L', la; 5. n', els, n', en; 6. l', hi, la; 7. Ø, Hi, hi, Hi; 8. n', en; 9. Les, les; 10. n', en, les, Ø; 11. Ø, L', l', La; 12.els, els

22

1. me l', se l', se'l; 2. se les, me les; 3. se l', te l', me l', me'l; 4. me l', me'n; 5. me l', te la; 6. me'ls, me n'

23

1. a; 2. g; 3. c; 4. f; 5. d; 6. b; 7. e

24

1. Que fantàstic!; Que simpàtics!; Que avorrits!; Que pesada!
2. Quin rotllo!; Quin fàstic!
3. Quina meravella!; Quina nit!; Quina por!; Quina emoció!

25

1. Que; 2. Quina; 3. Quina; 4. Quins; 5. Que; 6. Quin; 7. Quina; 8. Quina; 9. Quina; 10. Que; 11. Quin; 12. Quina; 13. Quina; 14. Que; 15. Quina; 16. Que; 17. Quin; 18. Quina; 19. Quines; 20. Que; 21. Que; 22. Quines; 23. Quina; 24. Quins

27

1. c; 2. b; 3. b; 4. c; 5. a; 6. c; 7. a; 8. c; 9. c; 10. a

28

1. encara no, ja; 2. moltes vegades, alguna vegada, mai; 3. encara no, moltes vegades, alguna vegada; 4. ja, encara no; 5. mai (no), alguna vegada, ja; 6. Ja / Encara no / Mai (no), encara no, moltes vegades; 7. Ja / Encara no / Mai (no), Encara no / Mai (no), ja; 8. mai (no), encara no

29

1. b: (i) per això; 2. d: perquè; 3. e: (i) per això; 4. h: perquè; 5. f: (i) per això; 6. a: perquè; 7. j: perquè; 8. i: perquè; 9. g: (i) per això; 10. c: (i) per això

30 Solucions orientatives

1. Ahir la cantant Terry no va poder entrar a casa perquè el seu marit no va obrir la porta./ la van atracar pel carrer.
2. Divendres passat la cantant Terry no va actuar perquè es va barallar amb el director.
3. Aquest matí la cantant Terry ha arribat tard a l'assaig perquè ahir a la nit se'n va anar a dormir molt tard. / ha anat de rebaixes. / aquest matí ha tingut una entrevista molt important. / s'ha barallat amb el director. / s'ha barallat amb el xofer. / va fer una festa ahir. / ha firmat un contracte per actuar a Miami la temporada que ve. / no ha sentit el despertador.
4. Avui la cantant Terry ha dormit fins a les dues del migdia perquè ahir a la nit se'n va anar a dormir molt tard. / va fer una festa ahir. / no ha sentit el despertador.
5. Aquesta tarda la cantant Terry s'ha quedat sense diners perquè ha anat de rebaixes. / l'han atracat pel carrer.
6. La setmana passada la cantant Terry va cancel·lar la pròxima gira perquè es va barallar amb el director. / el seu amant la va abandonar. / va firmar un contracte per actuar a Miami la temporada que ve.
7. Avui a la tarda la cantant Terry ha convidat els seus amics perquè ha firmat un contracte per actuar a Miami la temporada que ve. / ha sabut que està embarassada fa una estona.

31

1. es casarà; 2. es van conèixer; 3. quan; 4. fa; 5. al cap; 6. es va casar; 7. però; 8. van començar; 9. perquè; 10. No se sap si; 11. Llavors; 12. Es veu que; 13. per això

32

1. li, s', ho, M'ho
2. ho, t'ho, M'ho, les, m'ho, Ø
3. et, s', Ø
4. s', Ø, ho, m'ho, ho, ho, ho, m'ho

33

1. Un accident; 2. Un incendi; 3. Un atemptat; 4. Una manifestació; 5. Una inundació; 6. Un terratrèmol; 7. Un atracament; 8. Una baralla

34

1. incendi, s'ha cremat; 2. baralla; 3. tremolava / va tremolar; 4. accident, ha xocat; 5. manifestació, es manifesten; 6. inundació, es van inundar

35

A: 1, 4, 5, 12
B: 3, 11, 14, 16, 18
C: 6, 7, 9, 10, 15, 17
D: 2, 8, 13, 19

36

Text 1
1. un incendi; 2. una cigarreta; 3. El foc; 4. Les flames; 5. dany personal

Text 2
1. es van manifestar; 2. organitzadors; 3. mossos d'esquadra; 4. xifra; 5. van participar

37 Solucions orientatives

Text 1
1. inaugurat / obert; 2. convocat / organitzat; 3. difondre / promoure / donar a conèixer; 4. fins al

Text 2
1. trànsit; 2. xocat / topat; 3. ferit; 4. punt / tram; 5. il·lesos

Text 3
1. robatoris; 2. lladres; 3. forçada / oberta

Text 4
1. atemptat; 2. ferits / morts; 3. danys; 4. atemptat / atac

Text 5
1. lladres / atracadors; 2. marxat / fugit; 3. abandonat; 4. robatori / atracament

Text 6
1. barallar-se / discutir-se; 2. pegat / barallat

Text 7
1. morir / resultar ferides; 2. incendi; 3. sinistre; 4. fugir / escapar-se

38

Atemptats a França
1. hi ha hagut; 2. va ser; 3. hi va haver / va haver-hi; 4. van ser; 5. van tenir; 6. va provocar; 7. hi va haver / va haver-hi; 8. van explotar; 9. s'ha reunit / es reunirà; 10. farà; 11. es manifestaran; 12. afecta / ha afectat

Incendi provocat?
1. hi ha hagut; 2. hi va haver / va haver-hi; 3. es va cremar / va cremar-se; 4. s'ha originat; 5. ha sigut / ha estat; 6. han dit; 7. quedarà / ha quedat; 8. ha convocat; 9. parlarà; 10. hi haurà / hi ha

Lladres una mica despistats
1. hi ha hagut; 2. han agafat; 3. s'han oblidat; 4. ha entrat; 5. ha agafat; 6. van atracar; 7. es van emportar; 8. van agafar; 9. van pensar; 10. ha comunicat; 11. es reforçarà

Unitat 3

TEMPS ERA TEMPS

TEMPS ERA TEMPS

1 **Escriu el nom de les peces de vestir i dels complements al lloc corresponent.**

el / l'	la / l'	els	les
vestit			

2 **Mira el dibuix i escriu el nom de les peces de roba i dels complements.**

3 Escull l'adjectiu més adequat.

1 M'agraden les faldilles ______________.
a llargues b escotades c de coll alt

2 Les calces acostumen a ser ______________.
a planes b de cotó c de llana

3 A l'hivern solc dur una bufanda ___________.
a sense mànigues b cenyida c de ratlles

4 Les mitges acostumen a ser ___________.
a amples b de cuiro c primes

5 M'he comprat unes vambes ___________.
a de pell b de fil c amb talons

4 Escull l'opció correcta.

1 Jersei blau / blava / blaus / blaves.

2 Calces vermell / vermella / vermells / vermelles.

3 Abrics gris / grisa / grisos / grises.

4 Corbata groc / groga / grocs / grogues.

5 Calçotets blanc / blanca / blancs / blanques.

6 Samarreta verd / verda / verds / verdes.

7 Sabates negre / negra / negres.

8 Faldilles blau pàl·lid / blava pàl·lida / blaus pàl·lids / blaves pàl·lides.

9 Jaqueta gris / grisa / grisos / grises.

10 Camisa blavós / blavosa / blavosos / blavoses.

5 Completa els textos amb les paraules del quadre.

bufanda
pantalons
sabates
samarretes

1

Normalment porto uns ______________ (1) texans i ______________ (2) de cotó. No m'agraden les ______________ (3) perquè són bastant incòmodes i per això gairebé sempre duc vambes. I una cosa que odio és la ______________ (4), encara que faci fred, no en duc mai.

camisa
jaqueta
pantalons
sabates

2

El Guillem sempre es vesteix igual: ______________ (1) grisos i ______________ (2) grisa, ______________ (3) blanca i ______________ (4) de pell de color fosc. No té roba de colors vius.

abrics
caçadora
jerseis
rellotge

3

Em vesteixo molt informal. Sempre duc ______________ (1) gruixuts i de color vermell o verd... i una ______________ (2) texana. No acostumo a portar ______________ (3) de pells i no porto mai ______________ (4): sempre he de demanar l'hora.

anells
bossa
faldilles
mitges
sabates

4

A mi m'agrada anar molt elegant. Per això gairebé sempre vaig amb ______________ (1) i ______________ (2) (fins i tot a l'estiu, perquè tinc les cames molt blanques). També porto ______________ (3) amb una mica de taló. M'agrada portar______________ (4), però que no siguin falsos. I sempre duc una ______________ (5) que faci conjunt amb les sabates.

6 Completa els textos amb la forma adequada de les paraules que hi ha entre parèntesis.

1 La Pilar normalment a l'hivern _______________ (1) (dur) pantalons texans i jerseis, però avui _______________ (2) (dur) unes faldilles _______________ (3) (llarg) i una brusa _______________ (4) (blau)._______________ (5) (anar) molt elegant. A l'estiu _______________ (6) (soler) dur faldilles _______________ (7) (curt) i samarretes de màniga curta.

2 Els meus companys de classe sempre _______________ (1) (vestir-se) igual. _______________ (2) (dur) texans i jerseis _______________ (3) (gruixut) i _______________ (4) (fosc). I a l'hivern tots _______________ (5) (dur) una bufanda de color _______________ (6) (vermell).

3 Marilisa, saps què _______________ (1) (dur) demà a l'entrevista de feina?

No _______________ (2) (vestir-se) d'una manera especial. _______________ (3) (posar-se) una faldilla _______________ (4) (gris) i una brusa _______________ (5) (blanc). Això sí, no em maquillaré gaire.

No? Jo _______________ (6) (acostumar) a maquillar-me bastant, si he de fer bona impressió.

4 Normalment l'Oriol i jo a la feina _______________ (1) (soler) dur vestit: pantalons i americana. També _______________ (2) (dur) corbata. Però els caps de setmana _______________ (3) (acostumar) a portar roba còmoda.

5 Jo, a l'estiu, _______________ (1) (vestir-se) amb roba alegre. _______________ (2) (soler) portar samarretes _______________ (3) (vermell), _______________ (4) (verd), _______________ (5) (groc) o _______________ (6) (blau) i pantalons _______________ (7) (curt). Sempre _______________ (8) (dur) sandàlies de pell _______________ (9) (pla), sense mitjons. A vegades _______________ (10) (acostumar) a portar barret i ulleres _______________ (11) (fosc), per al sol.

7 Completa el text amb la forma adequada de les paraules que hi ha entre parèntesis.

Hola! Em dic Joan. La meva germana i jo *ens vestirem* (vestir-se) per anar al casament de la nostra mare, que avui es torna a casar. Ara us diré què _______________ (1) (posar-se) la meva germana i jo. Ella portarà una faldilla _______________ (2) (gris) i una brusa _______________ (3) (verd). Jo normalment _______________ (4) (anar) amb texans, però avui _______________ (5) (posar-se) una americana _______________ (6) (gris) i uns pantalons també _______________ (7) (gris). A més a més, _______________ (8) (dur) una camisa de color _______________ (9) (blanc) i una corbata _______________ (10) (blau).

I voleu saber com anirà la nostra mare? Doncs _______________ (11) (dur) un vestit de color crema, _______________ (12) (llarg) fins als peus. Com que el vestit és escotat, _______________ (13) (posar-se) una jaqueta, també de color crema, si fa fred. _______________ (14) (portar) unes sabates de taló del mateix color que el vestit i la jaqueta. Anirà molt maca. Normalment no _______________ (15) (vestir-se) així, però avui és un dia especial.

8 **Escolta la descripció de les persones i digues a quin dibuix correspon.**

9 **Escriu el nom de les parts del cos al lloc corresponent.**

barbeta	cap	coll	espatlles	llavi	pits
boca	cara	colze	esquena	mà	pòmul
braç	cella	cuixes	front	nas	ull
cabells	cintura	cul	galta	orella	
cama	clatell	peu	genoll	panxa	

el / l'	la / l'	els	les

10 Escriu el nom a la part del cos corresponent.

11 Escriu el nom de les parts de la cara corresponents.

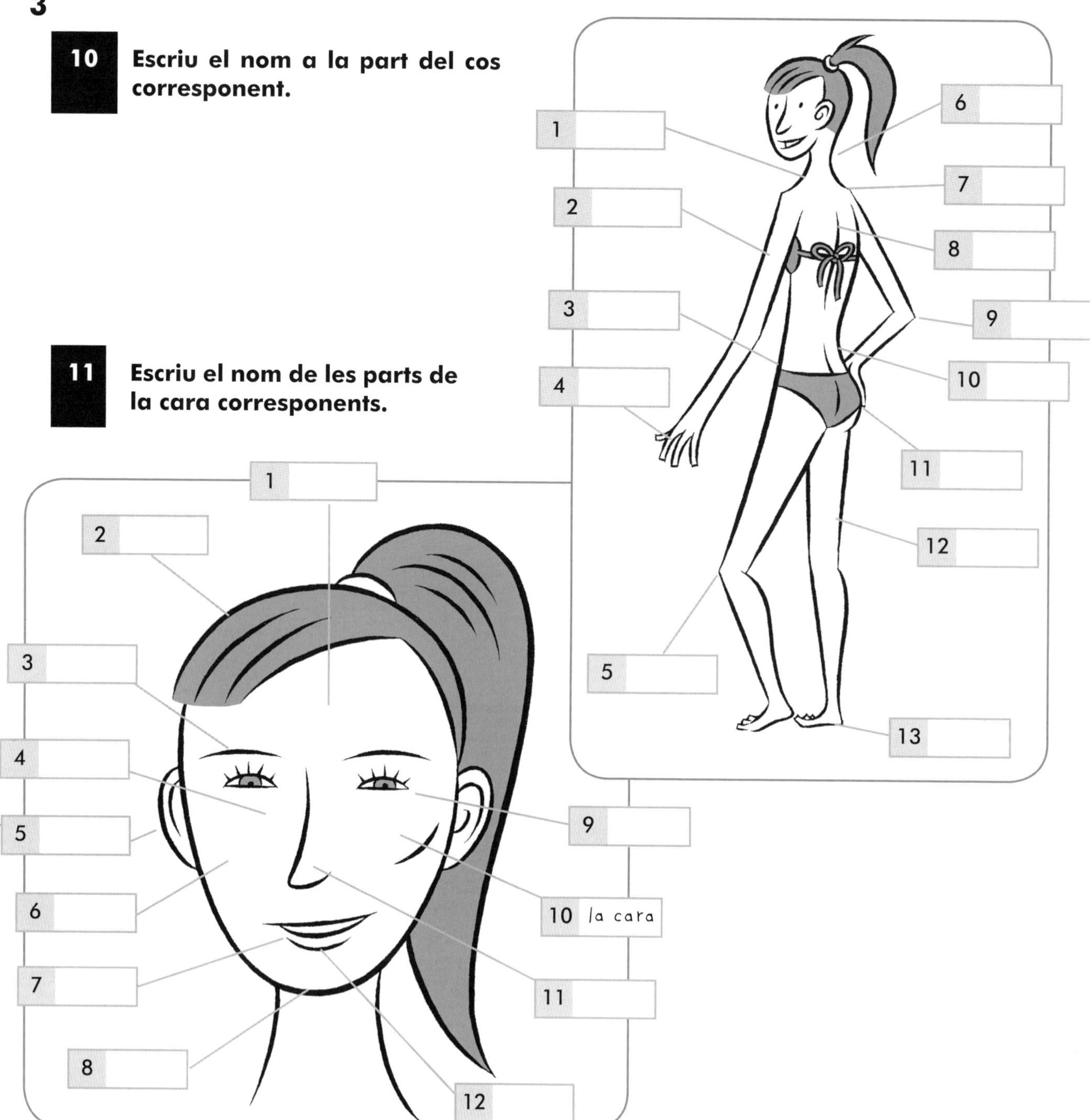

12 Relaciona les definicions amb les paraules del quadre.

anell
arracades
barret
bossa
bufanda
cinturó
mitges
mitjons
rellotge
ulleres

1. Es porten a l'orella, al nas, a la cella, al llavi...
2. Acostumen a posar-se als peus abans de les sabates.
3. Només es poden portar si hi ha un nas i unes orelles que les subjectin.
4. Se les posen les dones a les cames, però també poden tapar la cara d'un lladre.
5. S'acostuma a portar a l'hivern i al coll.
6. Gairebé tothom el du al braç esquerre.
7. Es porta als dits de la mà i fins i tot als dels peus.
8. Si te'l poses, el sol no et toca al cap.
9. S'acostuma a portar penjada a l'espatlla.
10. S'acostuma a dur al voltant de la cintura, per subjectar els pantalons.

13 Completa la sèrie amb l'adjectiu contrari.

1	les celles primes	≠	poblades, gruixudes
2	el front ample	≠	
3	el coll curt	≠	
4	els ulls foscos	≠	
5	les espatlles estretes	≠	
6	la boca petita	≠	
7	l'esquena corbada	≠	
8	les galtes xuclades	≠	
9	les mans grosses	≠	
10	els cabells llisos	≠	
11	els llavis gruixuts	≠	

14 En parelles A i B. (A tapa el dibuix de B, B tapa el dibuix de A.) Dibuixa el personatge amb la descripció que et fa la teva parella. Pots demanar aclariments.

Té la cara rodona...

A

B

15 Completa els diàlegs amb els pronoms necessaris.

1. Com té la cara, la Rosa?
   ________________ té rodona.
2. Porta barba, en Pere?
   No, no ________________ porta.
3. El teu germà, és gaire alt?
   No, no ________________ és gaire.
4. Com té els ulls el teu fill?
   ________________ té grossos.
5. Té les mans llargues, la Carme?
   Sí que ________________ té.
6. Com té el nas el president?
   ________________ té gros.
7. Té arrugues la teva àvia?
   Sí que ________________ té.
8. Du bigoti el professor?
   No, no ________________ du.
9. Són rosses les bessones?
   Sí que ________________ són.
10. Té els cabells clars?
    Sí que ________________ té.
11. Tenen panxa els models?
    No, no ________________ tenen.
12. Té el front ample l'Andreu?
    No, no ________________ té.
13. Teniu els ulls petits, oi?
    Sí que ________________ tenim.
14. La Maria i la Cristina tenen les cames gruixudes?
    No, no ________________ tenen.
    ________________ tenen primes.
15. Els vostres avis són calbs?
    Sí que ________________ són una mica.

16 En parelles. Pensa en algú de la classe. La teva parella ha d'endevinar qui és, fent preguntes com les de l'exercici anterior.

Porta ulleres?

No, no en porta.

17 Fes una descripció dels personatges d'aquest grup de rock amb les estructures comparatives **tots dos, totes dues, cap dels dos, ni l'un ni l'altre...**

18 Completa els textos amb les paraules del quadre.

1

amb, ample, cabells, cara, cuiro, curtes, grassa, llargs, llisos, orelles, recollits, ulleres

De petita era molt baixa i més aviat ________________ (1). Tenia la ________________ (2) rodona, el front ________________ (3) i les ________________ (4) petites. Tenia els ________________ (5) rossos i ________________ (6), i els portava ________________ (7). Duia unes ________________ (8) modernes molt grosses i sempre anava ________________ (9) brusa, faldilles molt ________________ (10), mitjons ________________ (11) i sabates de ________________ (12).

2

barba, barbeta, bufandes, cabells, caçadores, galtes, pèl-roig, pòmuls, prim

Quan era jove era alt i ________________ (1). Tenia les ________________ (2) xuclades, els ________________ (3) sortits i la ________________ (4) punxeguda. Era ________________ (5) i portava els ________________ (6) llargs, deixats anar. També portava ________________ (7). A l'hivern em posava ________________ (8) de cuiro negre i ________________ (9) molt llargues.

3

atlètiques, cames, calçat, cintura, curts, espatlles, esquena, foscos, sabates, samarretes, texans

La meva germana i jo, de joves, érem molt ________________ (1). Teníem les ________________ (2) llargues, la ________________ (3) estreta, les ________________ (4) amples i l' ________________ (5) dreta. Teníem els cabells ________________ (6), com els ulls, i sempre els dúiem ________________ (7). No acostumàvem a dur faldilles ni ________________ (8) de taló, com moltes amigues nostres. Sempre portàvem ________________ (9) esportiu i solíem anar amb ________________ (10) i ________________ (11).

4

arrissats, cos, gruixudes, gruixuts, llavis, nas, pantalons, panxa, petita, quadrada, rossos

De petits, el meu germà i jo ens assemblàvem molt. Érem baixos, grassos i molt ________________ (1). Teníem la cara ________________ (2), el ________________ (3) aguilenc, la boca ________________ (4) i riallera amb uns ________________ (5) prims. Teníem el ________________ (6) curt, les cames ________________ (7) i fèiem una mica de ________________ (8). Teníem els cabells ________________ (9) i els dúiem curts. A l'hivern sempre anàvem amb jerseis ________________ (10) i ________________ (11) llargs.

19 **Amb quins d'aquests connectors pots relacionar les frases? Escriu-les. A vegades hauràs de canviar algun element de la segona frase.**

encara que
en canvi
això sí
és clar que

1 La Carme té 90 anys.
La Carme fa molt de goig.

___

2 La Txell té un cos perfecte.
La Txell s'ho ha operat tot.

___

3 L'Ernest ha canviat molt, abans era molt maco i simpàtic.
Ara l'Ernest és més aviat lleig i antipàtic.

___

4 En Vicenç no sembla gran.
En Vicenç és calb.

___

5 La Mireia ha canviat d'estil, abans anava amb texans i samarretes.
Ara la Mireia porta roba més formal.

___

6 En Ricard és elegant.
En Ricard porta roba molt cara.

___

7 En Claudi no sembla gras.
En Claudi pesa noranta-cinc quilos.

___

8 En Toni portava barba.
En Toni la portava molt ben arreglada.

___

9 La Roser va molt ben pentinada.
La Roser va a la perruqueria cada dia.

___

10 La Núria va molt mal pentinada.
La Núria va a la perruqueria cada dia.

___

11 Abans l'Enric era gras.
Ara l'Enric és prim.

___

20 En parelles A i B. (A tapa les il·lustracions de B, B tapa les il·lustracions de A.) Explica l'evolució d'aquesta persona.

21 Escolta i marca quines formes verbals diuen.

		nosaltres		vosaltres		ells / elles / vostès
1		dúiem		dúieu		duien
2		vestíem		vestíeu		vestien
3		solíem		solíeu		solien
4		acostumàvem		acostumàveu		acostumaven
5		érem		éreu		eren
6		teníem		teníeu		tenien
7		fèiem		fèieu		feien
8		llegíem		llegíeu		llegien
9		suspeníem		suspeníeu		suspenien
10		escrivíem		escrivíeu		escrivien

22 Transforma les frases.

1 Ara sóc gras i tinc panxa. Tinc pocs cabells, duc bigoti i ulleres. Abans...

____

2 Sempre ens vestim amb texans i samarretes i no ens posem mai sabates de taló. De joves...

____

3 Els meus fills són simpàtics. Físicament no s'assemblen: un és alt i ros, i l'altre és baix i moreno, però tots dos tenen els ulls blaus i els agrada vestir amb roba esportiva. De petits...

____

4 La Paula du unes ulleres modernes i es posa molts anells i collarets; en canvi, la seva germana no es posa mai cap joia. Quan anava a la disco...

____

5 Max, com és que aquest any et vesteixes amb colors foscos i et poses vestit i corbata? Porto vestits foscos perquè estic gras, i em poso vestit i corbata perquè treballo en un banc. Max, com és que l'any passat...

____

6 Ara els meus fills són alts, tenen moltes pigues i acostumen a anar ben vestits. Abans...

____

7 La meva germana i jo no ens assemblem gens; ella és prima i té el nas petit, i jo sóc més aviat grassa i tinc el nas gros. Això sí, totes dues som rosses i tenim pigues. De petites...

____

8 El Carles i jo ens arreglem molt quan sortim a la nit: sempre duem corbata i acostumem a afaitar-nos. De joves..

____

23 Escriu el contrari de com són les persones ara, posant el temps verbal en imperfet d'indicatiu i canviant les paraules en negreta.

1 Sou **primes** i **altes**. Teniu els cabells **llisos** i porteu **cues.**

____

2 La meva germana i jo som molt **primes** i tenim les cames **llargues.** Tenim els cabells **foscos**, com els ulls, i sempre els duem **recollits.**

____

____

3 La Jordina i jo acostumem a dur **faldilles** i sabates **de taló**, com moltes amigues nostres.

____

4 El meu germà i jo som **baixos, grassos** i molt **rossos.** Tenim la cara **rodona**, el nas **petit** i la boca **grossa**. Tenim les cames **gruixudes** perquè fem esport.

____

____

5 Blai, tu tens els cabells **foscos** i els dus **curts.** En canvi, jo els tinc **rossos** i els duc **llargs.**

____

6 Les teves cosines tenen els cabells **rossos** i **llisos.** Van amb faldilles molt **curtes**, mitjons **llargs** i sabates **planes.**

____

7 Tu i la teva germana bessona sou **altes** i **primes**, teniu els ulls **clars** i molt **grossos.** Acostumeu a portar **pantalons** i no soleu dur mai **mitges.**

____

8 L'Eva té la cara **rodona**, el front **ample** i els ulls **petits.** És més aviat **prima**, té la cintura **estreta** i les cames **llargues** i **primes.**

____

24 Completa les frases amb la forma adequada de l'imperfet d'indicatiu del verb que hi ha entre parèntesis.

1 Vosaltres ______________ (portar) faldilles i brusa blanca, quan ______________ (ser) petites, oi?
Sí, perquè ______________ (anar) a una escola de monges.

2 Els meus pares i jo ______________ (anar) de vacances a Menorca i ______________ (passar-s'ho) molt bé.

3 Els meus avis ______________ (viure) a Andorra i els meus germans i jo els ______________ (anar) a visitar cada estiu.

4 Quan l'Àngela i jo ______________ (ser) petites ______________ (anar) cada dia a la platja, perquè ______________ (viure) en un poble de la costa, davant del mar.

5 Quan la Maria ______________ (tenir) vint anys, ______________ (sortir) cada nit i no ______________ (estudiar) gens.

6 Oi que vosaltres ______________ (menjar) molt quan ______________(ser) petits?
Sí, això diuen. ______________ (menjar) molt, però no ______________ (engreixar-se) gens.

7 A l'Estat espanyol, als anys 60, ______________ (haver-hi) moltes manifestacions contra la dictadura.

8 ______________ (ser) vosaltres que ______________ (riure) tant?

9 Els meus companys de la universitat i jo ______________ (fer) moltes festes i no ______________ (anar) mai a classe, perquè ______________ (avorrir-se) molt.

10 La Paula i jo quan ________________ (sortir) de l'escola ________________ (soler) anar a la biblioteca i hi ________________ (fer) els deures. ________________ (trobar-se) amb els nois del curs superior, que ens ________________ (ajudar) a fer els deures.

11 Quan ________________ (venir) la Petra a jugar a casa, la meva germana petita ________________ (riure) molt perquè la Petra i jo ________________ (fer) teatre.

12 A l'escola, els meus companys em ________________ (dir) quatre ulls, perquè ________________ (dur) ulleres.

13 Vam venir a Catalunya perquè al nostre país no ________________ (haver-hi) feina i perquè ________________ (tenir) familiars a Lleida.

25 Accentua quan calgui.

1 Quan la Marina i jo viviem a Andorra, cada cap de setmana anavem a esquiar amb els amics.

2 Quan estudiaveu a la universitat, feieu de cangur, veritat?

3 De petita, no tenia tantes pigues ni tantes arrugues, pero era mes grassa perque menjava mes.

4 A l'institut sempre jugavem a futbol i despres, si guanyavem, ho celebravem al bar.

5 Quan estudiavem a Londres, nomes parlavem angles. Per aixo el parlem tan be.

6 El Gerard i jo teniem la cara rodona i duiem els cabells molt curts. Es clar que era moda!

7 Recordo que vosaltres acostumaveu a portar samarretes sense manigues.

8 Quan erem petits gairebe ningu feia vacances. Aixo si: cada dia anavem a la piscina i ens ho passavem molt be.

9 Com ereu de petits? Segur que ereu pel-rojos i atletics com ara.

10 Abans sempre feiem festes, pero ara no en fem perque jo no tinc temps i el Lluis tampoc en te.

26 Llegeix els diaris d'aquestes persones i escriu quines eren les seves rutines.

1

1 de juliol de 1986

Avui hem arribat a Calella. Ens hi estarem dos mesos: juliol i agost. Anirem a la platja cada dia i també navegarem amb barca. Sortirem cada nit: anirem a la disco o a fer copes als bars del poble. Farem algunes excursions i visitarem alguns pobles. També haurem d'ajudar els pares a netejar la casa, anar a comprar...

Els estius anàvem a Calella...

2

23 de maig de 1999

Aquest matí he anat a la universitat amb moto, com cada dia. He anat al bar de la facultat i he esmorzat amb la Laia. No hem anat a classe. Aquesta setmana només hi hem anat un dia. Hem agafat la moto i hem anat a la platja, com cada setmana. A la tarda he anat a treballar a la llibreria i la Laia ha anat a fer de cangur. Al vespre hem sortit a fer unes cerveses amb uns col·legues. He arribat bastant tard a casa, com cada nit. Demà no sé si aniré a classe.

Quan era estudiant...

3

2 de març de 2000
Com cada dia he anat a visitar la meva àvia. Li he portat un regal: un ram de flors. Hem anat a passejar i ens hem assegut en un banc del parc. Després hem tornat a casa seva i hem dinat. Havent dinat, hem mirat la sèrie a la tele i després he tornat a casa. He estudiat una mica d'anglès i al vespre he anat a classe.

De petita...

4

17 d'abril de 2007
Ahir no vaig tenir temps d'escriure el diari. Al matí vaig anar a París a parlar amb uns clients francesos. Vaig tornar a la tarda i vaig anar a l'oficina. Vaig treballar fins a les 9. Vaig tornar a casa i me'n vaig anar a dormir. Avui m'he llevat d'hora perquè he anat a Madrid, a una fira. He tornat a les tres i he anat a l'oficina. He tingut una reunió i he acabat a les vuit. He arribat a casa i he preparat un informe per a demà, perquè haig d'anar a Milà. No tinc temps de sortir, ni d'anar al cine, ni de trucar als meus amics...

Quan treballava a la multinacional...

27 Escriu la forma adequada del passat perifràstic o de l'imperfet d'indicatiu dels verbs que hi ha entre parèntesis.

1 Abans jo sempre ______________ (anar) a la platja de vacances, però l'estiu passat ______________ (anar) a una casa de pagès.

2 El 1995 ______________ (conèixer) la Teresa i al cap de deu anys ______________ (casar-se).

3 En aquella època la policia ______________ (soler) enfrontar-se als estudiants. Recordo un dia que uns quants policies ______________ (entrar) a la universitat amb els cavalls i tot.

4 L'agost de 2001 ______________ (tenir) la meva primera filla i un any després la meva parella i jo ______________ (separar-se).

5 El 29 de febrer de 1984 ______________ (néixer) jo, i un any després ______________ (néixer) la meva germana.

6 Quan ______________ (ser) petit ______________ (anar) al cinema cada diumenge a la tarda.

7 El dia que ______________ (fer) els deu anys, el meu pare em ______________ (regalar) el meu primer rellotge.

8 Abans a la feina sempre ______________ (portar) corbata i americana. Un dia ______________ (posar-se) texans, camisa i vambes i em ______________ (fer) fora.

9 La Flora, quan ______________ (tenir) quinze anys, ______________ (enamorar-se) per primer cop.

10 El Lluc i jo ______________ (acostumar) a jugar a tennis cada dissabte, fins que un dia ______________ (barallar-se) i no ______________ (jugar) més.

11 El Pep quan ______________ (ser) petit, ______________ (anar) un dia al circ.

12 La Dolors ______________ (viure) a Anglaterra tres anys i després ______________ (tornar) a Reus.

13 Fa molts anys, un dia l'Ester ______________ (conèixer) una dona que ______________ (ser) alemanya i que ______________ (fer) classes d'alemany.

14 Ahir la Mar i jo ______________ (estudiar) tota la tarda a la biblioteca.

15 L'any passat nosaltres ______________ (anar) un cop al cine. En canvi, abans hi ______________ (anar) cada setmana.

28 Completa els textos amb la forma adequada del passat perifràstic, de l'imperfet o del present d'indicatiu dels verbs que hi ha entre parèntesis.

Text 1

Cherilyn Sarkasian LaPier (Cher) ______________ (1) (néixer) a Califòrnia el 20 de maig de 1946. Quan ______________ (2) (tenir) 17 anys, ______________ (3) (conèixer) Sonny Bono, que també ______________ (4) (ser) cantant i ______________ (5) (tenir) onze anys més que ella. Al cap d'un any ______________ (6) (casar-se) i ______________ (7) (tenir) dos fills. Amb el seu marit ______________ (8) (enregistrar) més de deu discos, ______________ (9) (participar) en una pel·lícula i en dues sèries de televisió. Al cap d'un temps, ______________ (10) (separar-se) del seu marit, perquè ell ______________ (11) (tenir) moltes amants. Després de la separació, ______________ (12) (continuar) compaginant la carrera discogràfica i la cinematogràfica. El 1988 ______________ (13) (guanyar) un Oscar. De jove no ______________ (14) (ser) gaire maca, ______________ (15) (dur) els cabells molt llargs i sempre ______________ (16) (portar) roba còmoda. Això sí, ______________ (17) (tenir) una personalitat molt forta. Ara, en canvi, ______________ (18) (canviar) molt d'imatge: a vegades ______________ (19) (ser) rossa, de tant en tant ______________ (20) (portar) els cabells arrissats i sempre ______________ (21) (portar) roba molt extremada.

Text 2

Michael Jackson ______________ (1) (néixer) a Gary, Indiana, el 29 d'agost de 1959. El 1963, quan ______________ (2) (tenir) quatre anys, ______________ (3) (fer) la seva primera interpretació pública, ______________ (4) (cantar) la sintonia d'una sèrie televisiva. L'any següent ell i els seus germans ______________ (5) (formar) el grup Jackson Five. En aquell moment Michael Jackson ______________ (6) (tenir) cinc anys. El 1970 els cinc germans ______________ (7) (convertir-se) en un dels grups més venuts. Michael Jackson ______________ (8) (enregistrar) el primer disc com a solista quan ______________ (9) (tenir) tretze anys. El 1994 ______________ (10) (casar-se) per primera vegada i ______________ (11) (separar-se) al cap de dos anys. ______________ (12) (casar-se) un altre cop al cap d'un any. De petit, ______________ (13) (tenir) la cara rodona i els llavis gruixuts, i ______________ (14) (portar) texans, camises i americanes de colors. També ______________ (15) (tenir) els cabells molt arrissats. En canvi, poc abans de morir, ______________ (16) (ser) prim, ______________ (17) (tenir) la cara molt blanca i xuclada, els llavis prims, ______________ (18) (portar) els cabells llisos i ______________ (19) (acostumar) a anar de color negre.

Text 3

Marlon Brando ______________ (1) (néixer) el 3 d'abril de 1924 a Omaha, Nebraska. El ______________ (2) (expulsar) de moltes escoles perquè no ______________ (3) (respectar) les normes. Quan ______________ (4) (tenir) gairebé vint anys, ______________ (5) (traslladar-se) a Nova York, on ______________ (6) (estudiar) interpretació. ______________ (7) (guanyar) dos Oscars. ______________ (8) (casar-se) tres vegades i ______________ (9) (tenir) set fills reconeguts. L'1 de juliol de 2004 ______________ (10) (morir), quan ______________ (11) (tenir) vuitanta anys. Quan ______________ (12) (ser) jove, ______________ (13) (ser) un home molt atractiu: ______________ (14) (tenir) una mirada molt profunda i també ______________ (15) (tenir) un cos atlètic.

Text 4

Marilyn _______________ (1) (néixer) l'1 de juny de 1926 a Los Angeles. _______________ (2) (casar-se) per primera vegada quan _______________ (3) (tenir) setze anys. Durant la seva vida _______________ (4) (casar-se) dos cops més. Primer _______________ (5) (treballar) de model i després _______________ (6) (fer) d'actriu i en poc temps _______________ (7) (convertir-se) en un mite. Marilyn no _______________ (8) (ser) gaire alta i _______________ (9) (portar) els cabells rossos tenyits. _______________ (10) (ser) una dona molt sensual i _______________ (11) (acostumar) a dormir sense roba. _______________ (12) (morir) el 4 d'agost de 1962, quan només _______________ (13) (tenir) trenta-sis anys.

29 Escriu la forma adequada del passat perifràstic, de l'imperfet o del perfet d'indicatiu dels verbs que hi ha entre parèntesis.

Estimat diari,

Avui _______________ (1) (ser) un dia molt especial per a mi. De bon matí, després d'esmorzar, m'_______________ (2) (trucar) el meu mànager per dir-me que actuarem, tot el grup, al proper festival de rock de Benicàssim. Quina bona notícia! Fa tant temps que no actuo en un festival! Abans, quan _______________ (3) (tocar) amb el grup Místic Rosa, una vegada _______________ (4) (participar) al primer festival de rock de la comarca. A totes ens _______________ (5) (agradar) molt el rock i cada dia _______________ (6) (assajar) al garatge de la guitarrista, la Toni. Recordo que la seva mare sempre ens _______________ (7) (convidar) a menjar magdalenes amb xocolata. Quins temps!

Avui, després de parlar amb el mànager _______________ (8) (telefonar) a les noies del grup per comunicar-los la notícia, i _______________ (9) (quedar) per trobar-nos a l'estudi d'enregistrament. _______________ (10) (acabar - nosaltres) l'últim CD, que finalment es titularà *L'avió roig*. El primer dia que _______________ (11) (entrar - nosaltres) a l'estudi, ara fa sis mesos, encara no _______________ (12) (tenir - nosaltres) gens clar què faríem. Me'n recordo bé del primer dia:_______________ (13) (començar - nosaltres) un dimecres, com avui. El tècnic de so, l'Enric, _______________ (14) (fumar) constantment i al cap d'unes hores d'assaig _______________ (15) (emprenyar-se) com una mona perquè _______________ (16) (estar - nosaltres) una mica distretes.

Quan hem acabat l'enregistrament del disc _______________ (17) (anar - jo) a dinar amb l'Enric. Avui _______________ 18) (estar) especialment maco! Li _______________ (19) (fer) un regal perquè fa exactament mig any que sortim junts. Recordo que el moment en què el _______________ (20) (conèixer) em _______________ (21) (semblar) lleig i antipàtic. _______________ (22) (dur - ell) una camisa blanca, uns texans estripats i els cabells tan curts que gairebé se li _______________ (23) (veure) les idees. Però, quan li va passar l'emprenyada, _______________ (24) (començar - ell) a parlar i _______________ (25) (adonar-se - jo) que _______________ (26) (ser) diferent dels altres tios que hi havia en aquell estudi. _______________ 27) (tenir - ell) un encant especial i me'n _______________ (28) (enamorar). Quins records!

30 Completa les frases amb un adjectiu del quadre. Fes la flexió de gènere, quan calgui.

assenyat	indecís
avorrit	mentider
complidor	poca-solta
decidit	tafaner
gandul	tímid

1 La Roser és una _______________ perquè no diu mai la veritat.

2 Al Manel no li agrada treballar gaire, oi?
No, gens. És un _______________.

3 La Marta és molt _______________. Li vaig dir que necessitava els informes avui al matí i avui a les vuit del matí ja els tenia a la taula.

4 La Glòria no sé si vindrà a la festa, si no coneix ningú, perquè és molt _______________.

5 La meva veïna és una _______________, perquè sempre em pregunta qui són el nois que vénen a casa meva.

6 Saps que l'Albert ha canviat de feina?
Ostres! No s'ho ha pensat gens.
No, és molt _______________.

7 No sé què fer...
Com ets, Rosa! Ets tan _______________!

8 El que has fet no fa cap gràcia. Ets un _______________! Per què li has dit que la coneixies, si no és veritat! Pobra!

9 Quan surto, el meu fill gran es queda amb el meu fill petit.
Sols?
Sí, és que el meu fill gran és molt _______________.

10 T'agrada la Mònica?
No gaire. No riu, sempre parla de la feina, no vol anar a ballar... La trobo molt _______________.

31 Marca els adjectius que defineixen millor el caràcter de les tres persones.

	Josep Puig	Maria Capmany	Magda Planes
assenyat – assenyada			
complidor – complidora			
decidit – decidida			
formal			
impulsiu – impulsiva			
indecís – indecisa			
ingenu – ingènua			
llest – llesta			
mentider – mentidera			
poca-solta			
responsable			
sincer – sincera			
tancat – tancada			
tímid – tímida			
treballador – treballadora			
xafarder – xafardera			
ximple			

32 **Escolta el text de l'exercici 13 del llibre de l'alumne i després llegeix-lo en veu alta.**

33 **Completa els textos.**

Text 1

Recordo que quan era petit el que ______________ (1) més era anar amb bicicleta a tot arreu i ______________ (2) al carrer. Tenia un veí, que no ______________ (3) amb mi a l'escola pública, que era el meu millor amic. Es ______________ (4) Raül. En Raül anava a una escola privada i no hi tenia ______________ (5) amics. Quan ______________ (6) de l'escola, venia a casa ______________ (7) a buscar-me i sortíem al carrer amb la bicicleta. Sempre anàvem junts. ______________ (8) a pilota, ______________ (9) competicions i explicàvem ______________ (10). Era un noi més ______________ (11) que jo i més ______________ (12); jo era més aviat baix i una mica gras. Sempre duia ______________ (13) texans llargs i una camisa blanca, i a l'escola ______________ (14) corbata. En canvi, jo sempre portava pantalons ______________ (15) i vells, perquè eren ______________ (16) germans. Els companys de la meva escola sempre em ______________ (17) coses, però, quan anava amb el Raül, ningú no em deia res ______________ (18) li tenien por. Un dia els seus pares i ell van marxar de la ciutat i ______________ (19) a Veneçuela, perquè el pare era veneçolà i, a més, hi va trobar una feina millor. Des de llavors no ______________ (20) mai més, però m'agradaria tornar-lo a veure.

Text 2

La meva mare diu que ______________ (1) jo era petita sempre ______________ (2) contes. La veritat és que no me'n ______________ (3) gaire. Diu que ______________ (4) molts amics i que sovint ______________ (5) a casa per jugar amb mi. D'això sí que me'n ______________ (6). Ens ______________ (7) aventures, ______________ (8) la tele i de vegades ______________ (9) amunt i avall pel passadís. A la mare no ______________ (10) agradava perquè ______________ (11) molt soroll i els veïns es queixaven. Un dia la mare es va enfadar molt perquè la Diana, que ______________ (12) molt esbojarrada, ______________ (13) a jugar a casa meva; jugàvem a futbol i sense voler vam trencar el vidre d'una finestra! Em va castigar una setmana sense sortir a jugar.

Text 3

Te'n recordes, de quan tu i jo ______________ (1) petites?

Oh i tant! ______________ (2) juntes a la mateixa classe.

Em recordo que tu ______________ (3) els cabells deixats anar i jo ______________ (4) els cabells molt curts.

Sí, i tu gairebé sempre ______________ (5) pantalons. Eres com un xicot.

En canvi, tu sempre ______________ (6) amb faldilles. ______________ (7) una nena molt nena. I ______________ (8) uns dibuixos molt macos!

Sí, però sempre ______________ (9) les matemàtiques perquè no m'agradaven ______________ (10); en canvi, tu eres molt responsable i treballadora. Cada dia ______________ (11) els deures i mai no ______________ (12), al revés que els teus germans.

Sí, ells ho ______________ (13) quasi tot; perquè no ______________ (14) gens. Eren bastant ______________ (15), no tenien mai ganes de treballar, ni feien mai els ______________ (16). L'única assignatura que ______________ (17) era l'educació física.

És clar, perquè per això no havien d'______________ (18) gaire!

1

el / l': vestit, abric, anell, collaret, jersei, rellotge
la / l': americana, bossa, brusa, caçadora, camisa, corbata, gorra, jaqueta, samarreta
els: calçotets, mitjons, pantalons, sostenidors, texans
les: arracades, botes, calces, faldilles, mitges, sabates, sandàlies, ulleres, vambes

2

Persona A
1. americana; 2. corbata; 3. camisa; 4. cinturó; 5. pantalons; 6. vambes

Persona B
1. arracades; 2. collaret; 3. brusa; 4. faldilla; 5. bossa de mà; 6. sabates

Persona C
1. gorra; 2. ulleres; 3. bufanda; 4. abric; 5. botes

3

1. a; 2. b; 3. c; 4. c; 5. a

4

1. Jersei blau; 2. Calces vermelles; 3. Abrics grisos; 4. Corbata groga; 5. Calçotets blancs; 6. Samarreta verda; 7. Sabates negres; 8. Faldilles blau pàl·lid; 9. Jaqueta grisa; 10. Camisa blavosa

5

1.
1. pantalons; 2. samarretes; 3. sabates; 4. bufanda

2.
1. pantalons; 2. jaqueta / camisa; 3. camisa / jaqueta; 4. sabates

3.
1. jerseis; 2. caçadora; 3. abrics; 4. rellotge

4.
1. faldilles; 2. mitges; 3. sabates; 4. anells; 5. bossa

6

1.
1. du / duu; 2. du / duu; 3. llargues; 4. blava; 5. Va; 6. sol; 7. curtes

2.
1. es vesteixen; 2. Duen; 3. gruixuts; 4. foscos; 5. duen; 6. vermell

3.
1. duràs; 2. em vestiré; 3. Em posaré; 4. grisa; 5. blanca; 6. acostumo

4.
1. solem; 2. duem; 3. acostumem

5.
1. em vesteixo; 2. Solc; 3. vermelles; 4. verdes; 5. grogues; 6. blaves; 7. curts; 8. duc; 9. planes; 10. acostumo; 11. fosques

7

1. ens posarem; 2. grisa; 3. verda; 4. vaig; 5. em posaré; 6. grisa; 7. grisos; 8. duré; 9. blanc; 10. blava; 11. durà; 12. llarg; 13. es posarà; 14. Portarà; 15. es vesteix

8

A. 2; B. 1

9

el / l': braç, cap, clatell, coll, colze, cul, front, genoll, llavi, nas, peu, pòmul, ull
la / l': barbeta, boca, cama, cara, cella, cintura, esquena, galta, mà, orella, panxa
els: cabells, pits
les: cuixes, espatlles

10

1. el coll; 2. el braç; 3. la panxa; 4. la mà; 5. el genoll; 6. el clatell; 7. les espatlles; 8. l'esquena ; 9. el colze; 10. la cintura; 11. el cul; 12. la cama; 13. el peu

11

1. el front; 2. els cabells; 3. la cella; 4. el pòmul; 5. l'orella; 6. la galta; 7. la boca; 8. la barbeta; 9. l'ull; 10. la cara; 11. el nas; 12. el llavi

12

1. arracades; 2. mitjons; 3. ulleres; 4. mitges; 5. bufanda; 6. rellotge; 7. anell; 8. barret; 9. bossa; 10. cinturó

13

1. poblades, gruixudes; 2. estret; 3. llarg; 4. clars; 5. amples; 6. grossa; 7. dreta, recta; 8. molsudes; 9. petites; 10. arrissats; 11. prims

15

1. La; 2. en; 3. ho; 4. Els; 5. les hi; 6. El; 7. en; 8. en; 9. ho; 10. els hi; 11. en; 12. l'hi; 13. els hi; 14. les hi, Les; 15. ho

18

1.
1. grassa; 2. cara; 3. ample; 4. orelles; 5. cabells; 6. llisos; 7. recollits; 8. ulleres; 9. amb; 10. curtes; 11. llargs; 12. cuiro

2.
1. prim; 2. galtes; 3. pòmuls; 4. barbeta; 5. pèl-roig; 6. cabells; 7. barba; 8. caçadores; 9. bufandes

3.
1. atlètiques; 2. cames; 3. cintura; 4. espatlles; 5. esquena; 6. foscos; 7. curts; 8. sabates; 9. calçat; 10. texans; 11. samarretes

4
1. rossos; 2. quadrada; 3. nas; 4. petita; 5. llavis; 6. cos; 7. gruixudes; 8. panxa; 9. arrissats; 10. gruixuts; 11. pantalons

19 Solucions orientatives

1. La Carme té 90 anys. Això sí, fa molt goig; 2. La Txell té un cos perfecte. És clar que s'ho ha operat tot; 3. L'Ernest ha canviat molt, abans era molt maco i simpàtic; en canvi ara és més aviat lleig i antipàtic; 4. En Vicenç no sembla gran, encara que sigui calb; 5. La Mireia ha canviat d'estil, abans anava amb texans i samarretes; en canvi ara porta roba més formal; 6. En Ricard és elegant. És clar que porta roba molt cara; 7. En Claudi no sembla gras, encara que pesi noranta-cinc quilos; 8. En Toni portava barba. Això sí, la portava molt ben arreglada; 9. La Roser va molt ben pentinada. És clar que va a la perruqueria cada dia; 10. La Núria va molt mal pentinada, encara que vagi a la perruqueria cada dia; 11. Abans l'Enric era gras; en canvi ara és prim.

21

1. dúiem; 2. vestien; 3. solien; 4. acostumàveu; 5. eren; 6. teníem; 7. fèieu; 8. llegíeu; 9. suspeníem; 10. escrivíem

22

1. era, tenia, Tenia, duia; 2. ens vestíem, ens posàvem; 3. eren, s'assemblaven, era, era, tenien, agradava; 4. duia, es posava, es posava; 5. et vesties, et posaves, Portava, estava, em posava, treballava; 6. eren, tenien, acostumaven; 7. ens assemblàvem, era, tenia, era, tenia, érem, teníem; 8. ens arreglàvem, sortíem, dúiem, acostumàvem

23 Solucions orientatives

1. Éreu grasses i baixes. Teníeu els cabells arrissats i els portàveu deixats anar. 2. La meva germana i jo érem molt grasses i teníem les cames curtes. Teníem els cabells clars, com els ulls, i sempre els dúiem deixats anar. 3. La Jordina i jo acostumàvem a dur pantalons i sabates planes, com moltes amigues nostres. 4. El meu germà i jo érem alts, prims i molt morenos. Teníem la cara quadrada, el nas gros i la boca petita. Teníem les cames primes perquè fèiem esport.
5. Blai, tu tenies els cabells clars i els duies llargs. En canvi, jo els tenia foscos i els duia curts.

6. Les teves cosines tenien els cabells foscos i arrissats. Anaven amb faldilles molt llargues, mitjons curts i sabates amb taló; 7. Tu i la teva germana bessona éreu baixes i grasses, teníeu els ulls foscos i molt petits. Acostumàveu a portar faldilles i no solíeu dur mai mitjons; 8. L'Eva tenia la cara quadrada, el front estret i els ulls grossos. Era més aviat grassa, tenia la cintura ampla i les cames curtes i gruixudes.

24

1. portàveu, éreu, anàvem; 2. anàvem, ens ho passàvem; 3. vivien, anàvem; 4. érem, anàvem, vivíem; 5. tenia, sortia, estudiava; 6. menjàveu, éreu, Menjàvem, ens engreixàvem; 7. hi havia; 8. Éreu, rèieu; 9. fèiem, anàvem, ens avorríem; 10. sortíem, solíem, fèiem, Ens trobàvem, ajudaven; 11. venia, reia, fèiem; 12. deien, duia; 13. hi havia, teníem

25

1. vivíem, anàvem; 2. estudiàveu, fèieu; 3. però, més, perquè, més; 4. jugàvem, després, guanyàvem, celebràvem; 5. estudiàvem, només, parlàvem, anglès, això, bé; 6. teníem, dúiem, És; 7. acostumàveu, mànigues; 8. érem, gairebé, ningú, Això, sí, anàvem, passàvem, bé; 9. éreu, éreu, pèl-rojos, atlètics; 10. fèiem, però, perquè, Lluís, té

26

1.
Els estius anàvem a Calella. Ens hi estàvem dos mesos. Anàvem a la platja cada dia. Navegàvem amb barca. A la nit anàvem a la disco o a fer copes. Fèiem algunes excursions i visitàvem pobles. Ajudàvem els pares a les feines de casa.

2.
Anava a la universitat amb moto. Anava al bar de la facultat i esmorzava amb la Laia. A vegades en comptes d'anar a classe anava a la platja. A la tarda la Laia i jo anàvem a treballar. A la nit sortíem a fer cerveses amb els col·legues. Cada nit arribava tard a casa.

3.
Cada dia anava a visitar la meva àvia. Li portava regals. Passejàvem i ens asseiem als bancs del parc. Després tornàvem a casa i dinàvem. Havent dinat miràvem la sèrie de la tele. Després tornava a casa. Estudiava una mica d'anglès. Al vespre anava a classe.

4.
Viatjava sovint. Treballava fins tard. Quan arribava a casa, me n'anava a dormir.
Em llevava d'hora.
Tenia moltes reunions i feia informes.
No tenia temps de sortir, ni d'anar al cine, ni de trucar als amics.

27

1. anava, vaig anar; 2. vaig conèixer, ens vam casar / vam casar-nos / em vaig casar / vaig casar-me; 3. solia, van entrar; 4. vaig tenir / vam tenir, ens vam separar / vam separar-nos; 5. vaig néixer, va néixer; 6. era, anava; 7. vaig fer, va regalar; 8. portava, em vaig posar / vaig posar-me, van fer; 9. tenia, es va enamorar / va enamorar-se; 10. acostumàvem, ens vam barallar / vam barallar-nos, vam jugar; 11. era, va anar; 12. va viure, va tornar; 13. va conèixer, era, feia; 14. vam estudiar; 15. vam anar, anàvem

28

Text 1
1. va néixer; 2. tenia; 3. va conèixer; 4. era; 5. tenia; 6. es van casar / van casar-se / es va casar / va casar-se; 7. van tenir / va tenir; 8. va enregistrar / van enregistrar; 9. va participar; 10. es va separar / va separar-se; 11. tenia; 12. va continuar; 13 va guanyar; 14. era; 15. duia; 16. portava; 17. tenia; 18. canvia / ha canviat; 19. és; 20. porta; 21. porta

Text 2
1. va néixer; 2. tenia; 3. va fer; 4. va cantar; 5. van formar; 6. tenia; 7. es van convertir / va convertir-se; 8. va enregistrar; 9. tenia; 10. es va casar / va casar-se; 11. es va separar / va separar-se; 12. Es va casar / Va casar-se; 13. tenia; 14. portava; 15. tenia; 16. era; 17. tenia; 18. portava; 19. acostumava

Text 3
1. va néixer; 2. van expulsar; 3. respectava; 4. tenia; 5. es va traslladar / va traslladar-se; 6. va estudiar; 7. Va guanyar; 8. Es va casar / Va casar-se; 9. va tenir; 10. va morir; 11. tenia; 12. era; 13. era; 14. tenia; 15. tenia

Text 4
1. va néixer; 2. Es va casar / Va casar-se; 3. tenia; 4. es va casar / va casar-se; 5. va treballar; 6. va fer ; 7. es va convertir / va converitr-se; 8. era; 9. portava; 10. Era; 11. acostumava; 12. Va morir; 13. tenia

29

1. ha sigut / ha estat; 2. ha trucat; 3. tocava; 4. vam participar / vaig participar; 5. agradava; 6. assajàvem; 7. convidava; 8. he telefonat; 9. hem quedat / he quedat; 10. Hem acabat; 11. vam entrar 12. teníem; 13. vam començar; 14. fumava; 15. es va emprenyar / va emprenyar-se; 16. estàvem; 17. he anat; 18. estava / ha estat; 19. he fet; 20. vaig conèixer; 21. va semblar; 22. Duia; 23. veien; 24. va començar; 25. em vaig adonar / vaig adonar-me; 26. era; 27. Tenia; 28. vaig enamorar

30

1. mentidera; 2. gandul; 3. complidora; 4. tímida; 5. tafanera; 6. decidit; 7. indecisa; 8. poca-solta; 9. assenyat; 10. avorrida

31

Josep Puig: assenyat, complidor, formal, llest, responsable, sincer, treballador
Maria Capmany: impulsiva, indecisa, poca-solta, tancada, tímida, xafardera, ximple
Magda Planes: decidida, impulsiva, ingènua, mentidera

33

Text 1
1. m'agradava; 2. jugar / sortir; 3. venia; 4. deia; 5. gaires; 6. plegava / sortia; 7. meva; 8. Jugàvem; 9. fèiem; 10. contes / aventures / històries / acudits; 11. alt; 12. prim; 13. pantalons; 14. duia / portava; 15. curts; 16. dels meus; 17. deien; 18. perquè; 19. van anar / se'n van anar / van anar-se'n; 20. l'he vist

Text 2
1. quan; 2. llegia / explicava; 3. recordo; 4. tenia; 5. venien; 6. recordo; 7. explicàvem; 8. miràvem; 9. corríem; 10. li; 11. fèiem; 12. era; 13. va venir

Text 3
1. érem; 2. Anàvem / Estudiàvem; 3. portaves / duies; 4. portava / duia; 5. portaves / duies / anaves amb; 6. anaves; 7. Eres; 8. feies; 9. suspenia;10. gaire / gens (ni mica); 11. feies; 12. suspenies; 13. suspenien; 14. estudiaven; 15. ganduls; 16. deures; 17. aprovaven; 18. estudiar

Unitat 4

ESTIC FOTUT!

UNITAT 4

ESTIC FOTUT!

1 Completa les frases amb una paraula del quadre. Fes la flexió de gènere, quan calgui.

adormit
amoïnat
animat
atabalat
cansat
distret
enamorat
enfadat
fotut

1. Clara! Que no has dormit?
   Ahir no vaig poder dormir i avui estic ben ________________.
2. Què et passa, Pau?
   Estic molt ________________! Fa més de vint minuts que espero l'Ester! Sempre fa el mateix.
3. Estàs bé, Helena?
   Estic ________________, perquè el Joan és molt puntual. Potser li ha passat alguna cosa.
4. Com estàs, Pere?
   He treballat vuit hores seguides. Estic tan ________________ que no soparé i me n'aniré a dormir.
5. He oblidat els documents a casa un altre cop. No sé què em passa, però últimament estic ________________.
   Dona... doncs això passa quan estàs ________________!
   No em parlis d'amor!
6. Com està la Lluïsa?
   L'operació ha anat bé i ella es troba millor, més alegre. Està més ________________.
7. L'Andreu normalment és molt tranquil i feliç, però últimament està molt ________________ perquè han vingut els seus sogres de l'Argentina i ha de sortir cada dia amb ells.
8. Com està en Joan?
   Sembla que està ________________, li fa mal tot, està deprimit... i a més té problemes a la feina.

2 Relaciona les definicions amb les paraules del quadre.

atabalada
avergonyida
empipada
espantada
histèrica
mandrosa
preocupada
tipa

1. Si una persona està molesta, enfadada, diem que està ________________.
2. Si una persona està inquieta, intranquil·la, diem que està ________________.
3. Si una persona no té el cap clar, no sap què dir ni què fer, se sent confusa, diem que està ________________.
4. Si a una persona no li agrada treballar ni fer res, diem que és una persona ________________.
5. Si una persona té una excitació nerviosa molt intensa i crida molt, diem que està ________________.
6. Si una persona passa vergonya, diem que està ________________.
7. Si una persona té por, diem que està ________________.
8. Si una persona està cansada d'una cosa o d'una persona, diem que n'està ________________.

3 Relaciona les situacions amb un estat.

1	No va contestar perquè tothom li feia moltes preguntes al mateix temps, la gent cridava...	a	Està tan espantat...
2	Què ha dit? És que no escoltava.	b	Estic sorprès.
3	Demà el Salvador ha d'anar al dentista.	c	Estic histèrica.
4	La Glòria s'ha separat. L'Enric se n'ha anat amb una altra.	d	Està fumuda.
5	Si no et truca és perquè no sap com demanar-te perdó.	e	Estic mandrós.
6	Això no ho ha fet mai, el Pere. No m'ho puc creure! No pot ser.	f	Estava distret.
7	No tinc ganes de fer res, avui.	g	Estic la mar de bé!
8	No suporto ni un minut més aquest nen!	h	Estava atabalat.
9	Tinc feina nova, pis nou, xicot nou... Sembla un somni!	i	Està molt avergonyida.

4 Completa les frases amb les formes del quadre.

pànic
ganes de cridar
molts projectes
cap problema
ganes de plorar
molts maldecaps
moltes ganes de riure

1 La Magda està molt fotuda perquè té ______________: a la feina, a casa, amb el seu germà...
2 M'agrada molt el meu barri. No tinc ______________ amb els veïns, són molt simpàtics.
3 Volem veure una pel·lícula còmica, perquè tenim ______________.
4 A vegades estic tan tip d'aguantar aquesta situació que tinc ______________.
5 Sembla que està molt trist i que té ______________, quan recorda la Sara.
6 Anar al dentista? No hi vaig mai. Em fa ______________ anar al dentista.
7 L'Esteve està molt content a la feina perquè es veu que té ______________ nous.

5 Canvia un element a cada frase perquè tingui sentit.

1 Sóc una dona feliç i despreocupada. Sempre estic alegre i sempre tinc ganes de plorar.
2 La Francesca sempre està deprimida, té moltes il·lusions i ganes de plorar.
3 Sóc una persona molt positiva: sempre estic de mal humor i estic empipat amb el món.
4 El Lluís és molt gandul: li agrada treballar, sempre està cansat i té mandra.
5 L'Hortènsia ha perdut la feina. Està animada i fumuda, perquè no s'ho esperava.
6 Sembla que està enamorat perquè té ganes de riure, està despistat i té maldecaps.
7 Està molt trista perquè el seu fill està amoïnat, té maldecaps i moltes il·lusions.
8 Estic una mica tipa de viure sola i vull trobar un company de pis per ser totalment infeliç.
9 M'agrada un noi de la classe que és llest i maco. Sempre està trist i content.

6 Completa les frases amb la forma adequada dels verbs **ser** o **estar.**

1 Com _______________ els teus avis?
Sembla que _______________ bé, però ja saps com _______________... Sempre es queixen.

2 Com _______________ avui?
_______________ nerviós perquè tinc un examen i mira que jo normalment _______________ una persona molt tranquil·la.

3 Com _______________ la Xènia de caràcter?
Normalment _______________ simpàtica i positiva, però de vegades _______________ deprimida.

4 _______________ content en Marc?
Sí, molt. Ja saps que _______________ una persona molt alegre.

5 L'Anna sempre _______________ tan avorrida?
Ui, no. L'Anna _______________ molt divertida, però avui _______________ de mal humor i no té ganes de ballar.

6 Què li passa? _______________ nerviós?
No, no. _______________ atabalat perquè li ha tocat la loteria.

7 La Joana quan s'enamora _______________ alegre i contenta, oi?
Sí, però _______________ una persona més aviat trista.

8 El Sergi _______________ tan tranquil que quan perd un document a l'ordinador no es posa nerviós.

9 Quan vaig al dentista normalment _______________ tranquil, en canvi, la meva mare _______________ molt nerviosa.

10 Has conegut la Fina? Com _______________?
_______________ una noia maca i decidida i _______________ molt contenta perquè surt amb l'Antoni.

11 Has anat a l'hospital a veure el Frederic?
Sí, i _______________ molt espantat i també _______________ desanimat.
Potser així n'aprendrà! _______________ un irresponsable i un esbojarrat! Mira que anar amb moto sense casc!

12 Què li passa a l'Anna? Normalment _______________ divertida i simpàtica, però avui no ha dit res.
Sí, ja ho sé, és que _______________ amoïnada pel seu germà.

13 Hola, vull conèixer una persona com jo. _______________ idealista, independent i alegre. També _______________ una mica tossut. Si tu, a més, _______________ intel·ligent i sincer, envia'm un correu electrònic.

14 No sé què em passa. _______________ trist i desanimat i això que _______________ una persona molt animada.
Deu ser la primavera! Deus _______________ atabalat pels exàmens. Ja et passarà.

15 La Dolors _______________ fotuda.
Ah, sí?
Sí, sí que ho _______________. I també _______________ amoïnada perquè ha perdut la feina.
Doncs no ho sembla. Quan la veig sempre _______________ contenta.

7 Escolta aquestes persones i completa el quadre.

	Qui és?	Com és?	Com està?	Quin problema té?
1				
2				
3				
4				
5				
6				

8 Completa les frases amb un dels verbs del quadre i conjuga'l.

queixar-se
posar-se (4)
enfadar-se
empipar-se
tranquil·litzar-se
desesperar-se
preocupar-se

1 Si els meus veïns fan soroll, a la nit, sempre ________________ i, si no em fan cas, truco a la policia.

2 Ahir a la nit se'm va esborrar el treball que estava fent.
Què va passar?
No ho sé, però ara no tinc el document. Quan vaig veure que no hi era, ________________ histèric.

3 Com ha anat l'examen?
He tornat a suspendre. No sé què em passa, però cada cop que hi vaig ________________ nerviós.

4 Si estic fent cua al cine i veig algú que passa davant meu, ________________ molt. Em molesta molt que la gent sigui tan pocavergonya!

5 Quan haig de parlar en públic, primer ________________ una mica nerviós, però després ________________.

6 Per què no us saludeu, tu i l'Andreu?
Perquè ahir ________________. El vaig esperar més de quaranta minuts al carrer i quan va arribar ens vam discutir.

7 Ahir vaig perdre el meu gos. El vaig buscar pertot arreu, però no el vaig trobar. ________________ tant que ________________ a plorar.

8 Normalment si el Jordi arriba més tard de la una ________________, perquè és molt responsable i, si ha d'arribar més tard, em truca.

9 Relaciona els problemes amb els consells.

1		M'he engreixat cinc quilos.
2		Ens hem quedat sense feina.
3		Li han robat el cotxe.
4		Us heu refredat?
5		L'Andreu i jo ens hem separat.
6		Tens molta son?
7		S'han enamorat.
8		Els veïns s'han barallat una altra vegada.
9		Tinc molts maldecaps.
10		Et trobes malament?

a	Doncs hauríeu de prendre una aspirina.
b	T'aniria bé fer una migdiada.
c	Haurien de separar-se.
d	Et convé fer vacances.
e	Hauria de trucar a la policia.
f	Els convé fer un viatge sols.
g	T'aniria bé descansar.
h	Doncs us aniria bé conèixer gent nova.
i	Et convindria anar al gimnàs.
j	Hauríeu d'aprofitar per descansar.

10 Completa els consells amb els verbs **convenir, anar** o **haver,** en condicional.

1 Joan, et ________________ menjar més, perquè estàs molt prim.

2 Els teus fills ________________ d'estudiar més, perquè no aprovaran.

3 Petra, t'________________ bé sortir i conèixer gent.

4 Vosaltres ________________ de tenir paciència amb l'Helena, perquè està molt fotuda.

5 A mi m'________________ bé fer vacances!

6 A vosaltres us ________________ estar separats una temporada, perquè sempre esteu enfadats.

7 Nosaltres ________________ de fer més exercicis, si volem entendre-ho.

8 A nosaltres ens ________________ bé fer un curs d'anglès abans d'anar a Londres.

9 Al Toni li ________________ trobar un pis i també parella.

10 Em ________________ oblidar la Mònica i sortir més.

11 Completa les frases amb els verbs **convenir, anar** o **haver,** en condicional, i els pronoms, quan calgui.

1 En Joan té molta feina i està molt cansat. ________________ fer vacances i descansar. ________________ de treballar menys i estar més amb la Rut. A tots dos ________________ fer un viatge al Carib, prendre el sol i desconnectar.

2 Estic molt deprimit. Crec que ________________ bé anar al psicòleg, perquè hi ha dies que estic molt fotut.

Sí, tens raó. Jo també penso que ________________ bé. Ja fa molts dies que estàs així.

3 Creus que la Montse i la Carme ________________ de separar?

No ho sé. Però sí que ________________ parlar de la relació que tenen.

4 No s'amoïni, senyor Ripoll. Vostè ________________ de parlar amb el seu fill. ________________ prendre-s'ho amb calma. Segur que el seu fill entendrà que es vol casar una altra vegada.

5 Si esteu encara tan fotuts, ________________ bé treballar i distreure-us. ________________ d'estar sempre ocupats. Així no hi pensareu.

6 ________________ d'educar millor el teu fill, perquè és molt dolent. ________________ bé algun càstig, de tant en tant.

7 La Teresa encara està enfadada amb vosaltres.
Sí, ja ho sabem. ________________ de trucar-li i quedar amb ella.
Això mateix. I ________________ fer-ho aviat, abans que passin més dies.

8 Al Martí i al Pau ________________ més disciplina, perquè són dos nens molt esbojarrats.
Sí, i als pares ________________ bé un cap de setmana sense fills!

9 Estic nerviosa perquè demà tinc l'examen.
________________ d'estar tranquil·la. ________________ fer un sopar lleuger i anar-te'n al llit d'hora.

10 A tu i a mi ________________ fer una mica d'exercici, oi?
Sí, és veritat. Sí que ________________. ________________ d'anar a un gimnàs.

12 A cada frase hi ha un error. Corregeix-lo.

1 El Jordi i la Carme estan deprimits i ens convé sortir amb els amics.
2 En Carles està molt nerviós perquè té un examen i li aniria relaxar-se.
3 El Toni s'ha quedat sense feina i convindria tenir-ne una altra ràpidament.
4 L'Enric està desesperat perquè ha perdut les claus; el convindria relaxar-se.
5 Ens aniria bé canviar de pis perquè els veïns us molesten molt.
6 Hauríem d'anar al cine perquè necessitem divertir-se.
7 M'hauria d'anar al gimnàs perquè m'he engreixat molt.
8 Us hauríeu de fer un viatge aquest estiu.
9 Et convindries anar al metge perquè estàs fotut.
10 T'aniria estudiar més per aprovar l'examen.

13 Hi ha cinc situacions i cada situació està dividida en dos fragments. Aparella'ls. Escriu un consell per a cada situació.

1 La Laura ahir em va dir que ja no m'estima, que ha conegut una altra noia, més jove que jo, i que s'han enamorat.

2 Demà tinc l'entrevista i estic molt nerviosa. Haig d'aconseguir la feina sigui com sigui, però sempre em poso histèrica i faig el ridícul.

3 Em vaig quedar molt fotuda. Són molts anys de relació. Només tinc ganes de plorar. Estic desesperada.

4 Estic atabalada perquè si no recupero l'arxiu hauré de tornar a escriure el treball i no tinc temps. No sé què ha passat, però he tocat una tecla i ha desaparegut.

5 Estic empipat amb mi mateix, perquè ja sé que era una feina horrorosa, però sóc una persona tan indecisa que no m'atrevia a deixar-la.

6 Ja saps com sóc: impulsiva i ràpida! I ser així és un problema, perquè després passa el que passa.

7 I al final han estat ells que han decidit per mi. Per això estic enfadat! I també amoïnat, perquè no és tan fàcil trobar-ne una altra.

8 M'he de tranquil·litzar; si no, serà pitjor. A més vaig dir que parlo anglès perfectament i no en sé gaire.

9 Potser ho ha dit per fer una broma, però si ella està més grassa que jo! I el pitjor és que en Guillem li riu totes les gràcies. N'estic tipa.

10 Quan la veig em poso molt nerviosa, i això que sóc una persona molt tranquil·la i tinc sentit de l'humor. Però és que no la suporto.

14 Completa el text amb les paraules del quadre.

assistència
capçalera
d'atenció primària
malalt
medicaments
pacients
privada
receptes
sanitat
targeta

Al meu país, la ________________ (1) pública és gratuïta i funciona molt bé. Tothom té ________________ (2) gratuïta i, a més, si vols, pots pagar una mútua ________________ (3). Totes les persones que viuen al meu país reben a casa una ________________ (4) sanitària que serveix per anar al metge o a l'hospital quan s'està ________________ (5). A cada barri hi ha dos o tres centres ________________ (6), amb metges de ________________ (7). En aquests centres atenen els ________________ (8). També et donen les ________________ (9) per anar a buscar els ________________ (10), que són gratuïts, a la farmàcia. Si tens una malaltia greu, t'acompanyen a l'hospital amb una ambulància.

15 Escriu els noms de les parts del cos que es defineixen.

1 Les ________________: són a dins de la boca i serveixen per menjar. Són molt necessàries per menjar entrepans.

2 Els ________________: quan fan mal, molt sovint, s'infla la galta. A vegades no pots ni obrir la boca.

3 L'________________: és darrere del pit. Si treballes a l'ordinador molta estona, segur que et farà mal.

4 Les ________________: són a banda i banda del coll. Si les tens amples, ets més elegant.

5 Els ________________: són entre el peu i la cama. Els esportistes sovint se'ls torcen.

6 Els ________________: són al mig del braç, entre la mà i l'espatlla. Van molt bé per donar cops dissimuladament.

7 Els ________________: són una mica més avall de la cintura. En tenim un a cada banda. Les models els fan anar amunt i avall quan desfilen.

8 Els ________________: en tenim deu a les mans i deu als peus. Els dels peus són més curtets.

9 Les ________________: cada dit en té una. No són parets, però es poden pintar.

10 Els ________________: són la part més dura que tenim al cos, encara que de vegades es trenquen.

16 Completa les frases amb **em fa / fan mal, m'he fet mal** o **tinc mal.**

1 Ai, ai, ai! ________________ de panxa.

2 ________________ al turmell.

3 ________________ tots els ossos.

4 ________________ de cap i de coll.

5 ________________ el pit.

6 ________________ al dit i a l'ungla.

7 ________________ l'ull, el nas i aquesta dent.

8 ________________ al peu i al genoll.

9 ________________ al braç i a l'espatlla.

10 ________________ de queixal. Quin mal!

11 ________________ el cul... i els malucs també!

17 Tria l'opció correcta.

1 M'he fet un ______________ amb el ganivet.
a tall b ferida c cop

2 ______________ i m'he fet mal al genoll.
a M'he intoxicat
b Se m'ha inflat
c He caigut

3 He menjat un iogurt caducat i______________.
a m'he inflat
b m'he intoxicat
c m'he cremat

4 S'ha ______________ la cama.
a caigut b donat un cop c trencat

5 T'has ______________ el turmell?
a torçat b inflat c caigut

6 S'han ______________ amb aigua molt calenta.
a tallat b cremat c ferit

7 Se li ha inflat ______________.
a l'ungla b la dent c l'ull

8 S'han fet una ferida ______________.
a al coll b a l'ungla c al queixal

9 S'ha fet un tall ______________.
a al maluc b a la dent c al genoll

10 S'ha torçat ______________.
a el nas b el dit c l'orella

18 Completa les frases a. Escriu les frases b fent les transformacions necessàries a les frases a.

1 a He caigut i m'he fet mal ______________ genoll.
b L'Antoni ______________.

2 a Eva, encara et fa mal ______________ espatlla?
b Noies, ______________.

3 a L'Oriol s'ha intoxicat. Té molt mal ______________ panxa.
b Els nens ______________.

4 a Els meus germans es troben molt malament. Els fan mal ______________ ossos.
b El meu germà ______________.

5 a M'he fet mal ______________ genolls perquè he caigut i m'he donat un cop molt fort.
b L'Albert i jo ______________.

6 a La jugadora s'ha torçat ______________ turmell i li fa mal ______________ turmell i tot el peu.
b Els jugadors ______________.

7 a El nen s'ha fet una ferida i li fa molt mal ______________ mà.
b Els nens ______________.

8 a M'he donat un cop molt fort i per això ara tinc mal ______________ cap.
b Tu i en Robert ______________.

9 a La meva cosina té mal ______________ queixal. Se li ha inflat ______________ galta.
b Les meves cosines ______________.

10 a M'he cremat amb l'oli de la paella, em fan mal ______________ dits i se m'han inflat una mica.
b El cuiner ______________.

11 a T'has trencat el nas? Segur que et fan mal ______________ pòmuls i tota la cara, oi?
b Noies, ______________.

12 a S'ha fet mal ______________ la cara. S'ha fet un tall quan s'afaitava.
b Jo ______________.

19 Completa les frases amb les paraules que hi falten.

1 M'ha caigut una paella amb oli i ______________ la mà. Em fa molt ______________.
2 La Lisa ______________ un os del ______________ petit del peu jugant a bàsquet.
3 ______________ amb el ganivet del pa. M'he fet una ______________ i em fa molt ______________.
4 En Robert ______________ de la bicicleta i ______________ un cop molt fort al cap.
5 Hauré d'anar al dentista, perquè tinc molt mal ______________ i ______________ la galta.
6 Tots dos ______________ el peu esquerre.
7 La Marta i jo ______________ per les escales i ens fan mal tots ______________.
8 He pres massa temps el sol i ______________ tota l'______________, des del clatell fins a la cintura.
9 Hem anat al restaurant i ______________. No sé què ens ha fet mal.
10 Ha trencat el vidre amb la mà i ______________ un ______________.

20 Completa el text amb les paraules del quadre. Si és un verb, conjuga'l.

cap
caure
cremar-se
donar-se un cop
fer mal
l'ungla
peus
torçar-se
trencar-se
trobar-se

Avui ha estat el pitjor dia de la meva vida. Ara mateix ______________ (1) molt malament. ______________ (2) tot el cos, des del cap fins als ______________ (3). El despertador ha sonat a dos quarts de set, com cada dia. Quan he sortit de casa tenia mal de ______________ (4) i molta son. A la porta del metro ______________ (5) molt fort a la mà i m'he trencat ______________ (6) del dit petit. Quina ràbia! Quan he arribat a la feina, he pres un cafè i ______________ (7) amb la cafetera. He anat a urgències perquè la cremada era molt gran. Però ha estat pitjor, perquè quan hi entrava ______________ (8) el turmell, ______________ (9) per l'escala i ______________ (10) la cama per tres llocs! Ara sóc a l'hospital.

21 Canvia les 10 formes verbals, referents a accidents, que estan equivocades.

1 Avui he caigut i m'he inflat el peu. Se m'ha cremat molt, no m'he pogut posar la sabata.
2 Ahir, quan esmorzava, el cafè amb llet estava tan calent que em vaig donar un cop.
3 Ahir vaig caure i em vaig intoxicar la mà. Avui se m'ha torçat una mica. La tinc més grossa que l'altra.
4 M'he donat un cop al dit i m'he inflat l'ungla.
5 No em trobo bé. M'he tallat els ossos.
6 Em vaig torçar l'os de la cuixa. No podré caminar fins d'aquí a cinc setmanes.
7 He caigut, m'he inflat el llavi i m'he torçat una dent. Hauré d'anar al dentista.

22 Completa els diàlegs amb els pronoms adequats, quan calgui.

1 La Núria està molt deprimida perquè ________________ ha separat.
No ________________ sabia! Doncs ________________ aniria bé sortir.
Sí, i també ________________ hauria de fer nous amics.

2 Què ________________ ha passat, nois?
Ahir vam tenir un accident amb la moto.
I ________________ vau fer mal?
No gaire, per sort. ________________ vam donar un cop al cap i, aquí, a la cama.
________________ convindria anar al metge.

3 La Josefina ________________ ha torçat el turmell i ________________ ha inflat molt.
Doncs que ________________ posi gel i, si ________________ fa molt mal, ________________ hauria d'anar a urgències.

4 Pol, què ________________ ha passat?
Aquest matí ________________ he tallat.
I ________________ has fet gaire mal?
No, no gaire.

5 I la Clara, com està?
No gaire bé. ________________ ha trencat la cama aquesta setmana.
I com va ser?
Dilluns ________________ va anar a esquiar i ________________ va caure. ________________ va donar un cop molt fort a la cama. ________________ van fer una radiografia i van veure que la tenia trencada.
Quin mal!
Sí, diu que ________________ fa molt mal i no pot dormir. Es veu que ara ________________ ha inflat molt el peu.
Pobra! I està molt desanimada?
Sí, sí que ________________ està. I també ________________ està tipa, perquè no es pot moure.

6 Què ________________ ha passat a l'ull, al Marc?
Diu que ________________ ha donat un cop amb la porta i que ________________ ha inflat.
Un cop amb la porta...? Segur que no ________________ ha barallat amb el Raül?

7 Ui, quina ferida ________________ has fet!
Sí, mira, ________________ he cremat la mà amb oli calent.
Quin mal!
Ara ja no ________________ fa mal, però quan ________________ he cremat ________________ ha fet molt mal.

8 Saps que la Laia ________________ ha intoxicat?
No, no ________________ sabia. I com està?
Millor, però encara ________________ fa mal la panxa.

9 Tens la galta inflada.
Sí, és que ________________ fa molt mal el queixal i ________________ ha inflat la galta.
Doncs si ________________ fa tant mal, vés al dentista!

10 ________________ troba bé, senyora Claramunt?
No. ________________ tinc mal de cap i ganes de vomitar.
________________ fa mal la panxa?
Una mica.
Potser ha menjat alguna cosa i ________________ ha fet mal. Potser ________________ ha intoxicat.

23 Relaciona els problemes amb els consells.

1		M'he torçat el turmell.
2		M'he cremat la mà amb l'oli.
3		Em sembla que m'he trencat la cama.
4		Se m'ha trencat l'ungla.
5		M'he intoxicat.
6		M'he donat un cop fort i tinc mal de cap.
7		He anat a la platja i m'he cremat l'esquena.
8		M'he fet un tall.
9		M'he donat un cop i se m'ha inflat el nas.
10		Se m'ha inflat la galta.

a	Te l'hauries de tallar.
b	Hauries de posar-t'hi gel.
c	No hauries de prendre més el sol.
d	Hauries de prendre una aspirina.
e	Hauria d'anar al dentista.
f	Te l'hauries de tapar, que no s'infecti.
g	No hauries de menjar res. Fes dieta.
h	Hauries de descansar. No caminis.
i	Hauries d'anar a urgències de seguida.
j	Primer t'hi hauries de posar aigua freda i després una pomada.

24 S'han barrejat els símptomes de dues malalties. Destria'ls.

1 Li fa mal la panxa.
2 Li fan mal tots els ossos.
3 No para d'esternudar.
4 No para de vomitar.
5 No pot respirar.
6 Està marejat.
7 Té diarrea.
8 Té fred. No para de tremolar.
9 Té molts mocs.
10 Té mal d'estómac.

Tall de digestió	Refredat

25 Completa els textos amb les paraules dels quadres. Si és un verb, conjuga'l.

Text 1

respirar
grip
mocs
ossos
tossir
marejar-se

La Lluïsa està ben fotuda perquè fa uns dies que té la _______________ (1). Té mal d'_______________ (2) i no para de _______________ (3). No es pot aixecar del llit perquè _______________ (4). Té _______________ (5) i li costa _______________ (6).

Text 2

diarrea
mal de panxa
marejat
ressaca
tall de digestió
vomitar

Ahir va anar a dormir tardíssim i va beure molt: cava, cervesa, vi... Amb les barreges, avui té una gran _______________ (1). Està _______________ (2); ja _______________ (3) cinc vegades i comença a tenir _______________ (4) i _______________ (5). O potser el que té és un _______________ (6).

Text 3

calor
fred
malalt
pulmonia
suat
tremolar

Fa un moment tenia molt _______________ (1), em sembla que tenia febre. M'he posat al llit perquè no parava de _______________ (2). Ara tinc molta _______________ (3) i estic _______________ (4). Em sembla que estic molt _______________ (5). Potser tinc una _______________ (6).

Text 4

dormir
insomni
taquicàrdia
cor
estrès

Estic molt cansada. A la nit em costa _______________ (1). Molt sovint tinc _______________ (2) i, com que em poso nerviosa, tinc _______________ (3). No sé si tinc problemes de _______________ (4) o simplement és que tinc _______________ (5). Treballo massa.

Text 5

dolor
els ossos
esternudar
mocar
picor
refredat
tos

Em sembla que estic _______________ (1). Tinc molta _______________ (2) perquè tinc _______________ (3) al coll. També _______________ (4) molt i el nas no para de rajar. M'he de _______________ (5) cada minut. Em fan mal _______________ (6) i, com que tinc _______________ (7), encara em fan més mal.

26 Escolta aquestes persones i marca amb una creu què els passa. Tenen algun símptoma en comú? Quin?

	1	2	3	4
cansat				
costar respirar				
diarrea				
febre				
insomni				
mal d'esquena				
mal de cap				
mal el pit				
mala cara				
marejat				
mocs				
taquicàrdia				
tossir				
tremolar				
(tenir ganes de) vomitar				

27 Relaciona els símptomes amb les malalties.

1		Tinc molta son, però no puc dormir. Em poso molt nerviós per qualsevol cosa. De tant en tant tinc taquicàrdia i no tinc gens de gana.	a	Problemes d'estómac
2		Em fa mal la panxa i l'estómac, tinc diarrea i ganes de vomitar. No sé si tinc febre.	b	Grip
3		No em trobo bé. Faig mala cara. Tinc molta febre i tremolo perquè tinc fred. Em fan mal tots els ossos.	c	Tall de digestió
4		Faig mala cara. No tinc febre. Tampoc no tinc diarrea. Estic preocupat perquè vomito tot el que menjo.	d	Problemes de cor
5		Faig bona cara, però em trobo malament. Sempre estic cansada. Em fa mal el pit i el braç esquerre, i a vegades em costa respirar.	e	Constipat
6		Tot el dia esternudo. Tinc tos i mocs. No paro de mocar-me i de tossir. No puc dormir perquè em costa respirar. No tinc febre, però estic ben fotut.	f	Estrès

28 Completa els consells amb **posar** o **prendre.**

1. Si tens mal de cap, hauries de ________________ una aspirina i dormir una estona.
2. T'hauries de ________________ alcohol a la ferida.
3. Quan tens ressaca, has de ________________ suc de taronja.
4. Has de ________________ unes gotes i t'has de ________________ aquestes injeccions.
5. Cada tres hores, t'hauries de ________________ el termòmetre i, si tens febre, hauries de ________________ aquest xarop.
6. T'hauries de ________________ una tireta a la ferida.
7. No hauries de ________________ antibiòtics sense anar al metge.

29 Completa els informes mèdics amb les paraules del quadre. Si és un verb, conjuga'l. Hi ha paraules que es poden repetir.

accident de trànsit
anàlisi de sang
donar-se un cop
escàner
estómac
febre
fer mal
ganes
intoxicació
marejar-se
pulmons
radiografies
respirar
tossir
urgències

Informe 1

El malalt ha ingressat a _______________ (1) a les vuit del matí. Ha tingut un _______________ (2). No té ferides importants, però li _______________ (3) tot el cos. Sembla que _______________ (4) molt fort al cap i per això _______________ (5). Les _______________ (6) no mostren cap os trencat. Està en observació des de fa dotze hores. S'esperen els resultats de l'_______________ (7).

Informe 2

El malalt ha ingressat a _______________ (1) a mitjanit. Li costa moltíssim _______________ (2). Té _______________ (3) molt alta i _______________ (4) molt. Se li han fet _______________ (5) de pit i no mostren problemes de _______________ (6). Està en observació des de fa dotze hores. S'esperen els resultats de la darrera _______________ (7), per saber si té una malaltia vírica.

Informe 3

El malalt ha ingressat a _______________ (1) a les cinc de la tarda. Tenia molta _______________ (2). Ha vomitat diverses vegades; sembla que ja no té res a l'_______________ (3), però les _______________ (4) de vomitar continuen. Sembla que ha menjat alguna cosa que li _______________ (5). Els signes d'_______________ (6) són força evidents. Està en observació. S'esperen els resultats de la darrera _______________ (7).

30 Completa les frases amb les paraules del quadre.

alcohol
antibiòtic
cotó fluix
gotes
injecció
pomada
termòmetre
tireta
xarop

1. Quan em fa mal l'ull, m'hi poso unes _______________ que em va receptar l'oftalmòleg.
2. He de comprar un _______________, perquè quan arribi a casa vull saber si tinc febre.
3. Si tens un tall i vols rentar els plats, millor que t'hi posis una _______________, així no es mullarà.
4. Aquest _______________ va molt bé per a la tos. Pren-te'n una cullerada abans d'anar a dormir.
5. Està plorant, perquè li han de posar una _______________ i té por de les agulles.
6. Si t'has cremat, posa-t'hi aquesta _______________ que et calmarà el dolor.
7. Si el Juli té una infecció, s'haurà de prendre un _______________ durant tres setmanes.
8. Si t'has fet una ferida, la primera cosa que has de fer és netejar-te-la amb aigua i posar-t'hi _______________. Fes servir el _______________ per netejar-te-la.

31 Completa els diàlegs amb les paraules adequades.

Diàleg 1

Com està, senyora Ermengol?

Doncs, miri doctor, comparat amb la setmana passada estic _______________ (1), però no acabo d'estar bé del tot.

Què _______________ (2) passa?

Últimament estic molt sensible. Jo _______________ (3) una persona molt positiva, però aquestes darreres setmanes _______________ (4) angoixada i desanimada. I sempre _______________ (5) de mal humor. Em _______________ (6) nerviosa per tot i el meu marit ja n'està _______________ (7), d'aquests canvis d'humor.

I físicament, es troba bé?

Doncs _______________ (8) molt cansada i a vegades tinc molta calor i _______________ (9) els ossos, però no és la grip perquè no tinc _______________ (10), sempre tinc la mateixa temperatura.

No, no, això no és la grip. Li faré fer una _______________ (11) de sang i li donaré unes _______________ (12), que són unes vitamines.

Creu que és _______________ (13), doctor?

No, no s'amoïni. A una certa edat, aquests _______________ (14) indiquen que hi ha canvis al cos.

Diàleg 2

Ui, quina cara que fa en Miquel. Saps què _______________ (1) passa?

Doncs que _______________ (2) de la seva parella ara fa una setmana. I ell encara l'estima. _______________ (3) ben fotut. Ja coneixes en Miquel: _______________ (4) una persona alegre, _______________ (5) dinàmic i divertit, però ara _______________ (6) molt deprimit i desanimat. Ahir, per exemple, no _______________ (7) a la feina. Em va trucar i em va dir que s'estimava més quedar-se a casa. Sort que el director no hi era. Avui _______________ (8) a treballar, però _______________ (9) molt cansat i només tenia ganes de _______________ (10). I així no pot treballar!

_______________ (11) d'animar-se. _______________ (12) convindria sortir amb amics i no

_______________ (13) sol a casa, perquè no es distreu.

Sí, jo també crec que li _______________ (14) bé distreure's i si d'aquí a uns dies no està _______________ (15) em fa l'efecte que _______________ (16) d'anar a veure un psicòleg.

I a tu, què t'_______________ (17) al peu?

Mira, que ahir _______________ (18) vaig torçar jugant a futbol.

I et fa _______________ (19)?

No gaire, només quan camino.

El peu... això _______________ (20)! D'aquí a un parell de dies ja no et farà mal. Jo em _______________ (21) la cama l'any passat i va ser horrorós!

32 Transforma els consells utilitzant l'imperatiu.

1	Hauries d'anar a urgències.	Vés a urgències.
2	Hauries de beure més aigua.	
3	Hauries de fer bondat.	
4	Hauries de desconnectar el mòbil.	
5	Hauries de prendre aquest xarop.	
6	Hauries de posar-te el termòmetre.	
7	Has de relaxar-te una mica.	
8	T'hauries de tapar bé.	

33 Completa els textos amb les formes de l'imperatiu o del present de subjuntiu dels verbs que hi ha entre parèntesis.

Text 1

Enric, ________________ (1) (fer) bondat i ________________ (2) (escoltar) els consells del metge. No ________________ (3) (fumar) i no ________________ (4) (beure) alcohol. ________________ (5) (caminar) una hora cada dia. No ________________ (6) (sortir) de nit. ________________ (7) (posar-se) una injecció al matí, ________________ (8) (prendre) una pastilla al migdia i no ________________ (9) (posar-se) el termòmetre fins a la nit. ________________ (10) (tapar-se) bé i ________________ (11) (anar) al llit d'hora.

Text 2

Senyor Camarasa, escolti'm bé: ________________ (1) (fer) bondat i ________________ (2) (escoltar) els meus consells. No ________________ (3) (fumar) i no ________________ (4) (beure) alcohol. ________________ (5) (caminar) una hora cada dia. No ________________ (6) (sortir) de nit. ________________ (7) (posar-se) una injecció al matí, ________________ (8) (prendre) una pastilla al migdia i no ________________ (9) (posar-se) el termòmetre fins a la nit. ________________ (10) (tapar-se) bé i ________________ (11) (anar) al llit d'hora.

34 Dóna els consells contraris.

1. Si estàs tan fotut, queda't a casa, posa't al llit, no surtis i beu molta aigua. Si no et trobes millor, telefona al metge de guàrdia o vés a urgències i fes el que et diu el metge.
2. Si estàs deprimit, sobretot no beguis alcohol, no et quedis sol a casa i surt a passejar.
3. Si tens ressaca, pren-te un copa de vi o una cervesa, menja un bon plat de botifarres i patates fregides i fuma.
4. Si tens mal de panxa, menja arròs bullit, beu molta aigua i descansa. Sobretot no prenguis begudes amb gas.
5. Si tens estrès treballa dues hores més cada dia, vés al gimnàs, convida els teus amics a casa i no descansis gaire.

Si estàs tan fotut, no et quedis a casa...

35 **Completa els consells casolans amb la forma de l'imperatiu o del present de subjuntiu dels verbs que hi ha entre parèntesis.**

1 Si tens insomni, abans d'anar-te'n a dormir ________________ (banyar-se) amb aigua calenta, ________________ (prendre) un got de llet ben calenta amb mel o ________________ (beure) una infusió de fulles d'enciam. Si no funciona, ________________ (comptar) ovelles!

2 Si tens mal de panxa, no ________________ (menjar) greixos i ________________ (fer) dieta: ________________ (menjar) torrades i arròs bullit.

3 Si t'has cremat, ________________ (posar-se) un tall de patata crua o pell de ceba damunt de la cremada i no ________________ (tapar-se) la ferida.

4 Si et fa mal el queixal ________________ (prendre) una copa de conyac o ________________ (beure) un suc de ceba. Sobretot no ________________ (prendre) coses dolces i ________________ (anar) al dentista.

5 Si tens tos ________________ (posar-se) alls a les sabates i no ________________ (fumar).

36 **Escriu els consells casolans de l'exercici anterior amb el tractament de vostè.**

Si té insomni...

37 **Completa el text.**

L'api

L'api té un efecte tranquil·litzant, està indicat per a persones que estan nervioses, tenen problemes, ________________ (1) o preocupacions. També està indicat per a persones que ________________ (2) tristes i tenen ________________ (3) plorar. Si vostè té aquests ________________ (4), hauria de menjar molt api. ________________ (5) matí, ________________ (6) migdia, ________________ (7) tarda, ________________ (8) vespre i ________________ (9) nit; ________________ (10) esmorzar, ________________ (11) dinar, ________________ (12) berenar i ________________ (13) sopar. Recordi: ________________ (14) de menjar sempre api.
Si té ________________ (15) i li costa dormir, ________________ (16) bé dormir amb un api a prop seu. Però no ________________ (17) mai l'api dins el llit, només a prop. L'api també va bé per als constipats o les grips. L'ajudarà a respirar bé. Si té tos, prengui una sopa d'api i ja veurà que no ________________ (18) més.
I si és una persona que està ________________ (19) i cansada de la seva parella, regali-li un api per Sant Jordi... ja m'entén, oi?

38 **Escolta el text de l'exercici 17 del llibre de l'alumne i després llegeix-lo en veu alta.**

39 **Llegeix el text i fes els exercicis que hi ha a continuació.**

LA GRIP

Ha arribat l'hivern i, amb la baixada de les temperatures, han aparegut virus com el de la grip, que l'any passat va afectar més de tres milions d'espanyols. Aquest any, Sanitat ja ha advertit que pot tornar a fer estralls, a pesar de la propera comercialització d'un nou antigripal. Estem preparats per combatre-la? Prenem les prevencions necessàries?

Tothom, qui més qui menys, ha sofert més d'una vegada les conseqüències de la grip. En canvi, massa vegades en parlem amb desconeixement perquè la confonem amb un refredat comú. És important, per tant, començar distingint què és ben bé la grip.

Més que com una malaltia, podem considerar-la com una síndrome (és a dir, un nombre variat de signes i símptomes, com febre, tos, calfreds, dolors articulars, que es presenten junts).

Aquesta síndrome està causada per un tipus de virus que pot variar cada any, la qual cosa fa més difícil tractar-la i, sobretot, prevenir-la.

La grip acostuma a aparèixer en època hivernal, amb l'arribada del fred, quan els virus s'intensifiquen. A més, és molt fàcil de contagiar, ja que es transmet a través de la respiració o de la tos, i un simple esternut, per exemple, pot propagar el virus mitjançant unes gotes de saliva microscòpiques anomenades *Pflügge*.

Tots hi estem exposats, però quan parlem de grups de risc ens referim al conjunt de persones a les quals el virus pot causar més dificultats. Es tracta dels nens petits, gent gran, adults amb problemes immunològics, malalties cardiovasculars o respiratòries, diabètics... Són els qui han de dotar el seu organisme del màxim d'immunitat per prevenir la possible arribada del virus.

Com prevenir-la?

La millor prevenció que hi ha contra els virus, i la grip no n'és una excepció, és dur una vida sana. Practicar exercici habitualment, controlar la dieta i no fumar enforteixen l'organisme davant qualsevol malaltia infecciosa.

Podem estimular les nostres defenses mitjançant aliments frescos o amb suplements dietètics.

L'equinàcia és el millor tractament natural contra la grip, ja que augmenta l'activitat dels fagòcits, que són les cèl·lules que devoren els cossos estranys.

La llimona i la taronja, pel seu alt contingut en vitamina C, resulten també de gran ajuda, i l'all, per la seva acció antibacteriana, es pot considerar un autèntic antibiòtic, capaç de dificultar l'entrada dels gèrmens que causen les infeccions respiratòries.

A banda d'això, no podem descartar les vacunes antigripals, que són també un bon mètode preventiu, si bé no garanteixen al cent per cent la immunitat, especialment pel fet que les classes de virus canvien cada any.

Símptomes

Com a regla general, el primer símptoma és la presència de calfreds, als quals de vegades no donem la importància necessària. Una errada comuna, en aquests casos, és recórrer al conyac o a altres remeis casolans amb la falsa presumpció que "matarem el microbi". I així només debilitem l'organisme, que és l'únic que pot lluitar contra un virus que ja hem contret.

Si no prenem les mesures adequades, després dels calfreds vindran altres símptomes: febre, mal a les articulacions: genolls, colzes..., a les espatlles, a la nuca i a l'esquena, com si tot el cos estigués contusionat; neuràlgies, mals de cap, picor al coll, opressió al pit. També podem notar un cert mal de ronyons, la boca seca o pastosa, molta set i mal general d'ossos. En definitiva, un malestar general que ens fa estar tres o més dies al llit.

La grip genera dos símptomes principals: la profunda debilitat muscular, no justificada per cap lesió orgànica, i l'abatiment moral.

Cal dir que ens pot afectar l'aparell respiratori (és el més freqüent), el digestiu (les molèsties se centren en l'estómac i els intestins) o el sistema nerviós. A vegades aquestes tres formes poden manifestar-se alhora.

Primera reacció davant els símptomes

Un cop hem contret la grip, el millor és adoptar una actitud positiva per superar el tràngol; obsessionar-nos en una recuperació ràpida no pot més que generar complicacions com la pneumònia o la bronquitis. La grip és una malaltia benigna, i es cura sola si el nostre cos gaudeix de bona salut. Gregorio Marañón deia que es cura en set dies amb tractament, i en una setmana, sense. El que hem de fer és col·laborar amb el nostre cos perquè pugui fer front al virus.

És fonamental, per tant, actuar en positiu, i pensar que passar la grip pot servir-nos per desintoxicar el nostre organisme i estimular la nostra immunitat.

SERGI LARRIPA (ADAPTACIÓ)

A **Després de llegir el primer paràgraf, digues si les frases següents són veritables o falses.**

	Quan les temperatures baixen, hi ha més virus.	V
1	Aquest any tres milions de persones a l'Estat espanyol han tingut la grip.	
2	La grip no presenta un únic símptoma.	
3	El virus de la grip provoca sempre la mateixa malaltia.	
4	La grip només es pot contagiar per les gotes microscòpiques de saliva que surten quan esternudem.	
5	L'edat és un dels factors que determina els grups de risc.	

B **Després de llegir el paràgraf "Com prevenir-la?", digues quin és el millor d'aquests tres resums.**

a Per lluitar contra la grip el millor és prevenir-la mitjançant medicaments com l'equinàcia, que és un bon tractament natural, i les vacunes antigripals, que varien cada any, ja que el virus de la grip també canvia cada any.

b El millor per prevenir la grip és fer una vida sana: evitant de fumar i de fer una vida massa reposada. Una alimentació adequada, reforçada amb alguns aliments o medicaments naturals, fa que les nostres defenses augmentin.

c La grip es pot prevenir controlant la dieta alimentària. És recomanable, també, prendre vitamina C i antibiòtics. Els antibiòtics, naturals o no, aturen els gèrmens que produeixen la infecció de les vies respiratòries.

C **Després de llegir el paràgraf "Símptomes", escriu els símptomes que produeix la grip, segons les parts del cos afectades.**

1	2	3	4	5
símptomes que afecten la persona en general	símptomes que afecten el cap	símptomes que afecten el coll	símptomes que afecten el cos	símptomes que afecten les extremitats: braços i cames

D **Després de llegir el paràgraf "Primera reacció davant els símptomes", escriu què fas tu, quan tens la grip i escriu tres consells per a les persones que la pateixen.**

1

1. adormida; 2. enfadat; 3. amoïnada; 4. cansat; 5. distreta, enamorada / enamorat; 6. animada; 7. atabalat; 8. fotut

2

1. empipada; 2. preocupada; 3. atabalada; 4. mandrosa; 5. histèrica; 6. avergonyida; 7. espantada; 8. tipa

3

1. h; 2. f; 3. a; 4. d; 5. i; 6. b; 7. e; 8. c; 9. g

4

1. molts maldecaps; 2. cap problema; 3. moltes ganes de riure; 4. ganes de cridar; 5. ganes de plorar; 6. pànic; 7. molts projectes

5 Solucions orientatives

1. ganes de riure; 2. té molts maldecaps / problemes; 3. molt negativa; 4. no li agrada treballar; 5. Està desanimada / trista / amoïnada; 6. té il·lusions; 7. molts problemes; 8. totalment feliç; 9. alegre i content

6

1. estan, estan, són; 2. estàs, Estic, sóc; 3. és, és, està; 4. Està, és; 5. és, és, està; 6. Està, Està; 7. està, és; 8. és; 9. estic, està; 10. és, És, està; 11. està, està, És; 12. és, està; 13. Sóc, sóc, ets; 14. Estic, sóc, estar; 15. està, està, està, està

7 Solucions orientatives

1. La Remei: és tranquil·la, està nerviosa i amoïnada, no pot dormir perquè els veïns fan soroll; 2. El Xavi: és indecís, està amoïnat i preocupat, un company li demana diners; 3. La Laura: està histèrica, trista i desesperada, el seu gat ha desaparegut; 4. El Pep: és tranquil i mentider, està avergonyit i de mal humor, ha suspès i ha dit que ha aprovat; 5. L'Alfred: està enamorat, s'ha enamorat d'una altra noia; 6. En Joan: és formal i bona persona, està fotut i avergonyit, s'ha gastat els diners del viatge de final de curs

8

1. em queixo; 2. em vaig posar / vaig posar-me; 3. em poso; 4. m'enfado / m'empipo; 5. em poso, em tranquil·litzo; 6. em vaig enfadar / vaig enfadar-me / em vaig empipar / vaig empipar-me / ens vam enfadar / vam enfadar-nos; 7. Em vaig desesperar / Vaig desesperar-me, em vaig posar / vaig posar-me; 8. em preocupo

9

1. i; 2. j; 3. e; 4. a; 5. h; 6. b; 7. f; 8. c; 9. d; 10. g

10

1. convindria; 2. haurien; 3. aniria; 4. hauríeu; 5. aniria; 6. convindria; 7. hauríem; 8. aniria; 9. convindria; 10. convindria

11

1. Li convindria, Hauria, els convindria; 2. m'aniria, t'aniria; 3. s'haurien, els convindria; 4. hauria, Li convindria; 5. us aniria, Hauríeu; 6. Hauries, Li aniria; 7. Hauríem, us convindria; 8. els convindria, els aniria; 9. Hauries, Et convindria; 10. ens convindria, ens convindria, Hauríem

12

1. els convé; 2. li aniria bé / li convindria; 3. li convindria; 4. li convindria; 5. ens molesten; 6. divertir-nos; 7. Hauria d'anar; 8. Hauríeu de fer; 9. convindria; 10. T'aniria bé

13

1-3; 2-8; 4-6; 5-7; 9-10

14

1. sanitat; 2. assistència; 3. privada; 4. targeta; 5. malalt; 6. d'atenció primària; 7. capçalera; 8. pacients; 9. receptes; 10. medicaments

15

1. dents; 2. queixals; 3. esquena; 4. espatlles; 5. turmells; 6. colzes; 7. malucs; 8. dits; 9. ungles; 10. ossos

16

1. Tinc mal; 2. M'he fet mal; 3. Em fan mal; 4. Tinc mal; 5. Em fa mal; 6. M'he fet mal; 7. Em fa mal / Em fan mal; 8. M'he fet mal; 9. M'he fet mal; 10. Tinc mal; 11. Em fa mal

17

1. a; 2. c; 3. b; 4. c; 5. a; 6. b; 7. c; 8. a; 9. c; 10. b

18

1. al, ha caigut i s'ha fet mal; 2. l', encara us fa mal; 3. de, s'han intoxicat, Tenen; 4. els, es troba, Li fan mal; 5. als, ens hem fet mal, hem caigut i ens hem donat; 6. el, el, s'han torçat, els fa mal; 7. la, s'han fet, els fa; 8. de, us heu donat, teniu; 9. de, la, tenen mal, Se'ls ha inflat; 10. els, s'ha cremat, li fan mal, se li han inflat; 11. els, us heu trencat, us fan mal; 12. a, m'he fet mal, M'he fet, m'afaitava

19

1. m'he cremat, mal; 2. s'ha trencat / es va trencar, dit; 3. M'he tallat, ferida, mal; 4. ha caigut / va caure, s'ha donat / es va donar / va donar-se; 5. de queixal, se m'ha inflat 6. s'han trencat / es van trencar / van trencar-se / ens hem trencat / ens vam trencar / vam trencar-nos; 7. hem caigut / vam caure, els ossos; 8. m'he cremat, l'esquena; 9. ens hem intoxicat; 10. s'ha fet un tall / s'ha tallat un dit

20

1. em trobo; 2. Em fa mal; 3. peus; 4. cap; 5. m'he donat un cop; 6. l'ungla; 7. m'he cremat; 8. m'he torçat; 9. he caigut; 10. m'he trencat

21

1. m'he trencat el peu, Se m'ha inflat molt; 2. em vaig cremar; 3. em vaig trencar la mà, se m'ha inflat una mica; 4. m'he trencat l'ungla; 5. Em fan mal els ossos; 6. Em vaig trencar l'os; 7. m'he tallat el llavi i m'he trencat una dent

22

1. s', ho, li, Ø; 2. us, us, Ens, Us; 3. s', se li, s'hi, li, Ø; 4. t', m', t'; 5. S', se'n / Ø, Ø, Es, Li, li, se li, ho, n'; 6. li, s', se li, s'; 7. t', m', em, m', m'; 8. s', ho, li; 9. em, se m', et; 10. Es, Ø, Li, li, s'

23 Solucions orientatives

1. h; 2. j; 3. i; 4. a; 5. g; 6. d; 7. c; 8. f; 9. b; 10. e

24

Tall de digestió: 1, 4, 6, 7, 10
Refredat: 2, 3, 5, 8, 9

25

Text 1
1. grip; 2. ossos; 3. tossir; 4. es mareja; 5. mocs; 6. respirar

Text 2
1. ressaca; 2. marejat; 3. ha vomitat; 4. mal de panxa / diarrea; 5. diarrea / mal de panxa; 6. tall de digestió

Text 3
1. fred; 2. tremolar; 3. calor; 4. suat; 5. malalt; 6. pulmonia

Text 4
1. dormir; 2. insomni; 3. taquicàrdia; 4. cor; 5. estrès

Text 5
1. refredat; 2. tos; 3. picor; 4. esternudo; 5. mocar; 6. els ossos; 7. dolor

26

1. cansat, costar respirar, insomni, mal d'esquena, mal de cap, taquicàrdia
2. mal de cap, mala cara, ganes de vomitar
3. costar respirar, febre, mal de pit, mocs, tossir, tremolar
4. diarrea, marejat, tremolar, vomitar

27

1. f; 2. c; 3. b; 4. a; 5. d; 6. e

28

1. prendre; 2. posar; 3. prendre; 4. prendre, posar; 5. posar, prendre; 6. posar; 7. prendre

29

Informe 1
1. urgències; 2. accident de trànsit; 3. fa mal; 4. s'ha donat un cop; 5. es mareja; 6. radiografies; 7. escàner

Informe 2
1. urgències; 2. respirar; 3. febre; 4. tus; 5. radiografies; 6. pulmons; 7. anàlisi de sang

Informe 3
1. urgències; 2. febre; 3. estómac; 4. ganes; 5. ha fet mal; 6. intoxicació; 7. anàlisi de sang

30

1. gotes; 2. termòmetre; 3. tireta; 4. xarop; 5. injecció; 6. pomada; 7. antibiòtic; 8. alcohol, cotó fluix

31

Diàleg 1
1. millor / més bé
2. li
3. sóc
4. estic
5. estic
6. poso
7. tip / fart / cansat
8. estic
9. em fan mal
10. febre
11. anàlisi
12. pastilles / injeccions
13. greu
14. símptomes

Diàleg 2
1. li
2. s'ha separat / s'ha divorciat
3. Està
4. és
5. és
6. està
7. va venir / es va presentar / va presentar-se
8. ha vingut
9. estava
10. plorar
11. Ha / Hauria
12. Li
13. quedar-se / estar
14. aniria
15. millor / més bé
16. hauria
17. ha passat / has fet
18. me'l
19. mal
20. rai
21. vaig trencar

32

1. Vés
2. Beu
3. Fes
4. Desconnecta
5. Pren
6. Posa't
7. Relaxa't
8. Tapa't

33

Text 1
1. fes
2. escolta
3. fumis
4. beguis
5. Camina
6. surtis
7. Posa't
8. pren
9. et posis
10. Tapa't
11. vés

Text 2
1. faci
2. escolti
3. fumi
4. begui
5. Camini
6. surti
7. Posi's
8. prengui
9. es posi
10. Tapi's
11. vagi

34

1. no et quedis, no et posis, surt, no beguis, no telefonis, no vagis, no facis
2. beu, queda't, no surtis
3. no et prenguis, no mengis, no fumis
4. no mengis, no beguis, no descansis, pren
5. no treballis, no vagis, no convidis, descansa

35

1. banya't, pren, beu, compta
2. mengis, fes, menja
3. posa't, et tapis
4. pren, beu, prenguis, vés
5. posa't, fumis

36

1. banyi's, prengui, begui, compti
2. mengi, faci, mengi
3. posi's, es tapi
4. prengui, begui, prengui, vagi
5. posi's, fumi

37

1. maldecaps
2. estan
3. ganes de
4. símptomes
5. Al
6. al
7. a la
8. al
9. a la
10. per
11. per
12. per
13. per
14. ha / hauria
15. insomni
16. li aniria
17. es posi
18. tossirà
19. tipa / farta

39

A
1. F
2. V
3. F
4. F
5. V

B
b

C
1. calfreds, febre, neuràlgies, mal d'ossos i a les articulacions, set, afectació del sistema nerviós, debilitat musculars, abatiment moral
2. mal de cap, boca seca o pastosa, aparell respiratori
3. mal a la nuca, picor al coll, aparell respiratori
4. mal a les espatlles, mal a l'esquena, opressió al pit, mal de ronyons, afectació de l'aparell respiratori i aparell digestiu
5. mal a les articulacions: genolls, colzes

Unitat 5

QUÈ VOLS SER?

QUÈ VOLS SER?

1 **Relaciona les definicions amb les paraules del quadre. Algunes paraules poden anar amb més d'una definició.**

aprovar
assignatura
aula
carrera
classe
curs
examen
facultat
matricular-se
selectivitat
suspendre

1 Matèria que s'estudia en un curs: ________________
2 Lloc on es fan les classes, en centres d'ensenyament: ________________
3 No passar un examen o un curs: ________________
4 Conjunt dels alumnes d'un centre d'ensenyament que fan els mateixos estudis: ________________
5 Sessió d'ensenyament i aprenentatge d'una matèria: ________________
6 Part d'uns estudis que es fa en un any: ________________
7 Temps de l'any durant el qual els estudiants tenen classe: ________________
8 Conjunt de lliçons i de pràctiques d'un ensenyament: ________________
9 Superar de manera satisfactòria un examen o un curs: ________________
10 Conjunt dels estudis que una persona ha de fer per poder ser metge, enginyer, professor, advocat...: ________________
11 Cadascuna de les diferents seccions dels estudis universitaris: ________________
12 Conjunt d'exercicis o proves orals o escrites que fa una persona per veure si sap una cosa: ________________
13 Apuntar-se en un centre d'ensenyament, en un curs o en una assignatura: ________________
14 Prova prèvia que s'ha de fer per accedir a la universitat: ________________

2 **Tria l'opció correcta.**

1 A la universitat pots ________________ les assignatures optatives.
a triar b aprovar c matricular-te

2 Vaig començar medicina, però no m'agradava i ho vaig ________________.
a plegar b deixar c acabar

3 Als sis anys vaig començar a anar a escola, ________________.
a al parvulari b a l'institut c a la universitat

4 Gairebé tothom que va a la universitat ________________ la carrera que vol.
a suspèn b deixa c tria

5 Què feu aquí? Que no teniu ________________?
a curs b classe c assignatura

3 Completa els textos amb les paraules del quadre. Si és un verb, conjuga'l. Hi ha paraules que es poden repetir.

acabar
aprovar
assignatures
carrera
curs
deixar
escola
fer
institut
matricular-se
nota
selectivitat
suspendre
treure

1 Al meu país, per anar a la universitat has de fer la ________________ i, depenent de la ________________ que treguis, podràs accedir a uns estudis o a uns altres.

2 Vaig començar la ________________ de medicina, però la ________________, perquè no m'agradava. Vaig decidir canviar de ________________ i vaig començar economia. ________________ fa dos anys i ara faig d'economista.

3 El meu germà quan era petit sempre ________________, perquè no estudiava. En canvi, jo sempre ________________ totes les assignatures i a més ________________ molt bones notes.

4 L'any passat vaig repetir el ________________ perquè només ________________ educació física. Aquest any, però, ________________ totes les assignatures al juny.

5 Quan anava a l'________________ tenia moltes ________________, però la que més m'agradava era matemàtiques, perquè sempre ________________ amb bona nota; després vaig anar a l'________________ i va ser diferent. Hi tenia molts amics i m'ho passava molt bé. Quan vaig acabar, vaig fer la ________________, però no vaig anar a la universitat. Vaig començar a treballar. Ara, després de 10 anys, ________________ a la universitat i ________________ arquitectura.

4 Completa els diàlegs amb la forma adequada dels verbs **plegar, acabar** o **deixar.**

1 Quan ________________ la carrera, Marga?

Uf... No ho sé. Si no aprovo les matemàtiques al setembre, la ________________. Ja n'estic tipa. I tu?

Jo ja ho ________________ tot perquè no aprovava mai! Ara treballo en un gimnàs i m'ho passo bé, però ________________ perquè he trobat una feina millor.

2 Hola, Ricard! Què fas aquí? Que no vas a l'institut?

Sí, sí que hi vaig, però avui ________________ més d'hora perquè el professor de mates no ha vingut.

I quan ________________ el curs?

________________ a finals de maig, i després començarem els exàmens. I tu, no treballes?

Sí, però ja ________________. Ja són quarts de tres.

3 Tu què has estudiat?

Una mica de tot. Vaig començar dret, però no ________________: no em vaig presentar als exàmens de l'últim curs. Després de ________________ els estudis, vaig començar a treballar en una fàbrica i també vaig començar a estudiar japonès. Als matins treballava i a les tardes estudiava japonès. Al cap de cinc anys, quan ________________ l'últim curs de japonès, ________________ de la feina perquè no m'agradava gens i ja n'estava tip. Vaig començar un curs de cuina japonesa i a treballar d'ajudant en un restaurant. Ara sóc cuiner i soci d'un restaurant japonès, però vull ________________ la carrera de dret, perquè no m'agrada ________________ les coses a mitges! I tu?

Uiii!, jo fa deu anys que no treballo, ________________ del banc perquè em va tocar la loteria, però ara vull ________________ els meus estudis de psicologia que ________________ perquè no aprovava. Espero ________________ i obrir un centre de psicologia infantil.

5 Digues quina informació pertany a una persona i quina, a l'altra.

1	Al cap d'un any, vaig tornar a Catalunya i vaig continuar els meus estudis.
2	Als 18 anys vaig començar a fer cursos de teatre. Anava a classe cada tarda.
3	Als 18 anys vaig entrar a treballar d'administratiu al despatx d'un advocat, a la tarda.
4	Als 20 anys me'n vaig anar a Berlín amb una beca Erasmus.
5	Dels 6 als 15 anys vaig anar a classes de dansa.
6	Durant dos anys vaig treballar fora de Catalunya.
7	Els caps de setmana treballava en un teatre per a nens, amb dos companys de classe.
8	Mentre estudiava a la universitat, treballava.
9	No treia bones notes perquè no m'agradava estudiar, i m'avorria molt.
10	No volia fer cap carrera a la universitat.
11	Quan vaig acabar el batxillerat, no vaig fer la selectivitat.
12	Quan vaig acabar el batxillerat, vaig fer la selectivitat.
13	Quan vaig acabar la carrera, vaig anar a treballar a Estrasburg.
14	Vaig estudiar a la Universitat Autònoma de Barcelona.
15	Vaig estudiar batxillerat perquè els meus pares m'hi van obligar.
16	Vaig treure molt bona nota a la selectivitat i, per això, vaig poder entrar a la facultat de traducció i interpretació.

6 Completa els textos amb **dels, als, durant** o **quan.**

Text 1

_______________ (1) 6 als 13 anys vaig estudiar a una escola pública del meu poble. Després vaig estudiar a l'institut _______________ (2) 4 anys, dels 14 als 18. _______________ (3) 18 anys vaig anar a la universitat i hi vaig anar _______________ (4) 5 anys. _______________ (5) vaig acabar la carrera, vaig començar a treballar.

Text 2

_______________ (1) 5 anys vaig anar al parvulari. Dels 6 _______________ (2) 7 anys vaig anar a l'escola pública, però _______________ (3) tenia 8 anys, vaig anar a l'escola privada. _______________ (4) 16 anys vaig acabar l'educació obligatòria. _______________ (5) 17 als 19 anys vaig fer formació professional i, _______________ (6) vaig acabar, _______________ (7) 2 anys, vaig estudiar disseny gràfic.

Text 3

Quan era petit vaig anar a una llar d'infants i _______________ (1) tenia 6 anys vaig començar l'educació primària. Hi vaig anar _______________ (2) 6 _______________ (3) 12 anys. Després vaig començar l'educació secundària obligatòria, l'ESO, i vaig acabar _______________ (4) 16 anys. _______________ (5) 2 anys vaig fer el batxillerat, _______________ (6) 16 _______________ (7) 18. _______________ (8) vaig acabar, vaig fer la selectivitat i em vaig matricular a la universitat.

Text 4

_______________ (1) 6 anys vaig començar la meva vida d'estudiant. Vaig estudiar _______________ (2) 6 _______________ (3) 18 anys. Llavors vaig fer una pausa i vaig fer un viatge. Vaig viatjar _______________ (4) un any. _______________ (5) vaig tornar, vaig començar a treballar i a estudiar idiomes.

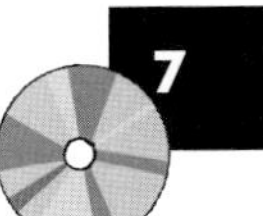

7 Escolta i completa el quadre.

	Gertrudis	Otto	Lorena	Norberto
D'on és?				
Relació, motivació... amb la llengua catalana				

8 Completa les frases amb **per** o **perquè**.

1 Jo estudio català ________________ m'agradaria viure a Catalunya.
2 Nosaltres estudiem català ________________ integrar-nos.
3 Vaig estudiar anglès ________________ trobar una feina millor.
4 He estudiat idiomes ________________ vull fer de guia turístic.
5 Vosaltres estudieu català ________________ amor o ________________ busqueu feina?
6 M'encanten les llengües i estudio català ________________ és una llengua que no coneixia.
7 Heu d'estudiar català ________________ anar de vacances a Andorra?
8 Tu aprens idiomes ________________ conèixer gent o ________________ vols trobar feina?
9 Vaig estudiar llengua italiana a la universitat ________________ era una "Maria".
10 Per què estudio idiomes? ________________ conèixer altres cultures i altres formes de pensar.

9 Completa el diàleg amb els elements necessaris, només quan sigui imprescindible.

Parles moltes llengües?

Ui, no ho sé... parlo ________________ anglès, però no ________________ entenc gaire bé, si parlen de pressa. Vaig estudiar ________________ francès durant cinc anys, però no ________________ parlo bé. Ara estudio ________________ català i també faig ________________ alemany. I tu?

Jo només parlo una mica ________________ italià i m'agradaria aprendre ________________ xinès.

10 Completa les frases amb la forma adequada dels verbs que hi ha entre parèntesis, i, quan calgui, amb els pronoms.

1 He estudiat àrab durant tres anys, però no ________________ (entendre). I vosaltres?
Nosaltres ni el parlem ni ________________ (entendre).

2 Estudiem alemany perquè el nostre avi és alemany, i ________________ (aprendre) molt, perquè el professor és molt bo.
Doncs jo faig danès i no ________________ (aprendre) gens, perquè no ________________ (entendre) el professor i em poso nerviós.

3 Vosaltres ________________ (entendre) l'anglès?
Sí que ________________ (entendre), però no el parlem bé.

4 Tu________________(entendre) el Joan quan parla francès?
Jo no ________________ (entendre), però la Sílvia diu que sí que ________________ (entendre).
Ella diu que ________________ (entendre), però jo no m'ho crec.

5 La seva àvia és francesa i només parla francès, però ells no ________________ (entendre), perquè sempre han viscut aquí.
Doncs segur que si ________________ (aprendre), l'àvia estarà molt contenta.

6 Aquesta nit vaig a veure una pel·lícula en versió original.
I ________________ (entendre)?
No sé si ________________ (entendre), però com a mínim ho intentaré.

7 ________________ (entendre) què ha dit el professor?
No. Perdoni, pot repetir-ho?

8 He estudiat japonès durant 3 anys, però crec que mai ________________ (entendre), i això que amb la professora que he tingut ________________ (aprendre) molt.

9 Faig classes de català i els meus alumnes ________________ (aprendre) molt, perquè han estudiat cada dia.

10 Els primers dies, quan vivia a Moscou, no ________________ (entendre) res, ni una paraula. Vaig començar a anar a l'escola a estudiar rus i, quan vaig acabar el primer curs, ja ________________ (entendre). ________________ (aprendre) molt, en aquella escola.

11 Escolta les persones que parlen sobre quines estratègies fan servir per aprendre llengües. Apunta-les i digues si hi estàs d'acord o no.

1	2	3	4	5

12 Les professions de cada frase estan equivocades, escriu-les al lloc adequat.

1 Vaig estudiar formació professional i vaig entrar a treballar d'arquitecte en una empresa d'importació.

2 Vull ser cuinera, i per això estic fent un cicle formatiu en perruqueria.

3 He fet la carrera de periodisme i m'agradaria treballar en un diari, de dentista.

4 Vaig fer formació professional de grau mitjà en electricitat i electrònica i, quan vaig acabar, vaig començar a treballar d'administratiu amb el meu pare, que també ho és.

5 Tinc el grau mitjà de cuina i molts cursos de cuina que vaig fer a França. Sóc perruquera i, a més, sóc la propietària del restaurant Sant Peu, que té una estrella Michelin.

6 Aquest any acabaré el projecte de final de carrera d'arquitectura i començaré a treballar d'electricista, com el Gaudí!

7 Vaig estudiar odontologia a l'Argentina i, quan vaig arribar a Catalunya, vaig treballar de periodista en una clínica, amb altres argentins.

8 Si acabo aquest any dret, m'agradaria treballar d'investigadora i tenir el meu despatx d'advocats, com el Perry Mason.

9 L'any que ve faré un màster en genètica i potser em donaran una beca per treballar d'advocada a la universitat.

13 Completa les frases amb la forma adequada del present d'indicatiu o del present de subjuntiu dels verbs que hi ha entre parèntesis.

1 Normalment quan ________________ (acabar) de treballar, torno a casa.

2 Avui, quan ________________ (acabar) de treballar, tornaré a casa.

3 Tinc moltes ganes de trobar una feina, perquè, quan ________________ (començar) a treballar, estalviaré molts diners.

4 Als matins, quan ________________ (començar) a treballar, estic ben adormit.

5 Ens agradaria fer un viatge, quan ________________ (acabar) l'institut, abans d'anar a la universitat, perquè encara no sabem quina carrera farem.

6 Quan ________________ (acabar) la carrera, segur que trobareu una feina molt bona.

7 Saps quan ________________ (acabar) les classes, el teu germà?

8 Quan ________________ (plegar) de la feina, els teus pares?

9 Em fa molt mal l'esquena, quan ________________ (estudiar) moltes hores.

10 Quan ________________ (tenir) temps, hauràs de fer un curs d'informàtica, perquè no en saps gens.

11 Quan ________________ (arribar) a Catalunya, primer hauràs d'estudiar català.

12 Quan ________________ (estudiar), sempre escolten música.

13 On són els directors?
Han anat a una reunió, però, quan ________________ (acabar), segur que vindran a l'oficina.

14 Quan ________________ (tornar) dels Estats Units, m'agradaria continuar estudiant anglès.

15 Quan ________________ (venir) a estudiar a casa teva, sempre m'ho passo molt bé.

14 Completa les frases amb **quan, si** o **mentre.**

1. ________________ estudiava, vaig fer de cangur.
2. ________________ vaig aprovar la selectivitat, vaig fer una festa de dos dies.
3. ________________ aprovo aquest any, faré una festa amb els companys de classe.
4. ________________ feia de cambrer al matí, estudiava a les tardes.
5. ________________ acabo la carrera, buscaré feina de seguida.
6. ________________ acabi la carrera, buscaré feina de seguida.
7. Aniré a estudiar a l'estranger, ________________ em donen una beca.
8. ________________ vas acabar la carrera, vas trobar una feina molt bona, oi?
9. Ara estudio periodisme i, ________________ acabi, m'agradaria treballar en un diari.
10. ________________ anava a la universitat, a les tardes, estudiava anglès.
11. ________________ acabi la carrera, començaré a estudiar àrab. És la llengua del futur.
12. ________________ trobo feina, deixaré el curs d'informàtica perquè no tindré temps d'anar-hi.
13. ________________ tingui el títol, buscaré feina.
14. ________________ canvien l'horari de les classes, hauré de deixar la feina de cangur.
15. ________________ trobo una feina millor, l'agafaré i deixaré aquesta.

15 A cada frase hi ha un error. Corregeix-lo.

1. Quan acabo la carrera, començaré a treballar.
   ____
2. Si acabo la carrera, començaria a treballar.
   ____
3. Si em donen la beca, me n'anava a Polònia.
   ____
4. Quan parli molt bé català, vaig buscar feina a Barcelona.
   ____
5. Si aprenc xinès, vaig anar a la Xina.
   ____
6. Mentre estudiava arquitectura, treballo de cambrera.
   ____
7. He fet un màster, si acabo els estudis al juny.
   ____
8. M'agradaria anar a Londres, quan acabo el curs.
   ____
9. Quan vaig acabar el projecte, buscaré feina.
   ____
10. Quan sàpiga parlar rus, m'agrada viure a Moscou un any.
   ____

16 Completa els textos.

Text 1

Que véns del gimnàs?
Sí, cada dia quan ________________ (1) de treballar, ________________ (2) al gimnàs del barri, però, quan ________________ (3) la carrera, ja no ________________ (4) anar-hi perquè vull canviar de pis.
I tu, què ________________ (5) quan ________________ (6) d'estudiar, ________________ (7) aquí o ________________ (8) al teu poble?
Jo, si ________________ (9) la carrera, ________________ (10) buscar feina i anar a viure al poble.
Però, quan ________________ (11) no ________________ (12) un màster a l'estranger, com tothom?
Ui, no. Si ________________ (13) diners, ________________ (14) un viatge. Si no ________________ (15) diners, ________________ (16) feina de seguida.
Bé, però primer hem d'acabar la carrera...

Text 2

El Pep està desesperat perquè ________________ (1) estudia medicina, ha de treballar de cambrer i no té temps de res. Treballa de nits i estudia de dia. ________________ (2) és festa, té molta feina i no pot estudiar. Ja feia de cambrer ________________ (3) estudiava batxillerat, per poder pagar-se els estudis. ________________ (4) acaba la carrera aquest any, anirà a Alemanya a fer un màster, però de moment no sap ________________ (5) l'acabarà...

Text 3

Fa set anys que ________________ (1) estudiant la carrera d'arquitectura. Tinc moltes ganes d'acabar la ________________ (2) i fer un viatge. Quan ________________ (3), aniré a Milà per estudiar una mica ________________ (4) italià i després, si ________________ (5) prou diners, ________________ (6) un màster als Estats Units.

17 Escriu el nom de les professions.

1. Si fas les instal·lacions de gas i d'aigua i les repares quan cal, ets un ________________ o una ________________.
2. Si cuides els malalts i els ferits, ets un ________________ o una ________________.
3. Si has estudiat medicina i et dediques a curar les malalties i a atendre els malalts, ets un ________________ o una ________________.
4. Si en un judici dius si l'acusat és culpable o innocent i li imposes un càstig o el deixes en llibertat, ets un ________________ o una ________________.
5. Si et dediques a la construcció de cases: aixeques parets i fas sostres i terres..., ets un ________________ o una ________________.
6. Si et dediques a defensar els interessos dels altres davant dels tribunals, ets un ________________ o una ________________.
7. Si escrius llibres, ets un ________________ o una ________________.
8. Si, entre altres coses, et dediques a apagar els incendis, ets un ________________ o una ________________.
9. Si representes personatges al teatre, al cinema, a la ràdio o a la televisió, ets un ________________ o una ________________.

18 Completa les frases amb el nom de la professió.

1 L'Anna treballa al jutjat; fa de ________________.
2 L'Enric fa de ________________ a les urgències de l'hospital.
3 En Pep és ________________; fa classes a la universitat.
4 L'Aina és ________________, però no fa cases; li agrada més fer plànols de fàbriques.
5 En Miquel fa d' ________________ perquè sempre li ha agradat escriure.
6 Els ________________ tenen una feina molt dura quan fan obres al carrer i durant l'estiu.
7 Els ________________ pinten, fan escultures, canten... i són molt excèntrics!
8 La Maria és ________________. Té una empresa.
9 Necessito el consell d'un ________________ per comprar un bon ordinador.
10 Els ________________ cobren molt per treure't un queixal.
11 Quan tinguis un problema de soroll amb els veïns, truca a la ________________.
12 Els ________________ són gairebé tots homes? No he vist mai cap dona apagant un incendi.

19 Completa les frases amb la forma adequada del verb que hi ha entre parèntesis.

1 T'agrada fer de carter?
Home! Camino molt. Vaig amunt i avall perquè ________________ (repartir) més de mil cartes al dia.

2 En què ________________ (consistir) la teva feina?
________________ (dirigir) el trànsit i a vegades poso multes.

3 Els taxistes de Barcelona ________________ (conduir) taxis de color groc i negre.

4 Sona molt bé, oi?
Sí, aquests directors ________________ (dirigir) molt bé l'orquestra.

5 Quina diferència hi ha entre un paleta i un cap d'obres?
El paleta ________________ (construir) i el cap d'obres ________________ (dirigir) l'obra.

6 I què fa l'encarregat?
L'encarregat de cada secció ________________ (distribuir) la feina entre els empleats.

7 No ve el cambrer?
No. Els cambrers d'aquesta cafeteria només ________________ (servir) a la barra.

8 Ei, Guillem! M'han dit que ________________ (dirigir) una empresa!
No ________________ (dirigir) l'empresa. Només en sóc el gerent.

9 En aquesta perruqueria hi ha un perruquer que ________________ (tenyir) molt bé els cabells.
Sí, ja ho sé, però ________________ (preferir) el meu perruquer.

10 Albert, em ________________ (corregir) la redacció que he escrit?
Molt bé, ara la ________________ (llegir) i te la ________________ (corregir).

11 Saps en què ________________ (consistir) la feina del Lluís?
No ho sé. Crec que ________________ (traduir) documents oficials.

12 T'avens amb els companys de la feina?
Sí, són molt simpàtics i entre nosaltres ________________ (repartir-se) bé la feina.

13 La Rita podria fer de model, perquè ________________ (vestir-se) molt bé. Té molt gust.
Dona, què vols que et digui! Només ________________ (seguir) la moda.

14 Ets el nou professor?
Sí, ________________ (substituir) l'Antoni Comes, el professor de química.

15 I tu, Júlia, com ________________ (decidir) quina és la millor traducció?
________________ (llegir) la traducció i l'original. Pensa que jo també ________________ (traduir).

20 Escolta aquestes persones i digues de què fan i per què ho saps.

	De què fan?	Per què ho saps?
1		
2		
3		
4		
5		

21 Transforma les frases. Cada frase transformada ha de tenir el mateix significat que l'anterior.

1 És un bon ofici.
És un ofici ________________.

2 Aquesta feina està mal pagada.
En aquesta feina paguen ________________.

3 Aquest programa està molt ben fet.
Aquest programa està molt ________________.

4 L'enginyer va fer un bon projecte.
L'enginyer va fer un projecte molt ________________.

5 Aquesta feina està malament.
És una feina ________________.

6 És una mala professió.
És una professió ________________.

7 L'horari és bo.
És un ________________ horari.

8 Paguen bé per aquesta feina.
Aquesta feina està ________________ pagada.

22 Fes els contraris de les frases de l'exercici anterior.

1
a) És un _______________ ofici.
b) És un ofici _______________.

2
a) Aquesta feina està _______________ pagada.
b) En aquesta feina paguen _______________.

3
a) Aquest programa està molt _______________ fet.
b) Aquest programa està molt _______________.

4
a) L'enginyer va fer un _______________ projecte.
b) L'enginyer va fer un projecte molt _______________.

5
a) Aquesta feina està _______________.
b) És una feina _______________.

6
a) És una _______________ professió.
b) És una professió _______________.

7
a) L'horari és _______________.
b) És un _______________ horari.

8
a) Paguen _______________ per aquesta feina.
b) Aquesta feina està _______________ pagada.

23 Transforma les frases, canviant les paraules en negreta, perquè tinguin el significat contrari.

1. **M'agrada** la feina perquè paguen un sou **bo**.
____
2. L'horari és molt **dolent** i, a més, treballen molt **malament**.
____
3. La feina no està **malament**, però el sou és **dolent**.
____
4. Aquesta universitat és **bona** perquè els professors són **bons**.
____
5. Aquella escola funcionava **malament**, però el director era **bon** professor.
____

24 Tria l'opció correcta.

1. Sóc dentista perquè és una professió que està **bé** / **ben** pagada.
2. Em trobo **mal** / **malament** a la feina perquè no m'agrada la meva cap.
3. És un ofici **bon** / **bo** perquè treballo amb un equip molt **bon** / **bo**.
4. Té un horari molt **bo** / **bé**, però és una feina **dolenta** / **mala**.
5. Les infermeres d'aquesta planta són molt **dolentes** / **males**.
6. El sou està **bé** / **bo**, però l'horari és molt **malament** / **dolent**.
7. Fer de jutge està molt **bé** / **ben**, encara que la professió estigui **mal** / **malament** valorada.
8. Els **bons** / **bé** informàtics, tenen un sou molt **bo** / **bé**.
9. Les professions de polítics i militars estan **mal** / **malament** vistes.
10. Jo trobo que tinc un **bon** / **ben** horari, però molta gent pensa que és **mal** / **dolent**.
11. M'han ofert una feina molt **bona** / **bé**, però l'horari és molt **mal** / **dolent**.
12. És un **mal** / **malament** lampista, encara que treballi per un **bo** / **bon** preu.

25 A cada frase només hi ha un error. Corregeix-lo.

1 És un bo ofici, però s'ha de treballar moltes hores i això està malament.
2 El sou no està mal, però l'horari és molt dolent.
3 Fa d'advocat i el sou que cobra està bé, encara que de vegades treballa amb jutges molt mals.
4 Hi ha jugadors de futbol molt malament que estan molt ben pagats.
5 Els metges, encara que siguin molt bons, no tenen un sou bé.
6 Els periodistes tenen un horari molt malament, però cobren un bon sou.
7 Hi ha cuiners bons, però també hi ha dolents cuiners.
8 Els arquitectes, si treballen ben, tenen un bon prestigi.
9 El sou està bé, però l'horari em va mal.
10 Els pilots treballen ben poc i tenen molt bo sou.

26 Completa els textos.

Text 1

Jo sóc ________________ (1), però no treballo en un CAP, treballo en un ________________ (2) molt gran. Faig aquesta feina perquè tinc ________________ (3); de petita ja ajudava la meva mare quan posava injeccions als meus germans. Tinc un ________________ (4) indefinit des de fa molt poc temps, però abans tenia un ________________ (5) temporal. Estic molt contenta! Tinc ________________ (6) de dia, però cada quinze dies he de fer ________________ (7) de nit i un cop al mes he de treballar un cap de setmana. El ________________ (8) no està malament; és clar que els metges ________________ (9) més que nosaltres i treballen menys hores. Però no em queixo, em ________________ (10) puntualment cada final de mes.

Text 2

Sóc ________________ (1). La meva feina és emocionant. Molta gent es pensa que nosaltres només ________________ (2) focs; però fem moltes altres activitats. M'agrada més sortir a treballar a fora que fer feines de ________________ (3). Per entrar en aquesta feina vaig haver de fer unes ________________ (4), perquè som ________________ (5) i depenem de la Generalitat de Catalunya. Tinc un ________________ (6) força bo, i a vegades ________________ (7) un plus, si treballo més hores. El que sempre canvia és ________________ (8), ens canvien el ________________ (9) cada mes i de tant en tant he de fer ________________ (10) els caps de setmana. La nostra feina depèn de les desgràcies que passen, i això és imprevisible.

Text 3

Sóc ________________ (1). La meva feina m'apassiona, perquè, com tots els ________________ (2) fem art: teatre, dansa, música... Però té alguns ________________ (3): no sabem mai quan tindrem feina perquè normalment no tenim ________________ (4), som ________________ (5). El nostre horari és força especial, quasi sempre treballem de ________________ (6) i no sabem mai quan farem ________________ (7), si és que en fem! Tampoc no sabem mai amb quants diners podem comptar perquè no tenim un ________________ (8) fix. De tant en tant faig algun ________________ (9) en una sèrie de televisió, perquè ________________ (10) força bé.

27 Completa el diàleg amb la forma adequada dels verbs **ser, fer, tenir o estar.**

Senyor Prunés, vostè en aquesta empresa ________________ (1) el conserge?

Bé, jo no ________________ (2) conserge, ________________ (3) de conserge.

I quina professió ________________ (4)?

Jo ________________ (5) enginyer industrial, ________________ (6) el títol de la universitat de Geòrgia.

I per què ________________ (7) de conserge, si ________________ (8) enginyer?

Perquè no trobava feina. ________________ (9) a l'atur.

________________ (10) content amb la seva feina?

________________ (11) els seus avantatges.

I què ________________ (12) aquí?

________________ (13) de tot.

I li agrada?

Home, no ________________ (14) malament: tinc un contracte temporal, i això no ________________ (15) gaire bo, però ________________ (16) un horari molt flexible, que ________________ (17) molt bé. Si vull, puc ________________ (18) jornada intensiva. El sou no ________________ (19) dolent i puc ________________ (20) un mes de vacances.

28 Canvia el gèneres de les frases. Després canvia el nombre de totes dues.

1 Aquest paleta és molt fort i corpulent.

____

2 Els científics són intel·ligents, però una mica distrets.

____

3 Per ser auxiliar de vol has de ser amable i comunicatiu.

____

4 Aquestes infermeres són llestes i organitzades.

____

5 Una bona professora ha de ser espavilada i treballadora.

____

6 Per ser un bon enginyer, has de ser responsable i eficient.

____

7 Uns bons àrbitres han de ser puntuals i dinàmics.

____

8 Una bona lampista ha de ser ràpida i seriosa.

____

9 Per ser un bon polític has de ser sociable i discret.

____

10 La dona periodista, si vol tenir èxit, ha de ser activa i simpàtica.

____

29 Les paraules en negreta de cada frase estan equivocades, escriu-les al lloc adequat.

1 Per ser actor has de tenir molta **iniciativa** per recordar els textos.
2 Si vols ser un bon dependent, has de tenir molta **memòria** amb els clients.
3 Per tenir èxit, l'empresari ha de tenir **bona presència**. Cal que sigui el primer a proposar coses noves.
4 Per fer un descobriment, els científics han de treballar utilitzant la raó, però molt sovint també han de tenir **bona preparació física**.
5 Tenir uns bons coneixements és imprescindible perquè siguis un bon professor; però, si a més tens **intuïció**, seràs molt millor. La pràctica diària ensenya tant com els llibres.
6 Els metges haurien de tenir **experiència** amb els malalts, perquè a vegades curen més unes bones paraules que un bon remei.
7 Els jugadors de futbol han de tenir **paciència**; perquè, si no, quan surten a jugar es fan moltes lesions.
8 Tenir **bon tracte** ajuda a trobar feina. Diuen que la cara és el reflex de l'ànima, oi?

30 En parelles A i B. (A tapa el quadre de B, B tapa el quadre de A.) Demana la informació que necessites per completar el teu quadre. Després comenta de quines professions es deu tractar.

	Josep Conill	Ramon Dinyo
Com és?	Actiu, ràpid i comunicatiu.	
Què ha de tenir?		Iniciativa, experiència i bona preparació física.
On treballa?		En un camp.
Quin contracte té?	Autònom.	
Quin horari fa?		Normalment treballa els caps de setmana.
Quant cobra?	Depèn de la feina que fa.	
Fa vacances?	Quan no té cap feina.	
Com està?		Cansat.

	Josep Conill	Ramon Dinyo
Com és?		Fort, corpulent i ràpid.
Què ha de tenir?	Memòria, bon tracte i intuïció.	
On treballa?	Revistes i diaris.	
Quin contracte té?		Temporal.
Quin horari fa?	No té horari fix.	
Quant cobra?		Molt més que tots els alumnes d'una classe durant tot l'any.
Fa vacances?		Pel temps que treballa, moltíssimes.
Com està?	Content.	

31 **Transforma les frases impersonals a frases personals. Després escriu-les utilitzant les formes haver-se de en la frase a i haver de en la frase b.**

1 a Per treballar en aquesta multinacional cal saber francès.
  b Si vols treballar en aquesta multinacional cal ______________________.

2 a A l'anunci diu que és necessari tenir experiència com a venedor.
  b Si voleu la feina de l'anunci és necessari ______________________.

3 a Per a aquesta feina és important poder viatjar en qualsevol moment.
  b Si volem aquesta feina és important ______________________.

4 a Per tenir la feina és imprescindible parlar, com a mínim, tres idiomes.
  b Si la teva filla vol aquesta feina és imprescindible ______________________.

5 a Per fer d'actor publicitari és millor tenir bona presència
  b Qui vulgui ser actor publicitari és millor ______________________.

6 a Em sembla que per ser auxiliar de vol fa falta ser alta.
  b Em sembla que si vols ser auxiliar de vol fa falta ______________________.

32 **Transforma les frases intercanviant les formes entre els verbs haver i caldre, mantenint les estructures personals i impersonals.**

1 Per ser advocat cal ser molt seriós.
____

2 Un bon taxista cal que tingui paciència.
____

3 Un cantant ha de tenir bona presència.
____

4 Per ser porter s'ha de ser espavilat.
____

5 Per ser policia has de ser alt.
____

6 Un bon cambrer ha de ser atent i amable.
____

7 Per ser metge cal estudiar molt.
____

8 Per ser un bon escriptor caldria tenir molta imaginació.
______________________.

9 Un bon cuiner ha de ser delicat.
____

10 Per ser una bona jutgessa caldria ser formal.
____

33 Completa les frases, quan calgui.

1 Per ser bomber has ________________ estar en bona forma.

2 Per fer de periodista no és imprescindible ________________ tenir la carrera de periodisme.

3 Un bon dentista cal ________________ tingui habilitat manual.

4 Per ser un bon arquitecte no fa falta ________________ ser un bon dibuixant.

5 Un artista ha ________________ estar disposat a viatjar molt.

6 Per ser lampista és imprescindible ________________ fer un curs de cicles formatius.

7 Per ser jugador de bàsquet has ________________ ser alt.

8 Si vols tenir una bona feina és millor ________________ tinguis experiència.

9 Per ser pilot cal ________________ siguis molt valent.

10 Una bona ballarina hauria ________________ ser molt constant.

11 Per ser professor s'ha ________________ saber explicar bé.

12 És important ________________ un lampista tingui coneixements de mecànica.

13 Per viure en un país no és necessari ________________ sàpigues la llengua que es parla, però és molt convenient.

34 Completa les frases amb la forma adequada dels verbs **ser, tenir, parlar, saber** o **poder.**

1 Busquem un dependent que ________________ francès, que ________________ alt i que ________________ treballar al matí.

2 Demanen candidats que ________________ estudis superiors i que ________________ molts idiomes.

3 Voleu algú que ________________ bona presència?

4 Necessites algú que ________________ tractar bé els clients i que ________________ intuïció, oi?

5 Busco algú que ________________ treballar amb gent gran, encara que no ________________ un professional.

6 Demanem persones que ________________ capacitat de treball i que ________________ viatjar.

7 Busco gent que ________________ ganes de treballar a casa i que ________________ parlar rus.

8 Es demana actors que ________________ alts, que ________________ bona presència i que ________________ italià.

9 Busquem un veterinari que ________________ treballar els caps de setmana i que ________________ cotxe.

10 Volen una model que ________________ rossa, que ________________ idiomes i que ________________ viatjar sola.

35 **A partir dels requisits del quadre, escriu dos anuncis mantenint les estructures del començament.**

edat: entre 18 i 25 anys
caràcter: dinàmic i sociable
aspecte: bona presència
idiomes: català, castellà i anglès
disponibilitat horària:

Busquem candidats per fer de cambrers!
Cal que tinguis...

Si vols treballar amb nosaltres has de...

36 **Canvia les paraules en negreta per altres estructures adjectives.**

(adjectiu) Una persona **dinàmica.**
Una persona **amb dinamisme.**
Una persona **que sigui dinàmica.**

1
a Volen algú **amb coneixements** d'informàtica.
b Volen algú **que** ______________________.

2
a Es demana una persona **amb experiència** en farmàcia.
b (adjectiu) Es demana una persona ______________________.
c Es demana una persona **que** ______________________.

3
a Busquen una persona **segura.**
b Busquen una persona **amb** ______________________.
c Busquen una persona **que** ______________________.

4
a Volen persones **enèrgiques.**
b Volen persones **amb** ______________________.
c Volen persones **que** ______________________.

5
a Es busca persones **amb idiomes.**
b (adjectiu) Es busca persones ______________________.
c Es busca persones **que** ______________________.

6 a Es busquen persones **responsables.**
b Es busquen persones **amb** ______________________.
c Es busquen persones **que** ______________________.

7 a Volen persones **amb capacitat** d'improvisar.
b (adjectiu) Volen persones ______________________.
c Volen persones **que** ______________________.

8 a Necessiten persones **formades** en informàtica.
b Necessiten persones **amb** ______________________.
c Necessiten persones **que** ______________________.

9 a Busquem persones **disponibles** els caps de setmana.
b Busquem persones **amb** ______________________.
c Busquem persones **que** ______________________.

10 a Volem persones **amb capacitat** per negociar.
b (adjectiu) Volem persones ______________________.
c Volem persones **que** ______________________.

37 Escolta i completa les fitxes dels dos candidats.

Fitxa 1

Nom	Anna Maria Segarra Ferrer
Adreça	Rambla del Raval, 47
Població	
Edat	
Estudis	
Idiomes	
Experiència	
Altres	

Fitxa 2

Nom	Ramon Aragó Pi
Adreça	Avinguda Dalí, 20
Població	
Edat	
Estudis	
Idiomes	
Experiència	
Altres	

38 **Llegeix el correu electrònic de l'Ismael a l'Alícia. Escriu el correu electrònic que va enviar primer l'Alícia a l'Ismael.**

Envia: Ismael
Per a: Alícia
Tema: lloc de treball

Benvolguda Alícia,

Quina il·lusió m'ha fet rebre notícies teves. Feia temps que no sabia res de tu i, a més, no tenia la teva adreça ni el telèfon per posar-me en contacte amb tu.

Pel que m'expliques, veig que l'aspecte professional et va molt bé. Crec que seràs el proper Ferran Adrià o la propera Carme Ruscalleda! No és gens fàcil que un restaurant estigui tan ben considerat com el teu, i ara arriscar-te a obrir-ne un altre a Palma! Jo continuo fent classes i formant futurs cuiners. Els alumnes han canviat molt de quan tu i jo estudiàvem a l'escola. Això sí, hi ha alumnes que des del primer dia veus que tenen fusta! Com tu!

Respecte al que em demanes, he mirat quins dels alumnes de l'escola reuneixen les condicions que vols que tinguin. N'he trobat tres que et podrien anar bé.

El primer es diu Ramon Pellissa i té 21 anys. Ja sé que potser és massa jove, però és un noi molt responsable, dinàmic, discret, té bona presència i parla tres idiomes, a més del català i castellà, és clar. El problema és que no té experiència. Només ha treballat d'ajudant de cuina als estius, amb el seu pare, que té un restaurant a la costa, però no ha fet de cap de cuina.

L'altra candidata és una noia. Es diu Rosa Conill i té 28 anys. És una persona també molt organitzada, seriosa, activa i té experiència. Ha treballat d'ajudant de cuinera durant molts anys i també ha fet de cap de cuina. L'únic inconvenient és que no és gaire sociable, no parla idiomes i no té gaire bona presència. Si ha de sortir de la cuina per parlar amb els clients...

I l'última és la Raquel Moscatell. És una noia molt llesta i té intuïció a l'hora d'elaborar nous plats. Té 25 anys i ha treballat d'ajudant de cuina alguns anys. Parla català, castellà i alemany, perquè la seva mare és alemanya. També ha estudiat anglès i italià. És una persona molt activa i espavilada, però no és gaire responsable. Acostuma a arribar tard a les classes i no és gaire treballadora.

No sé si t'he ajudat. Si vols, com que he vist que faràs una conferència el mes que ve a l'escola, te'ls puc presentar. I si t'estimes més fer-los una entrevista, avisa'm perquè els ho diré.

Bé, Alícia, enhorabona per l'èxit i que tinguis molta sort amb el restaurant que obriràs, que segur que serà també un èxit.
Cuida't i ja em diràs alguna cosa.
Una abraçada,

Ismael

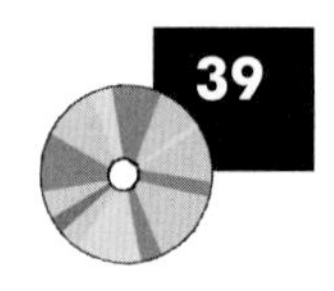

39 **Escolta el text de l'exercici 15 del llibre de l'alumne i després llegeix-lo en veu alta.**

1

1. assignatura; 2. aula / classe; 3. suspendre; 4. curs / classe; 5. classe; 6. curs; 7. curs; 8. curs; 9. aprovar; 10. carrera; 11. facultat; 12. examen; 13. matricular-se; 14. selectivitat

2

1. a; 2. b; 3. a; 4. c; 5. b

3

1. selectivitat, nota; 2. carrera, vaig deixar, carrera, Vaig acabar; 3. suspenia, aprovava, treia; 4. curs, vaig aprovar, he aprovat; 5. escola, assignatures, aprovava, institut, selectivitat, m'he matriculat / em matricularé / faig / faré

4

1. acabes / acabaràs, deixo / deixaré, he deixat, plego / plegaré
2. he plegat / hem plegat / he acabat / hem acabat, acabes / acabaràs / acaba / acabarà, Acabo / Acabaré / Acaba / Acabarà / Acabem / Acabarem, he plegat
3. vaig acabar, deixar, vaig acabar, vaig plegar, acabar, deixar, vaig plegar, acabar, vaig deixar, acabar

5

Persona 1: 2, 5, 7, 9, 10, 11, 15
Persona 2: 1, 3, 4, 6, 8, 12, 13, 14, 16

6

Text 1
1. Dels; 2. durant; 3. Als; 4. durant; 5. Quan
Text 2
1. Als; 2. als; 3. quan; 4. Als; 5. Dels; 6. quan; 7. durant
Text 3
1. quan; 2. dels; 3. als; 4. als; 5. Durant; 6. dels; 7. als; 8. Quan
Text 4
1. Als; 2. dels; 3. als; 4. durant; 5. Quan

7 Solucions orientatives

Gertrudis: Veneçuela.Perquè estudia a la universitat, té amics lleidatans i un amic especial
Otto: Suècia.Perquè viu, estudia i treballa a Palma
Lorena: Argentina. Perquè vol parlar amb les mares i mestres, i perquè estudia i vol fer oposicions
Norberto: Cuba. Perquè els avis eren catalans i llegia autors catalans

8

1. perquè; 2. per; 3. per; 4. perquè; 5. per, perquè; 6. perquè; 7. per; 8. per, perquè; 9. perquè; 10. Per

9

Ø, l', Ø, el, Ø, Ø, d', Ø

10

1. l'entenc, l'entenem; 2. n'aprenem, n'aprenc, entenc; 3. enteneu, l'entenem; 4. entens, l'entenc, l'entén, l'entén; 5. l'entenen, l'aprenen / n'aprenen; 6. l'entendràs, l'entendré; 7. Has entès; 8. l'entendré, n'he après; 9. n'han après; 10. entenia, l'entenia, En vaig aprendre

11

1. Estudia sol a casa: fa llistes de paraules amb la traducció; 2. Escolta cançons i mira pel·lícules en versió original; 3. Fa un intercanvi; 4. Parla a poc a poc, per parlar correctament i li agrada que la corregeixin; 5. Estudia gramàtica i fa exercicis gramaticals.

12

1. administratiu; 2. perruquera; 3. periodista; 4. electricista; 5. cuinera; 6. arquitecte; 7. dentista; 8. advocada; 9. investigadora

13

1. acabo; 2. acabi / acabaré; 3. comenci / començaré; 4. començo; 5. acabem / acabarem; 6. acabeu / acabareu; 7. acaba / acabarà; 8. pleguen; 9. estudio; 10. tinguis / tindràs; 11. arribis / arribaràs; 12. estudien; 13. acabin / acabi / acabarà / acabaran; 14. torni / tornaré; 15. vinc

14

1. Quan / Mentre; 2. Quan; 3. Si; 4. Quan / Mentre; 5. Si; 6. Quan; 7. si; 8. Quan; 9. quan; 10. Quan / Mentre; 11. Quan; 12. Si; 13. Quan;14. Si; 15. Si

15

1. acabi / acabaré; 2. començaré; 3. me n'aniré / me'n vaig; 4. buscaré; 5. aniré; 6. treballava; 7. Faré; 8. acabi / acabaré; 9. Quan acabi / acabaré; vaig buscar feina; 10. m'agradaria

16

Text 1
1. acabo / plego; 2. vaig / me'n vaig; 3. acabi / acabaré; 4. podré; 5. faràs; 6. acabis / acabaràs; 7. et quedaràs; 8. aniràs / te n'aniràs / tornaràs; 9. acabo; 10. m'agradaria / vull; 11. acabis / acabaràs; 12. faràs; 13. tinc; 14. faré / faig; 15. tinc; 16. buscaré
Text 2
1. mentre; 2. Quan; 3. mentre / quan; 4. Si; 5. si
Text 3
1. estic; 2. carrera; 3. acabi / acabaré; 4. d'; 5. tinc; 6. faré

17

1. lampista, lampista; 2. infermer, infermera; 3. metge, metgessa; 4. jutge, jutgessa; 5. paleta, paleta; 6. advocat, advocada / advocadessa; 7. escriptor, escriptora; 8. bomber, bombera; 9. actor, actriu

18

1. jutgessa; 2. metge; 3. professor; 4. arquitecta; 5. escriptor; 6. paletes; 7. artistes; 8. empresària; 9. informàtic; 10. dentistes; 11. policia; 12. bombers

19

1. reparteixo; 2. consisteix, Dirigeixo; 3. condueixen; 4. dirigeixen; 5. construeix, dirigeix; 6. distribueix; 7. serveixen; 8. dirigeixes, dirigeixo; 9. tenyeix, prefereixo; 10. corregeixes, llegeixo, corregeixo; 11. consisteix, tradueix; 12. ens repartim; 13. es vesteix, segueix; 14. substitueixo; 15. decideixes, Llegeixo, tradueixo

20

1. metge, perquè visita malalts
2. advocada, perquè ha guanyat judicis
3. escriptor, perquè ha escrit una novel·la
4. mestre, perquè parla dels nens
5. auxiliar de vol / hostessa, perquè viatja molt i serveix te i cafè

21

1. bo; 2. malament; 3. bé; 4. bo; 5. dolenta; 6. dolenta; 7. bon; 8. ben

22

1. a. mal, b. dolent; 2. a. ben, b. bé; 3. a. mal, b. malament; 4. a. mal, b. dolent; 5. a. bé, b. bona; 6. a. bona, b. bona; 7. a. dolent, b. mal; 8. a. malament, b. mal

23

1. No m'agrada, dolent; 2. bo, bé; 3. bé, bo; 4. dolenta, dolents; 5. bé, mal

24

1. ben; 2. malament; 3. bo, bo; 4. bo, dolenta; 5. dolentes; 6. bé, dolent; 7. bé, mal; 8. bons, bo; 9. mal; 10. bon, dolent; 11. bona, dolent; 12. mal, bon

25

1. És un bon ofici...; 2. El sou no està malament...; 3. ...jutges molt dolents; 4. ...de futbol molt dolents...; 5. ...un sou bo; 6. ...horari molt dolent...; 7. ...mals cuiners; 8. ...si treballen bé...; 9. ...em va malament; 10. ...molt bon sou.

26

Text 1
1. infermera; 2. hospital; 3. vocació; 4. contracte; 5. contracte; 6. torn / horari; 7. torn / guàrdia; 8. sou; 9. cobren / guanyen; 10. paguen
Text 2
1. bomber / bombera; 2. apaguem; 3. despatx; 4. oposicions; 5. funcionaris; 6. sou; 7. cobro / em paguen; 8. l'horari; 9. torn; 10. guàrdia / guàrdies
Text 3
1. actor / actriu; 2. artistes; 3. inconvenients; 4. contracte; 5. autònoms; 6. nit; 7. vacances; 8. sou; 9. paper; 10. paguen

27

1. és; 2. sóc; 3. faig; 4. té; 5. sóc; 6. tinc; 7. fa; 8. és; 9. Estava; 10. Està; 11. Té; 12. fa; 13. Faig; 14. està; 15. és; 16. tinc / faig; 17. està; 18. fer; 19. és; 20. fer / tenir

28

1. Aquesta paleta és molt forta i corpulenta. / Aquests paletes són molt forts i corpulents./ Aquestes paletes són molt fortes i corpulentes.
2. Les científiques són intel·ligents, però una mica distretes. / El científic és intel·ligent, però una mica distret. / La científica és intel·ligent, però una mica distreta.
3. Per ser auxiliar de vol has de ser amable i comunicativa. / Per ser auxiliars de vol heu de ser amables i comunicatius. / Per ser auxiliars de vol heu de ser amables i comunicatives.
4. Aquests infermers són llestos i organitzats. / Aquesta infermera és llesta i organitzada. / Aquest infermer és llest i organitzat.
5. Un bon professor ha de ser espavilat i treballador. / Unes bones professores han de ser espavilades i treballadores./ Uns bons professors han de ser espavilats i treballadors.
6. Per ser una bona enginyera, has de ser responsable i eficient. / Per ser uns bons enginyers, heu de ser responsables i eficients. / Per ser unes bones enginyeres, heu de ser responsables i eficients.
7. Unes bones àrbitres han de ser puntuals i dinàmiques. / Un bon àrbitre ha de ser puntual i dinàmic. / Una bona àrbitra ha de ser puntual i dinàmica.
8. Un bon lampista ha de ser ràpid i seriós. / Unes bones lampistes han de ser ràpides i serioses. / Uns bons lampistes han de ser ràpids i seriosos.
9. Per ser una bona política has de ser sociable i discreta. / Per ser uns bons polítics heu de ser sociables i discrets. / Per ser unes bones polítiques heu de ser sociables i discretes.
10. L'home periodista, si vol tenir èxit, ha de ser actiu i simpàtic. / Les dones periodistes, si volen tenir èxit, han de ser actives i simpàtiques. / Els homes periodistes, si volen tenir èxit, han de ser actius i simpàtics.

29

1. memòria; 2. paciència; 3. iniciativa; 4. intuïció; 5. experiència; 6. bon tracte; 7. bona preparació física; 8. bona presència

31

1. ...que sàpigues...
Per treballar en aquesta multinacional s'ha de saber francès.
Si vols treballar en aquesta multinacional has de saber francès.
2. ...que tingueu...
A l'anunci diu que s'ha de tenir experiència com a venedor.
Si voleu la feina de l'anunci heu de tenir experiència com a venedors.
3. ...que puguem...
Per a aquesta feina s'ha de poder viatjar en qualsevol moment.
Si volem aquesta feina hem de poder viatjar en qualsevol moment.
4. ...que parli...
Per tenir la feina s'ha de parlar, com a mínim, tres idiomes.
Si la teva filla vol aquesta feina ha de parlar, com a mínim, tres idiomes.
5. ...que tingui...
Per fer d'actor publicitari s'ha de tenir bona presència.
Qui vulgui ser actor publicitari ha de tenir bona presència.
6. ...que siguis...
Em sembla que per ser auxiliar de vol s'ha de ser alta.
Em sembla que si vols ser auxiliar de vol has de ser alta.

32

1. s'ha de ser; 2. ha de tenir; 3. cal que tingui; 4. cal ser; 5. cal que siguis; 6. cal que sigui; 7. s'ha d'estudiar; 8. s'hauria de tenir; 9. cal que sigui; 10. s'hauria de ser

33

1. d'
2. Ø
3. que
4. Ø
5. d'
6. Ø
7. de
8. que
9. que
10. de
11. de
12. que
13. que

34

1. parli, sigui, pugui; 2. tinguin, parlin / sàpiguen; 3. tingui; 4. sàpiga, tingui; 5. sàpiga / pugui, sigui; 6. tinguin, puguin; 7. tingui, parli / sàpiga; 8. siguin, tinguin, parlin / sàpiguen; 9. pugui, tingui; 10. sigui, parli / sàpiga, pugui

35

1. Cal que tinguis entre 18 i 25 anys, que siguis dinàmic i sociable, que tinguis bona presència, que parlis català, castellà i anglès i que puguis treballar fins a les 3 de la matinada.
2. Si vols treballar amb nosaltres has de tenir entre 18 i 25 anys, has de ser dinàmic i sociable, has de tenir bona presència, has de parlar català, castellà i anglès i has de tenir disponibilitat horària fins a les 3 de la matinada.

36 Solucions orientatives

1. b. tingui coneixements; 2. b. experimentada, c. que tingui experiència; 3. b. seguretat, c. tingui seguretat; 4. b. energia, b. tinguin energia; 5. b. poliglotes, c. parlin idiomes; 6. b. responsabilitat, c. siguin responsables; 7. b. capaces d'improvisar, c. tinguin capacitat d'improvisar; 8. b. formació, c. estiguin formades; 9. b. disponibilitat, c. tinguin disponibilitat; 10. b. capacitades per negociar, c. tinguin capacitat

37

1. Barcelona, 30 anys, economia, francès i alemany, secretària i cap de secció en una agència de viatges, soltera, carnet de conduir, no té cotxe, no sap anglès.
2. Figueres, 23 anys, economia i màster de comerç, anglès, cap feina important, té cotxe i disponibilitat per viatjar.

Unitat 6

QUÈ ÉS AIXÒ?

UNITAT
6 QUÈ ÉS AIXÒ?

1 **Relaciona els adjectius amb les característiques.**

1	a	àcid		
2		allargat		
3		amargant	a	el gust
4		ample		
5		arrugat		
6		aspre		
7		calent		
8		dolç	b	la forma
9		dur		
10		gelat		
11		gros		
12		gruixut		
13		humit	c	el pes
14		llarg		
15		lleuger		
16		llis		
17		pesant		
18		picant	d	el tacte
19		pla		
20		rodó		
21		salat		
22		sec		
23		suau	e	la temperatura
24		tebi		
25		tou		

2 **Relaciona els adjectius amb els seus contraris.**

1	e	bo	a	arrugat
2		fred	b	aspre
3		gran	c	calent
4		gruixut	d	dolç
5		humit	e	dolent
6		llis	f	dur
7		pesant	g	lleuger
8		salat	h	petit
9		suau	i	prim
10		tou	j	sec

3 **Transforma les frases.**

1 **a** Aquest tomàquet no m'agrada perquè és àcid i fred.
b Aquests ______________________________.
c Aquesta poma ______________________________.
d Aquestes ______________________________.

2 **a** El primer plat, a més de salat, era dolent.
b Els ______________________________.
c La sopa ______________________________.
d Les ______________________________.

3 **a** El pebrot, si és arrugat, és una mica amargant.
b Els ______________________________.
c L'albergínia ______________________________.
d Les ______________________________.

4 **a** M'agrada molt el plàtan quan és tou, perquè és més dolç.
b M' ____________ els ______________________________.

c M' ____________ la taronja ______________________________.

d M' ______________________________.

5 a M'estimo més el bistec gruixut i una mica picant.

b M'estimo més els ______________________________.

c M'estimo més la botifarra ______________________________.

d M'estimo més ______________________________.

6 a Li agrada el pèsol perquè és petit i rodó.

b Li ____________ els ______________________________.

c Li ____________ la cirera ______________________________.

d Li ______________________________.

7 a Aquest peix és allargat, no gaire ample i aspre al tacte.

b Aquests ______________________________.

c ____________ mongeta ______________________________.

d ______________________________.

8 a El vi negre, t'agrada més fresc o calent?

b Els ______________________________.

c La beguda, ______________________________.

d ______________________________.

9 a El bon tall de pernil no cal que sigui gran, ha de ser prim i gens salat.

b Els ______________________________.

c La bona llesca de pa amb tomàquet ______________________________.

d ______________________________.

10 a L'espinac, si és amarg, és més bo tebi.

b Els ______________________________.

c La verdura ______________________________.

d ______________________________.

11 a M'agrada aquest pastís perquè és gelat i dur, però, quan te'l menges, és molt suau.

b M' ____________ aquests ______________________________.

c M' ____________ aquesta mantega ______________________________.

d M' ______________________________.

12 a La verdura per ser bona no ha de ser seca; és millor, si és una mica humida.

b Les ______________________________.

c L'enciam ______________________________.

d ______________________________.

13 a El llenguado és més aviat llarg i pla.

b Els ______________________________.

c La mongeta tendra ______________________________.

d ______________________________.

14 a Per fer aquest plat necessites un carbassó llis i gros, i l'has de tallar molt fi.

b Per fer aquest plat necessites uns ______________________________.

c Per fer aquest plat necessites una patata ______________________________.

d Per fer aquest plat necessites ______________________________.

15 a Li agrada l'entrepà quadrat i ben pla.

b Li ____________ els ______________________________.

c Li ____________ la llesca de l'entrepà ______________________________.

d Li ______________________________.

4 Escull l'opció correcta.

1 Bombons
a dolços b dolces

2 Postres
a dolços b dolces

3 Xocolata
a amarg b amarga

4 Pastís
a bo b bons

5 Sofà
a tou b tova

6 Estovalles
a rodona b rodones

7 Tovallola
a aspre b aspra

8 Sabates
a grossos b grosses

9 Perfums
a frescos b fresques

10 Anell
a gruixut b gruixuda

11 Quadres
a quadrats b quadrades

12 Gots
a allargats b allargades

13 Mitjons
a llargs b llargues

14 Caixa de música
a ample b ampla

15 Espelma
a calent b calenta

5 De quins materials poden estar fets?

1	e, f, i	anell	a	ceràmica
2		arracades		
3		bossa	b	cotó
4		bufanda		
5		caçadora	c	fusta
6		cinturó		
7		corbata	d	llana
8		diari		
9		estovalles	e	metall
10		ganivet		
11		llibre	f	or / plata
12		plat		
13		portamonedes	g	paper
14		marc		
15		rellotge	h	pell
16		sabates		
17		sofà	i	plàstic
18		tassa		
19		termòmetre	j	seda
20		ulleres		
21		vas	k	vidre
22		vestit		

6 Completa les definicions amb les frases que hi ha a continuació. Només hi ha una frase per a cada definició. Saps què es descriu?

1	Poden ser de cotó, de llana, de fil o de material sintètic. Sempre van de dos en dos, si no se'n perd algun per la rentadora.	
2	Solen ser de cotó, de fil o de material sintètic. Poden ser rodones o quadrades, i es posen sobre les taules.	
3	Són dolços, però a vegades una mica amargants, depèn del color: com més fosc, més amarg. Diuen que creen addicció.	
4	Té una forma més aviat quadrada. Està fet amb materials diversos: fusta, material metàl·lic, vidre, roba. Es penja a les parets.	
5	Són de colors variats i fan molt bona olor. Per conservar-se bé han d'estar humides.	
6	Sol ser de fusta de fora i de seda per dintre. És més aviat quadrada i no gaire gran. Quan està tancada no fa cap soroll.	
7	Pot ser d'or o de plata. Normalment és rodó i llis.	
8	Normalment és rodó i dolç. Te'l regalen per l'aniversari.	
9	Acostumen a ser de cuiro o de material sintètic. Tenen una forma allargada. Poden ser amb taló o sense.	
10	Acostuma a ser rodó, encara que n'hi ha de moltes formes. Normalment és de vidre, però també pot ser de plàstic. Serveix per beure.	
11	Per fora pot ser de pell, de plàstic i fins i tot de cotó o de seda. La seva parella més constant és el televisor. T'hi pots asseure o estirar.	
12	A vegades fa olor i a vegades fa pudor. Depèn del gust de qui l'olori.	

a	Deu ser l'objecte més desitjat després de dinar.
b	Els despistats en solen dur un de cada color.
c	N'hi ha una marca que es va fer famosa perquè era l'única cosa que es posava una actriu quan se n'anava a dormir.
d	La majoria de la gent els compra per regalar.
e	Poden ser més llargues o més curtes, depèn del número.
f	En català té dos noms ben diferents.
g	Si les fulles són arrugades, ja les pots llençar.
h	Un cop a l'any et recorda que et fas vell.
i	La gent diu que el dia que te'l posen ets molt feliç; però a vegades ho ets més el dia que te'l treus.
j	N'hi ha molts als museus perquè la gent vagi a mirar-los.
k	Molt sovint són de quadres i no falten mai en un bon restaurant.
l	Serveix per reconèixer els tafaners.

7 Completa els diàlegs amb la forma adequada dels verbs del quadre.

escoltar
fer soroll
sentir

1 T'agrada aquest disc?
No ho sé, l'________________ per la ràdio moltes vegades, però no l'________________ mai. Avui l'________________ i ja et diré què m'ha semblat. Però no sé si m'agradarà perquè aquest conjunt, més que música, ________________.

2 Què és això? ________________ quin soroll?
Ui, sí! Em sembla que és la caixa de música que ________________ perquè no funciona bé.

mirar
veure

3 He anat a comprar un sofà, però n'hi havia tants, que no me'ls he pogut ________________ amb detall.

Doncs l'altre dia en aquesta botiga, jo en ________________ un de molt bonic.

4 ________________ detingudament tots els anells de l'aparador i no sé quin comprar.

Doncs vés a una altra botiga. Segur que en ________________ molts més.

5 T'has comprat les sabates?

No. M'________________ totes les de la sabateria, però no n'________________ cap que m'agradi.

fer bona olor
fer olor (de)
fer pudor (de)
olorar

6 Aquest perfum ________________. Em sembla que me'l quedo.

Vols dir que no n'hauries d'________________ més, abans de comprar-lo?

7 Aquests mitjons ________________. Posa'ls a rentar.

Vols dir? Jo els ________________ i no en fan tanta.

Home! No ________________ roses, però me'ls puc posar.

Ets un porc!

provar
tastar
tenir gust (de)

8 ________________ aquest pastís?

Sí, és molt bo. Com l'has fet?

Com sempre.

Doncs jo ________________ de fer-lo ahir i em va sortir molt àcid, ________________ llimona amargant.

9 De què ________________ aquest gelat?

De maduixa. És molt bo, el vols ________________?

8 **En parelles A i B. (A tapa els dibuixos de B, B tapa els dibuixos de A.) Demana a la teva parella com són i per a què serveixen els seus objectes.**

Com és?

Per a què serveix?

Deu ser una sabata.

Acostuma a ser de cuiro o de material sintètic. Té una forma allargada. Pot ser més llarga o més curta.

Per caminar.

A

B

9 Escriu totes les preguntes possibles per a cada resposta.

De què és? / De quin material és? / De què està fet?
De plàstic.

1 ______
De perfum.

2 ______
De maduixa.

3 ______
De metall.

4 ______
És allargat.

5 ______
De plata.

6 ______
Rodona.

7 ______
De xocolata.

8 ______
És blava.

9 ______
De cotó.

10 ______
De peix passat.

11 ______
És dolç.

12 ______
De net.

13 ______
És amarg.

14 ______
És de cuiro.

10 Completa els diàlegs amb **que, què, quin, quina** o **quines**.

Diàleg 1

Endevina ______ (1) tinc!
______ (2) forma té?
És una cosa rodona.
De ______ (3) material és?
Em sembla ______ (4) és de metall, de vidre...
De ______ (5) color és?
Negre i de color de plata.
______ (6) característiques té?
Té una esfera, una rodeta, una cadena...
______ (7) fa olor?
No.
I, ______ (8) fa soroll?
Sí.
______ (9) soroll fa?
Fa tic-tac, tic-tac...
Em sembla ______ (10) és un rellotge.
Per ______ (11) t'ho sembla?
Home! Si fa tic-tac només pot ser un rellotge o una bomba. No et sembla?

Diàleg 2

Saps ______ (1) t'he portat?
No. ______ (2) és?
Endevina-ho.
______ (3) és per menjar?
Sí.
______ (4) fa olor?
Sí, fa olor de formatge.
De ______ (5) té gust?
De ______ (6) vols que tingui gust, si fa olor de formatge?
És clar! És un formatge.
No.
Ah, no? I de ______ (7) està fet?
De formatge, de farina, de pernil...
Ja ho sé, ______ (8) és rodona?
No.
No? Doncs ______ (9) forma té?
Quadrada i plana.
Quadrada? Una pizza quadrada?
És ______ (10) no és una pizza.
Doncs ______ (11) és?
Un entrepà de pernil i formatge calent. Bé, calent ho era fa una estona, ara ja és fred.

11 Escull l'opció correcta.

1 De ________________ color és?
- a que
- b què
- c quin

2 És una camisa ________________ quadres.
- a en
- b a
- c de

3 Aquesta sopa té gust ________________ pernil.
- a el
- b a
- c de

4 Aquesta beguda fa olor ________________ llimona.
- a a
- b de
- c la

5 Aquestes sabates fan pudor ________________ peus.
- a els
- b a
- c de

6 Aquest rellotge va molt bé, però ________________ molt soroll.
- a té
- b fa
- c dóna

7 De què ________________?
- a et sembla
- b potser
- c pot ser

8 A mi ________________ que és una pilota de bàsquet.
- a sembla
- b semblo
- c em sembla

9 ________________ un regal. És per a mi?
- a Sembla
- b Potser
- c Serà

10 Què ________________ això?
- a potser
- b pot ser
- c deu

12 Escolta les descripcions. Mira la fotografia i identifica l'objecte. Escriu-ne el nom.

13 Tens alguna cosa que vulguis vendre? Escriu un petit anunci en què descriguis breument l'objecte.

14 En aquest text les paraules en negreta s'han canviat de lloc. Posa-les al lloc que els correspon.

Al meu poble hi ha de tot. Hi ha un **banc**(1) on serveixen un menjar molt bo i econòmic. Al costat hi ha la **merceria**(2) de la Roser. És una mica antiquada, però hi ha llibres, DVD, revistes... molt actuals. Al davant hi ha el **restaurant de menú**(3), on venen pans i pastes de tota mena, sembla danès, amb tanta varietat. A la **drogueria**(4) de la Clotilde hi pots trobar fils, llanes, botons, cremalleres... n'hi ha de tots els colors, i tot és molt modern, com ella. Al contrari del Juli, que és un vell rondinaire. A la seva **llibreria**(5) hi ha més pols que una altra cosa. Si vols pintar, has d'anar a comprar les pintures a la zona industrial. El germà del Juli va heretar la **sabateria**(6) de la seva mare, que era molt espavilada, i que va posar una botiga a la plaça. Hi tenia des de bombetes fins a llums i, sobretot, un bon servei de reparacions. A la plaça mateix hi ha el **forn**(7), que no és gaire gran, però hi ha parades de peix, de carn i de verdura. Tot és molt fresc i no és tan car com el **quiosc**(8), on totes les verdures són molt maques, però no són gens bones. És clar que és còmode perquè hi ha tota mena de productes de menjar i de neteja. La **lampisteria**(9) és al carrer Major; hi fan unes coques de Sant Joan tan bones que la gent ve d'altres pobles a comprar-ne. La dona del pastisser va obrir una **ferreteria**(10) no fa gaire. Sempre té la botiga plena perquè té vambes de totes les marques i de tots els preus; hi va molta gent jove. A la sortida del poble hi ha la **bugaderia**(11), on, a més de vendre eines de bricolatge, et fan còpies de claus i t'afilen els ganivets. No sé si em deixo res. Ah, sí! El **mercat**(12) d'en Miquel, que sempre és pleníssim de diaris i revistes; però sobretot de gent, que hi va a fer la tertúlia del futbol. I el **supermercat**(13), és clar, ple de diners i caixes fortes, perquè, com que al poble hi ha de tot, els diners es queden aquí. De **pastisseria**(14), veus, no n'hi ha; tothom renta la roba a casa.

15 Completa els diàlegs amb les formes **hi ha o n'hi ha.**

1 Sap on ______________ (1) una farmàcia?
Em sembla que ______________ (2) una al capdamunt del carrer.
Quina pujada! És gaire lluny?
No gaire. D'aquí a allà ______________ (3) dos-cents metres més o menys; però, si no vol pujar, ______________ (4) una altra més avall.

2 Perdoni, sap on ______________ (1) un banc o una caixa?
Sí, ______________ (2) un banc aquí mateix, a la cantonada.
Saps si ______________ (3) caixer automàtic?
Al banc, no ho sé, però a la caixa sí que ______________ (4).
Ah, també ______________ (5) una caixa?
Sí, ______________ (6) una al costat del banc.

3 ______________ (1) alguna bugaderia, al barri?
No, al barri no ______________ (2), però cap al centre sí que ______________ (3). Em sembla que ______________ (4) una bugaderia i una tintoreria. Pots agafar l'autobús i et deixarà molt a la vora. Mira, aquí mateix ______________ (5) la parada.

4 Saps on ______________ (1) un supermercat?
Sí, ______________ (2) dos, però tots dos són als afores. Al de la sortida nord ______________ (3) moltes coses per a la casa, però no ______________ (4) carnisseria ni peixateria; en canvi, al de la sortida sud ______________ (5) carn, peix, verdura fresca...
______________ (6) cap autobús per anar-hi?
No, no ______________ (7) cap, hi has d'anar amb cotxe.

5 Vull comprar el diari. Saps si ______________ (1) cap quiosc per aquí?
No, no ______________ (2) cap. Però, si vols, ______________ (3) una llibreria on, a vegades, en venen, si no s'ha acabat.
Ah, que bé! En aquest barri ______________ (4) tantes coses!
Sí, ______________ (5) moltes coses..., però no ______________ (6) cap quiosc. Que és el que volies, oi?

16 Completa els diàlegs amb les formes **hi ha, n'hi ha o és.**

1 Bon dia, sap on ________________ la catedral, sisplau?
Sí, és clar. La catedral ________________ molt a prop d'aquí. Tiri per aquest carrer amunt...

2 Perdoni, em pot dir si ________________ cap pastisseria per aquí a prop?
Sí, em sembla que ________________ una a la cantonada del carrer de sobre.

3 Saps on ________________ el cinema Truffaut?
Sí, crec que ________________ al carrer Nou, al costat del Centre Cultural.

4 Sap si ________________ un cinema, per aquí a la vora?
Sí, em sembla que ________________ un al costat del Centre Cultural.

5 Em sembla que la lampisteria que estàs buscant ________________ a la plaça de Catalunya.
Sí que hi era, però em sembla que ja no hi ________________. Ara ________________ al carrer Pelai.

6 Perdoni, sap on ________________ una drogueria per aquí?
Ho sento. Sé que ________________ una per aquí a la vora, però no sé on ________________.

7 Hola, saps on ________________ l'Ajuntament?
Aquí mateix ________________ l'Ajuntament del barri, però l'Ajuntament de la ciutat ________________ al centre.

8 Sap si ________________ alguna carnisseria, per aquí?
Sí, senyor. ________________ moltes. ________________ una al carrer de sota, ________________ una altra dues cantonades més amunt i encara ________________ una altra al capdamunt del carrer.

9 Disculpi, sap on ________________ la ferreteria més propera?
Crec que ________________ dues. Una ________________ al capdamunt del carrer i em sembla que ________________ una altra dos carrers més avall.

10 On ________________ el mercat del barri?
Al barri, no ________________. Al centre, ________________ un; però ________________ cinc o sis carrers més avall.

11 Perdoni, el restaurant El Bull?
Ui, per aquí no el trobarà pas. El Bull ________________ a Roses. Però aquí ________________ un altre que no és tan famós i està més bé de preu. Vol que li digui on ________________?
No, el d'aquí ja sé on ________________. Gràcies.

12 Perdoni, sap on ________________ el forn El panet?
No em sona. Està segur que ________________ en aquest poble? A mi em sembla que no ________________ cap forn que tingui aquest nom. Si vol, però, ________________ d'altres que són molt bons.

13 On ________________ un supermercat?
Ui! ________________ molts. El més a prop ________________ al carrer de sobre, però no ________________ gaires productes. El millor ________________ al capdavall del carrer. Tenen de tot. I encara ________________ un altre més avall, però jo no el conec.

14 Perdoni, em podria dir si ________________ algun estanc, per aquí a prop?
Si no m'equivoco, em sembla que ________________ un dos carrers més avall.
Ah, sí! Ja me'n recordo: al davant mateix d'una botiga de música.
No, aquell ja no hi ________________. Allà ara ________________ un restaurant japonès, l'estanc nou ________________ a la vorera del davant.

15 Joan, saps on ________________ una llibreria a prop?

Sí, mira, veus aquell semàfor? Doncs ________________ davant mateix.

I no ________________ cap més? És que en aquesta només ________________ llibres especialitzats i jo vull una novel·la.

Sé que ________________ una altra, però no sé on ________________.

16 Perdoneu, sabeu on ________________ la discoteca Fúria Caníbal, sisplau?

Fúria Caníbal? Em sembla que aquí no ________________ cap discoteca amb aquest nom. Però ________________ una que es diu Calma Total.________________ molt a prop d'aquí. Ah, i ________________ una altra una mica més lluny que es diu Salvatges Anònims.

Ah, molt bé. On ________________?

________________ cinc carrers més amunt.

D'acord, gràcies.

Ah! Espera un moment. Em sembla que la van tancar perquè feien molt soroll i ja no hi ________________.
Segur que ara allà ________________ uns grans magatzems.

17 Completa els diàlegs amb **cap, ningú** o **res.**

1 Perdoni, que hi ha ________________ dependenta, en aquesta secció?

Sí, un moment. Ara vindrà.

2 Has vist les camises?

Sí, però no me n'agrada ________________.

3 Sí que pesa la teva bossa!

Però si no hi porto gairebé ________________.

4 Perdoni, que no hi ha ________________, en aquesta secció?

Sí, ara vinc. Un moment.

5 Ja has parlat amb l'encarregat dels magatzems?

No, perquè he anat a la direcció, però no hi havia ________________.

6 Que vol ________________ més?

No, gràcies. ________________ més. Ja ho tinc tot. Quant és?

7 Què t'han regalat?

Encara no m'han regalat ________________.

Encara no t'han fet ________________ regal?

No.

8 Han obert una botiga d'objectes de disseny. Hi has anat?

Sí, però hi havia molta gent.

Doncs quan jo hi vaig anar no hi havia ________________. Però no em va agradar ________________.

No vas veure ________________ objecte interessant?

No.

9 Quanta gent va venir a la inauguració de la botiga?

No va venir ________________!

________________ persona!

Com és?

Perquè a la invitació hi van escriure la data equivocada.

10 Què li has comprat al Pau, per al seu aniversari?

No li he comprat ________________.

No li has comprat ________________ regal? Doncs ja pots anar a comprar-li alguna cosa!

18 Completa els diàlegs amb les paraules del quadre. Es poden repetir.

en
n'hi ha
puc
qualsevol
trobaràs
venguin
venen

1 Saps on ________ comprar un desembussador?
Sí, ________ ________ a la drogueria.

2 Coneixes cap botiga on ________ agulles d'estendre?
No sé si hi ha alguna botiga on ________ ________,
però segur que ________ ________ al súper.

3 On ________ comprar un allargador?
________ ________ a la ferreteria o a ________ supermercat.

4 Se m'han acabat les grapes, saps on ________ ________ comprar?
Em sembla que ________ ________ a la papereria.

5 Necessito un lladre per connectar el llum, saps cap botiga on ________ ________?
Sí, a ________ ferreteria. I potser també ________ ________ al basar xinès. Hi ha de tot.

6 Ostres! Se m'ha trencat la punxa del llapis i no tinc cap maquineta. Saps on ________ ________ comprar una?
A ________ papereria. ________ una al costat de l'escola.

7 Coneixes cap lloc on venguin xinxetes?
Em sembla que a les papereries ________ ________.

8 Per comprar una bombeta, ________ anar a la ferreteria?
Sí, ________ una tres carrers més avall.

9 Saps algun lloc on ________ clips?
Sí, a ________ papereria.

10 Em falten claus per arreglar aquesta taula, coneixes cap botiga del barri que ________ ________?
________ una, on venen de tot, a la cantonada. Potser allà ________ ________.

19 Completa els diàlegs amb les paraules del quadre. Es poden repetir.

agafa
al capdamunt
amunt
baixa
baixi
cau
és
gireu
hi és
n'hi ha
puges
s'hi
tombes

1 On és la floristeria?
És allà dalt de tot, ________ del carrer.
Ja hi he anat i no l'he vist. N'estàs segura que ________?
Sí, dona, hi vaig cada dia.

2 Com puc anar a la piscina?
________ el metro aquí mateix i ________ a la tercera parada. La piscina és una mica més ________, abans d'arribar al carrer de sobre.

3 Perdoni, com podem anar a l'estació?
________ per aquest carrer a mà dreta i continueu tot recte. Ja la veureu. ________ davant d'un edifici molt alt.

4 Terenci, saps on ________________ la biblioteca del barri?
Sí, ________________ a la plaça d'Orient.
I com ________________ va?
________________ aquest carrer fins ________________. ________________ a la dreta i la plaça ________________ a cent metres.

5 Perdoni, cap on ________________ la parada de taxis?
Miri, ________________ carrer avall fins a la plaça. Allà ________________ una.
No, aquesta ja no ________________.
Doncs no sé si ________________ una altra per aquí. Pot preguntar-ho al senyor del quiosc.
Gràcies.

20 Escolta el text de l'exercici 7 del llibre de l'alumne i després llegeix-lo en veu alta.

21 Completa les frases amb **perquè** o **com que**.

1 ________________ la Mireia és molt especial, només compra la verdura fresca.
2 No he comprat el pa ________________ no he trobat el forn.
3 No t'he dit què és això ________________ no m'ho has preguntat.
4 ________________ hi havia molta gent al banc, he tornat a casa.
5 ________________ quan plego el mercat està tancat, vaig a la botiga del barri.
6 Vaig a la botiga del barri ________________, quan plego, el mercat està tancat.
7 ________________ no m'ho has preguntat, no t'he dit què és això.
8 ________________ s'ha engreixat, no menjarà dolços.
9 Aquest estiu treballaré a la botiga dels meus pares ________________ no he aprovat els exàmens.
10 Crec que aquests pantalons són molt calents ________________ són gruixuts.

22 Transforma les frases com en l'exemple.

*Vaig tancar la botiga **perquè** em vaig jubilar.*
***Com que** em vaig jubilar, vaig tancar la botiga.*

1 He canviat el nom de l'empresa perquè l'altre soci se n'ha anat.
2 Com que és el teu aniversari, t'ha regalat aquest ram de flors.
3 Com que no he trobat la botiga, no li he comprat el regal.
4 No menjo bombons perquè engreixen.
5 Com que no tenia clients, la Mireia va tancar la botiga.
6 Li he comprat un anell perquè m'hi vull casar.
7 Com que és el teu aniversari, t'he fet aquest pastís.
8 He anat al centre comercial perquè hi ha de tot.
9 Van obrir els magatzems a la plaça Catalunya perquè era el centre comercial.
10 Aniré al supermercat perquè necessito piles i bombetes.

23 Completa les frases amb **perquè, com que** o **per això.**

1 Oi que el supermercat tanca a les deu?
No, a dos quarts de deu. _______________ hi vaig ara mateix.
És veritat. Són les nou tocades!

2 Ja li has comprat un regal al Josep?
Sí. No et preocupis. Li he comprat un rellotge _______________ sé que li agraden molt.

3 Què portes? No calia!
He portat les postres. _______________ tenia moltes maduixes, us he fet un pastís.

4 Encara tens tanta feina?
Sí, molta. I _______________ no us acompanyaré a comprar.

5 Sempre vaig a comprar al centre, _______________ hi ha moltes botigues.
Sí, jo també hi vaig.
_______________ ens hi hem trobat tantes vegades.

6 Ja han vingut els teus amics australians?
Sí, van arribar ahir i, _______________ aquesta setmana no treballo, els portaré als mercats de la ciutat.

7 _______________ el seu fill no volia quedar-se el negoci familiar, els pares han hagut de traspassar-lo.
Ah, _______________ els seus pares estan tan desanimats.
Sí, _______________ es pensaven que el fill continuaria el negoci.

8 La Teresa ha anat a comprar tovalloles noves _______________ les velles són aspres, però, _______________ no n'ha trobat de color verd, les ha comprat de color rosa.
De color rosa? Si tu odies el color rosa!
_______________ estic tan empipat! Segur que ho ha fet expressament.

24 Completa les frases amb **llavors, perquè** o **doncs.**

1 A mi m'agrada aquesta colònia.
_______________ a mi no. Fa massa olor de taronja.

2 El propietari del bar el va traspassar fa dos anys. _______________ els nous propietaris el van reformar i van obrir un bar de nit.

3 El Gerard no ha comprat el sofà _______________ l'ha trobat massa car.
És un garrepa!

4 Què faries, te'ls quedaries?
_______________ no ho sé. Depèn del preu.

5 Quan he plegat de la feina, he anat a comprar al supermercat. He arribat a casa a les sis.
_______________ he trucat al meu germà per convidar-lo a sopar.

6 _______________ així, què fem?
_______________ si vols que t'acompanyi, ja podem marxar.
Molt bé, _______________. Au, anem-nos-en.

7 Els nous propietaris van mantenir la decoració de l'interior _______________ era una característica de l'establiment.

8 Van tancar el supermercat i _______________, al cap d'un any, van obrir un garatge.
No ho sabia.

9 M'agrada el meu barri ________________ hi ha moltes botigues i no són gaire cares.
________________ jo m'estimo més el meu.

10 Aquí no hi havia una ferreteria?
Sí, però fa molt temps que la van tancar, ________________ el propietari es va morir.
________________ una família pakistanesa va llogar el local, hi va fer obres i va obrir aquest supermercat.

25 Escolta el text i digues si les frases són veritables (V) o falses (F).

1	El Águila va ser el primer gran magatzem que es va obrir a Barcelona.	
2	Els magatzems Jorba van ser els únics grans magatzems a Barcelona durant molts anys.	
3	Els magatzems Jorba eren coneguts perquè, a més de vendre, organitzaven altres activitats.	
4	Tots els magatzems Jorba tenien el mateix estil arquitectònic.	
5	El senyor Jorba va ser un empresari molt innovador.	
6	El primer edifici d'El Corte Inglés es va construir on hi havia uns altres magatzems.	

26 Completa les frases amb **què** o **que**. Després escolta les frases i repeteix-les.

1 ________________ hi ha a la sisena planta: la secció d'esport o la de joguines?
2 ________________ hi ha la perfumeria, a la tercera planta?
3 ________________ és de fusta, aquesta caixa de música?
4 ________________ és això? Una bombeta?
5 ________________ hi ha a sota de casa teva? Un bar?
6 ________________ hi ha un bar, a sota de casa teva?
7 ________________ em poden atendre, sisplau?
8 ________________ es vol emprovar els pantalons?
9 ________________ més vol?
10 ________________ vol alguna altra cosa?
11 ________________ el puc ajudar?
12 ________________ hi ha a baix de tot?
13 ________________ t'agraden aquests pantalons?
14 ________________ hi ha cap banc per aquí?
15 ________________ hi ha aquí?

27 Escull l'opció correcta.

1 A la tercera planta, ________________?
La secció d'electrodomèstics.
a que n'hi ha
b que hi ha
c què hi ha

2 Que hi ha la cafeteria, a la setena planta?
No, ________________ a la vuitena.
a hi ha
b és
c hi és

3 Perdoni, sap si ________________ cap llibreria?
Sí, a baix de tot.
a hi ha
b n'hi ha
c hi és

4 Que ________________ l'estanc, en aquesta planta?
No, és a la segona.
a hi ha
b n'hi ha
c és

5 I a l'ultima planta, ________________?
El restaurant i una terrassa.
a que hi ha
b què hi ha
c que n'hi ha

6 On ________________ la secció d'oportunitats?
A la sortida, abans de les caixes.
a està
b és
c n'hi ha

7 ________________ a la secció d'oportunitats?
Els articles de la temporada passada.
a Què hi ha
b Que hi ha
c Que n'hi ha

8 Perdoni, sap si hi ha algun supermercat?
Sí, ________________ un al primer soterrani.
a és
b hi ha
c n'hi ha

9 Què hi ha a la quarta planta?
________________ la secció de moda jove.
a Hi ha
b N'hi ha
c Hi és

10 ________________ bar a l'hospital?
Sí, a la planta baixa, però no s'hi pot fumar.
a Que n'hi ha
b Què hi ha
c Que hi ha

28 Relaciona les dues columnes.

1		La puc ajudar?
2		Em podrà fer un descompte?
3		Puc pagar amb targeta?
4		És molt car!
5		Es vol emprovar una altra talla?
6		La vol olorar?
7		Així, doncs, li agrada?
8		Hi ha algú en aquesta secció?
9		Com et van?
10		Tu què faries?

a	Sí, ara vinc. Un moment.
b	Sí, és clar. Em deixa el carnet?
c	Molt. Me'l quedo.
d	Crec que una mica grossos, oi?
e	Ho sento, però no podem rebaixar més els preus.
f	No, gràcies. Ja em va bé aquesta.
g	No, gràcies. Només estic mirant.
h	No, gràcies. És que estic constipada.
i	Bé, és que és un producte de molt bona qualitat.
j	Queda-te-la. Segur que te la posaràs.

29 Escriu la pregunta més adequada per a cada resposta.

1 ____?
Els podem fer un 5 per cent.

2 ____?
No, ja em va bé aquesta talla, gràcies.

3 ____?
Sí, és clar. Té una garantia de cinc anys.

4 ____?
En efectiu.

5 ____?
La màquina per pagar el pàrquing és al primer soterrani.

6 ____?
Estem mirant, gràcies.

7 ____?
És a la sisena planta.

8 ____?
No em queda gaire bé, potser una talla menys m'aniria millor.

30 Completa el text.

Dos amics de la infantesa, en Blai i l'Emili, es troben després de molt temps.

Blai: Ets l'Emili, oi?

Emili: Sí, i tu ets en Blai? Quant temps! Què fas al poble? Quan has arribat?

Blai: Aquest matí. Penso venir a viure aquí l'any que ve!

Emili: No ________________ (1)! Què dius ara?

Blai: Sí, i la primera cosa que he fet quan ________________ (2) al poble és venir a la plaça. Quins records!

Emili: Sí, la plaça de la botiga de joguines. Te'n recordes?

Blai: És veritat! Aquí hi havia la botiga de joguines. Ostres, com ha canviat! Tu i jo, quan ________________ (3) petits, ________________ (4) a jugar en aquesta plaça cada tarda, quan ________________ (5) de l'escola.

Emili: Quant temps que ha passat! El propietari de la botiga es deia Ramon Roure i tu li ________________ (6) senyor Damon Doude ________________ (7) no sabies pronunciar la erra.

Blai: Sí. I a vegades ens deixava una ________________ (8) per jugar a futbol a la plaça. ________________ (9) és viu el senyor Ramon?

Emili: Sí, però viu ____________ (10) Andorra, a casa de la seva filla. És viudo. Quan ____________ (11) la seva dona, ell es va sentir molt sol i estava molt deprimit i ________________ (12). Per això, se'n va anar a casa de la seva filla. Ara ja ________________ (13) bé, i crec que surt amb una andorrana que ________________ (14) al casal d'avis.

Blai: Així que es va vendre la botiga i se'n va anar?

Emili: Sí, i hi van obrir aquest banc. I allà hi havia la ferreteria.

Blai: On? Allà on ________________ (15) el supermercat?

Emili: No, una mica més ________________ (16). No te'n recordes?

Blai: No, ara no.

Emili: Sí, home. Els dependents ________________ (17) una camisa blava i uns pantalons de ratlles, blanques i negres.

Blai: Ah, sí, ara me'n recordo! És veritat! I el quiosc de la plaça, on ________________ (18)?

Emili: Ara ________________ (19) pujant el carrer Major, al ________________ (20).

Blai: I a la cantonada què hi fan?

Emili: Hi volen fer pisos. Aquesta setmana han enderrocat l'edifici perquè fa sis mesos que ________________ (21) un incendi. ________________ (22) gairebé tot l'edifici. No ____________ (23) sabies? Fins i tot vam sortir al telenotícies. A la planta baixa, hi ________________ (24) una biblioteca pública molt aviat.

Blai: Que bé! ________________ (25) canvis!

Emili: Sí, i tu l'any que ve ________________ (26) a viure al poble! Això sí que és un canvi, després de vint anys sense venir-hi.

Blai: Quan ________________ (27) les oposicions, vaig demanar la plaça de ________________ (28) a algun CAP de la comarca. Ja estava ________________ (29) de viure en una ciutat. Madrid està bé, però tenia ganes de tornar. I per anar a un altre poble, millor aquest que ja ________________ (30) conec.

Emili: Tens dos fills, oi? I què hi diuen?

Blai: ________________ (31) el petit només té quatre anys, de moment no diu res, però el gran al principi no volia ________________ (32) de Madrid, però ara ________________ (33) content i també, nerviós, com jo. Quan penso en aquest canvi de vida, ________________ (34) mal la panxa.

Emili: I parlen català els teus fills?

Blai: Sí, ________________ (35) entenen i ________________ (36) parlen força bé.

Emili: Quan els teus fills ________________ (37), els presentaré els meus. Tenen més o menys la mateixa edat. Això sí, tu ________________ (38) de parlar amb la Roser, la directora de l'escola, per saber si hi ha plaça per als teus fills. ________________ (39)-hi a la tarda, que l'hi trobaràs.

Blai: Ja hi aniré. Bé, i tu què? Què fas?

Emili: Treballo a l'Ajuntament. De fet sóc l'alcalde del poble!

Blai: Ostres, noi!

Emili: Sí, però és molta feina i quan em trobo els veïns sempre són ________________ (40) i problemes!

Blai: Ja se sap. Si vols ser un bon alcalde cal que ________________ (41) paciència i que ________________ (42) amb la gent del poble. Els alcaldes i els metges ________________ (43) ser comunicatius i sociables, i saber escoltar.

Emili: Ui, crec que l'any que ve, a les pròximes eleccions, ________________ (44) competència!

1

1. a; 2. b; 3. a; 4. b; 5. d; 6. d; 7. e; 8. a; 9. d; 10. e; 11. b; 12. b ;13. e; 14. b; 15. c; 16. d; 17. c; 18. a; 19. b; 20. b; 21. a; 22. e; 23. d; 24. e; 25. d

2

1. e; 2. c; 3. h; 4. i; 5. j; 6. a; 7. g; 8. d; 9. b; 10. f

3

1.
b. Aquests tomàquets no m'agraden perquè són àcids i freds. c. Aquesta poma no m'agrada perquè és àcida i freda. d. Aquestes pomes no m'agraden perquè són àcides i fredes.
2.
b. Els primers plats, a més de salats, eren dolents. c. La sopa, a més de salada, era dolenta. d. Les sopes, a més de salades, eren dolentes.
3.
b. Els pebrots, si són arrugats, són una mica amargants.
c. L'albergínia, si és arrugada, és una mica amargant.
d. Les albergínies, si són arrugades, són una mica amargants.
4.
b. M'agraden molt els plàtans quan són tous, perquè són més dolços.
c. M'agrada molt la taronja quan és tova, perquè és més dolça.
d. M'agraden les taronges quan són toves, perquè són més dolces.
5.
b. M'estimo més els bistecs gruixuts i una mica picants.
c. M'estimo més la botifarra gruixuda i una mica picant.
d. M'estimo més les botifarres gruixudes i una mica picants.
6.
b. Li agraden els pèsols perquè són petits i rodons.
c. Li agrada la cirera perquè és petita i rodona.
d. Li agraden les cireres perquè són petites i rodones.
7.
b. Aquests peixos són allargats, no gaire amples i aspres al tacte.
c. Aquesta mongeta és allargada, no gaire ampla i aspra al tacte.
d. Aquestes mongetes són allargades, no gaire amples i aspres al tacte.
8.
b. Els vins negres, t'agraden més frescos o calents?
c. La beguda, t'agrada més fresca o calenta?
d. Les begudes, t'agraden més fresques o calentes?
9.
b. Els bons talls de pernil no cal que siguin grans, han de ser prims i gens salats.
c. La bona llesca de pa amb tomàquet no cal que sigui gran, ha de ser prima i gens salada.
d. Les bones llesques de pa amb tomàquet no cal que siguin grans, han de ser primes i gens salades.
10.
b. Els espinacs, si són amargs, són més bons tebis.
c. La verdura, si és amarga, és més bona tèbia.
d. Les verdures, si són amargues, són més bones tèbies.
11.
b. M'agraden aquests pastissos perquè són gelats i durs, però, quan te'ls menges, són molt suaus.
c. M'agrada aquesta mantega perquè és gelada i dura, però, quan te la menges, és molt suau.
d. M'agraden aquestes mantegues perquè són gelades i dures, però, quan te les menges, són molt suaus.
12.
b. Les verdures per ser bones no han de ser seques; és millor, si són una mica humides.
c. L'enciam per ser bo no ha de ser sec; és millor, si és una mica humit.
d. Els enciams per ser bons no han de ser secs; és millor, si són una mica humits.
13.
b. Els llenguados són més aviat llargs i plans.
c. La mongeta tendra és més aviat llarga i plana.
d. Les mongetes són més aviat llargues i planes.
14.
b. Per fer aquest plat necessites uns carbassons llisos i grossos, i els has de tallar molt fins.
c. Per fer aquest plat necessites una patata llisa i grossa, i l'has de tallar molt fina.
d. Per fer aquest plat necessites unes patates llises i grosses, i les has de tallar molt fines.
15.
b. Li agraden els entrepans quadrats i ben plans.
c. Li agrada la llesca de l'entrepà quadrada i ben plana.
d. Li agraden les llesques de l'entrepà quadrades i ben planes.

4

1. a; 2. b; 3. b; 4. a; 5. a; 6. b; 7. b; 8. b; 9. a; 10. a; 11. a; 12. a; 13. a; 14. b; 15. b

5 Solucions orientatives

1. e, f, i; 2. e, f, i; 3. b, d, g, h, i; 4. b, d, j; 5. b, d, h; 6. h, i; 7. b, d, h, j; 8. g; 9. b, i; 10. e, f, i; 11. g; 12. a, f, g, i, k; 13. h, i; 14. c, e, f; 15. e, f, i, k; 16. h, i; 17. b, h, i; 18. a, e, f, i, k; 19. k; 20. e, f, i, k; 21. a, e, f, i, k; 22. b, d, h, j

6

1. b (mitjons); 2. k (estovalles); 3. d (bombons); 4. j (quadre); 5. g (flors); 6. l (caixa de música); 7. i (anell); 8. h (pastís); 9. e (sabates); 10. f (vas o got); 11. a (sofà); 12. c (perfum)

7

1. he sentit, he escoltat, escoltaré, fa soroll; 2. Sents, fa soroll; 3. mirar, vaig veure; 4. He mirat, veus / veuràs; 5. he mirat, he vist; 6. fa bona olor, olorar; 7. fan pudor, he olorat, fan olor de; 8. Has tastat, vaig provar, tenia gust de; 9. té gust, tastar

9

1. De què fa olor? / Quina olor fa?
2. De què té gust? / Quin gust té?
3. De què és / està fet? / De quin material és / està fet?
4. Com és? Quina forma té?
5. De què és / està fet / De quin material és / està fet?
6. Com és? / Quina forma té?
7. De què és / està fet? / Quin gust té? / De què té gust?
8. De quin color és?
9. De què és / està fet? / De quin material és / està fet?
10. De què fa pudor?
11. Com és / De què té gust? / Quin gust té?
12. De què fa olor? / Quina olor fa?
13. Com és / De què té gust? / Quin gust té?
14. De què és / està fet? / De quin material és / està fet?

10

Diàleg 1
1. què; 2. Quina; 3. quin; 4. que; 5. quin; 6. Quines; 7. Que; 8. que; 9. Quin; 10. que; 11. què

Diàleg 2
1. què; 2. Què; 3. Que; 4. Que; 5. què; 6. què; 7. què; 8. que; 9. quina; 10. que; 11. què

11

1. c; 2. c; 3. c; 4. b; 5. c; 6. b; 7. c; 8. c; 9. a; 10. b

12

1. bolígraf; 2. càmera de fotografia; 3. portamonedes; 4. encenedor; 5. grapadora; 6. claus; 7. paquet; de cigarrets; 8. mòbil; 9. ulleres; 10. botons; 11. auriculars

14

1. restaurant de menú; 2. llibreria; 3. forn; 4. merceria; 5. drogueria; 6. lampisteria; 7. mercat; 8. supermercat; 9. pastisseria; 10. sabateria; 11. ferreteria; 12. quiosc; 13. banc; 14. bugaderia

15

1.
1. hi ha; 2. n'hi ha; 3. hi ha; 4. n'hi ha

2.
1. hi ha; 2. hi ha; 3. hi ha; 4. n'hi ha; 5. hi ha; 6. n'hi ha

3.
1. Hi ha; 2. n'hi ha; 3. n'hi ha; 4. hi ha; 5. hi ha

4.
1. hi ha; 2. n'hi ha; 3. hi ha; 4. hi ha; 5. hi ha; 6. Hi ha; 7. n'hi ha

5.
1. hi ha; 2. n'hi ha; 3. hi ha; 4. hi ha; 5. hi ha; 6. hi ha

16

1. és, és; 2. hi ha, n'hi ha; 3. és, és; 4. hi ha, n'hi ha; 5. és, és, és; 6. hi ha, n'hi ha, és; 7. és, hi ha, és; 8. hi ha, N'hi ha, N'hi ha, n'hi ha, n'hi ha; 9. és, n'hi ha, és, n'hi ha; 10. és, n'hi ha, n'hi ha, és; 11. és, n'hi ha, és, és; 12. és, és, hi ha, n'hi ha; 13. hi ha, N'hi ha, és, hi ha, és, n'hi ha; 14. hi ha, n'hi ha, és, hi ha, és; 15. hi ha, és, n'hi ha, hi ha, n'hi ha, és; 16. és, hi ha, n'hi ha, És, n'hi ha, és, És, és, hi ha

17

1. cap; 2. cap; 3. res; 4. ningú; 5. ningú; 6. res, res; 7. res, cap; 8. ningú, res, cap; 9. ningú, Cap; 10. res, cap

18

1. puc, en, trobaràs / venen; 2. venguin, en, venguin, en, trobaràs / venen; 3. puc, En, trobaràs / venen, qualsevol; 4. en, puc, en, trobaràs / venen; 5. en, venguin, qualsevol, en, trobaràs / venen; 6. en, puc, qualsevol, N'hi ha; 7. en, trobaràs / venen; 8. puc, n'hi ha; 9. venguin, qualsevol; 10. en, venguin, N'hi ha, en, trobaràs / venen

19

1. al capdamunt, hi és; 2. Agafa, baixa, amunt; 3. Gireu, És; 4. és / cau, és, s'hi, Puges, al capdamunt, Tombes, és; 5. és / cau, baixi, n'hi ha, hi és, n'hi ha

21

1. Com que; 2. perquè; 3. perquè; 4. Com que; 5. Com que; 6. perquè; 7. Com que; 8. Com que; 9. perquè; 10. perquè

22

1. Com que l'altre soci se n'ha anat, he canviat el nom de l'empresa; 2. T'ha regalat aquest ram de flors perquè és el teu aniversari; 3. No li he comprat el regal perquè no he trobat la botiga; 4. Com que els bombons engreixen, no en menjo; 5. La Mireia va tancar la botiga perquè no tenia clients; 6. Com que m'hi vull casar, li he comprat un anell; 7. T'he fet aquest pastís perquè és el teu aniversari; 8. Com que al centre comercial hi ha de tot, hi he anat; 9. Com que la plaça Catalunya era el centre comercial, hi van obrir els magatzems; 10. Com que necessito piles i bombetes, aniré al supermercat.

23

1. Per això; 2. perquè; 3. Com que; 4. per això; 5. perquè, Per això; 6. com que; 7. Com que, per això, perquè; 8. perquè, com que, Per això

24

1. Doncs; 2. Llavors; 3. perquè; 4. Doncs; 5. Llavors; 6. Doncs, Doncs, doncs; 7. perquè; 8. llavors; 9. perquè, Doncs; 10. perquè, Llavors

25

1. F; 2. F; 3. V; 4. F; 5. V; 6. V

26

1. Què; 2. Que; 3. Que; 4. Què; 5. Què; 6. Que; 7. Que; 8. Que; 9. Què; 10. Que; 11. Que; 12. Què; 13. Que; 14. Que; 15. Què

27

1. c; 2. b; 3. a; 4. a; 5. b; 6. b; 7. a; 8. c; 9. a; 10. c

28

1. g; 2. e; 3. b; 4. i; 5. f; 6. h; 7. c; 8. a; 9. d; 10. j

29 Solucions orientatives

1. Que ens poden fer descompte?
2. Es vol emprovar una altra talla?
3. Que té garantia?
4. Com vol pagar?
5. On és la màquina per pagar el pàrquing?
6. Els puc ajudar?
7. On és...?
8. Com li queda?

30

1. fotis
2. he arribat
3. érem
4. veníem
5. sortíem / plegàvem / tornàvem
6. deies
7. perquè
8. pilota
9. Encara / Que
10. a
11. va morir / es va morir / va morir-se
12. desanimat / fotut...
13. està / es troba
14. va conèixer / ha conegut
15. hi ha
16. amunt / avall / a prop / lluny
17. portaven / duien / anaven amb
18. és
19. és
20. capdamunt
21. hi va haver / va haver-hi
22. Es va cremar / Va cremar-se
23. ho
24. faran / obriran
25. Quants / Quins
26. vindràs
27. vaig aprovar / vaig passar / vaig fer
28. metge
29. tip / fart / cansat / avorrit
30. el
31. Com que
32. anar-se'n / marxar
33. està
34. em fa
35. l'
36. el
37. arribin / vinguin
38. has / hauries
39. Vés
40. maldecaps / baralles...
41. tinguis
42. parlis / t'avinguis...
43. hem de ser / han de ser
44. tindré / hi haurà

Gramàtica

UNITAT 1 AIXÍ, COM QUEDEM?

Flexió de gènere i nombre dels adjectius

- Per fer apreciacions sobre activitats de lleure podem fer servir els adjectius següents.

SINGULAR		PLURAL	
masculí	femení: **-a**	masculí: **-s** / **-os**	femení: **-es**
ridícul	*ridícul**a***	*ridícul**s***	*ridícul**es***
divertit	*diverti**da***	*divertit**s***	*diverti**des***
avorrit	*avorri**da***	*avorrit**s***	*avorri**des***
pràctic	*pràctic**a***	*pràctic**s***	*pràcti**ques***
melancòlic	*melancòlic**a***	*melancòlic**s***	*melancòli**ques***
perillós	*perillos**a***	*perillos**os***	*perillos**es***
difícil		*difícil**s***	
excitant		*excitant**s***	
relaxant		*relaxant**s***	
entranyable		*entranyable**s***	
horrible		*horrible**s***	

- Per qüestions fonètiques i ortogràfiques alguns femenins singulars i / o plurals fan alguns canvis en els seus radicals: *divertit – diverti**da**, pràctica – pràcti**ques**, perillós – perill**osa**.*

- La majoria d'adjectius acabats en **-il, -ble** i **-ant** tenen una mateixa forma en masculí i en femení singular, i en masculí i en femení plural.

Superlatiu

- Per expressar èmfasi amb un adjectiu, sense fer comparacions, hi afegim el sufix **-íssim,** si fa d'adverbi, i **-íssim, -íssima, -íssims, -íssimes,** si fa d'adjectiu.

*Les festes majors **m'agraden moltíssim.***
*Hi va **moltíssima gent.** Són **festes divertidíssimes.***

Forma i ús dels quantificadors

- Els quantificadors són elements que serveixen per matisar la quantitat d'alguns elements gramaticals com: verbs, adjectius, adverbis o noms.

- Si modifiquen verbs, adjectius o adverbis, són adverbis i són invariables en gènere i nombre. Quan modifiquen un verb van darrere i quan modifiquen un adjectiu o un adverbi van davant.

*El Carnaval **m'agrada moltíssim.***
*La festa major és **molt divertida.***
*Les festes estan **bastant bé.***
*Els comiats de solter no són **gaire divertits.***
*Els karaokes no **m'agraden gens.***

Els concerts de jazz m'agraden ~~molts~~.
Les celebracions d'aniversari no m'agraden ~~gaires~~.
Són ~~bastants~~ avorrits.

(sí)	moltíssim
	molt
	força / bastant
	una mica
(no)	gaire
	gens
	gens ni mica

- Si modifiquen noms, són adjectius. Hi ha formes variables i formes invariables. Les formes **una mica** i **gens** van seguides de la preposició **de.**

	SINGULAR		PLURAL	
	masculí	femení: **–a**	masculí: **–s** / **–os**	femení: **–es**
(sí)	moltíssim	moltíssima	moltíssims	moltíssimes
	molt	molta	molts	moltes
	bastant		bastants	
	força			
	una mica (de)			
(no)	gaire		gaires	
	gens (de)			

Als karaokes hi va ***moltíssima gent.***

Per la festa major fan ***molts focs*** *artificials i* ***moltes activitats*** *per a nens.*

A Barcelona s'hi fan ***bastants comiats*** *de solters.*

Els sopars amb excompanys de col·legi em fan una ***mica de mandra.*** *No hi van* ***gaires professors.***

Les cites a cegues no tenen ***gens d'èxit.***

Hi ha ~~molt~~ celebracions.

No fa ~~gaire~~ festes.

Forma i ús dels pronoms d'objecte directe el, la, els, les, ho

- Quan parlem de coses determinades el nom pot anar determinat per un article definit, un demostratiu o un possessiu.

Trobo ***el*** *concert molt avorrit.*

Vaig sentir ***aquestes*** *cançons a la ràdio.*

Estan tocant ***la nostra*** *cançó.*

- Si aquests elements determinats fan d'objecte directe, es poden substituir pels pronoms febles **el, la, els, les,** segons el gènere i nombre dels elements substituïts.

T'agrada ***el cine americà?***
No, ***el*** *trobo insuportable.*

T'agrada ***la música clàssica?***
Depèn... En general, ***la*** *trobo relaxant.*

T'agraden ***els concerts de rock?***
Sí, ***els*** *trobo molt excitants.*

T'agraden ***les festes de poble?***
Molt. ***Les*** *trobo entranyables.*

- Si l'objecte directe és un infinitiu o una frase d'infinitiu, es pot substituir pel pronom **ho.**

T'agrada ***viatjar?***
Moltíssim. ***Ho*** *trobo interessant.*

T'agrada ***mirar anuncis?***
No, ***ho*** *trobo molt avorrit.*

T'agrada ***participar en concursos?***
Ui, no! ***Ho*** *trobo horrible.*

Ús d'estimar-se més, preferir i agradar més. Forma del present d'indicatiu

- Són verbs o formes verbals que utilitzem per indicar preferències sobre una diversió, una activitat, un objecte...

- Quan indiquem preferència amb **estimar-se més** i **preferir,** el subjecte és sempre la persona que expressa preferències (jo, tu...), per això els verbs van en la mateixa persona que el subjecte. La diversió, l'activitat... preferida és el complement directe, tant si és un nom com si és un infinitiu.

subjecte	Present d'indicatiu	
jo	m'estimo	
tu	t'estimes	
ell, ella, vostè	s'estima	més
nosaltres	ens estimem	
vosaltres	us estimeu	
ells, elles, vostès	s'estimen	

subjecte	Present d'indicatiu
jo	prefereixo
tu	prefereixes
ell, ella , vostè	prefereix
nosaltres	preferim
vosaltres	preferiu
ells, elles, vostès	prefereixen

*Què **s'estimen** més **els nens**, anar al circ o al cine?*

***En Pau prefereix** el circ i **l'Andreu s'estima** més anar al cine.*

~~Jo estimo anar al circ.~~

~~Jo m'estimo anar al circ.~~

~~Jo estimo més anar al circ.~~

Quan indiquem preferència amb **agradar més,** el subjecte és sempre la diversió, l'activitat... preferida, tant si és un nom com si és un infinitiu; per això el verb va en tercera persona, del singular o del plural. Es conjuga amb els pronoms de complement indirecte, que indiquen qui és la persona a qui agrada la diversió, l'activitat... (subjecte de l'oració) i l'adverbi **més.**

objecte indirecte		Present d'indicatiu		subjecte
(a mi)	m'			
(a tu)	t'			
(a ell, a ella, a vostè)	li	agrada / agraden	més	diversió / activitat / objecte...
(a nosaltres)	ens			
(a vosaltres)	us			
(a ells, a elles, a vostès)	els			

*Què t'agrad**a més ballar** o **escoltar música?***
*M'agrad**a més ballar.***

~~T'agrades més ballar?~~

~~No, m'agrado escoltar música.~~

Cal no confondre els pronoms que es conjuguen amb la forma **estimar-se més** amb els pronoms d'objecte indirecte del verb **agradar.**

*La Neus **s'**estima més quedar-se a casa avui.*

La Neus ~~li~~ estima més quedar-se a casa avui.

*A ells **els** agraden més les pel·lícules en versió original.*

A ells ~~s'~~agraden més les pel·lícules en versió original.

Formes verbals agradar, encantar, anar bé, semblar bé, estar bé, venir de gust i ser igual

Totes aquestes formes verbals es conjuguen amb el pronom d'objecte indirecte i el verb en tercera persona del singular, quan el subjecte és una acció expressada amb un infinitiu.

formes prescindibles	formes imprescindibles	verb	subjecte
(a mi)	em / m'	agrada	
(a tu)	et / t'	encanta	
(a ell, a ella, a vostè)	li	va bé	
(a nosaltres)	ens	sembla bé	acció
(a vosaltres)	us	està bé	
(a ells, a elles, a vostès)	els	ve de gust és igual	

T'agrada *anar a ballar?*
Ui, sí! Anar a ballar, ***m'encanta!***

Us sembla bé *sortir a prendre una copa?*
A mi em va bé; *però a la Dolors, segur que no* ***li ve de gust.***

(A vostès) ***els ve de gust*** *anar al teatre?*
(A nosaltres) ***ens és igual.*** *Anar al teatre, al cine... tot* ***ens està bé.***

- Les formes **a mi, a tu, a ell...** són imprescindibles quan es vol contrastar una opinió, una preferència...

M'*agrada molt esquiar.*
Doncs ***a mi*** *no m'agrada gens.*
A mi, *tampoc.*

Ús del verb avenir-se. Forma del present d'indicatiu

- Quan volem expressar que tenim els mateixos gustos, les mateixes opinions o maneres de fer que una altra persona podem utilitzar el verb **avenir-se.** El complement del verb **avenir-se** va introduït per la preposició **amb.** Aquest complement se substitueix pel pronom **hi.**

T'avens ***amb la Rita?***
*Sí que m'****hi*** *avinc.*
*Doncs jo no m'****hi*** *avinc gaire.*

Present d'indicatiu
AVENIR-SE
m'avinc
t'avens
s'avé
ens avenim
us aveniu
s'avenen

Estructures d'expressió de voluntat voler + infinitiu i de possibilitat poder + infinitiu

- Per expressar que algú està disposat o té la voluntat de fer alguna cosa utilitzem el verb **voler,** conjugat, més l'infinitiu.
- Per contestar si es té la possibilitat o el temps de fer alguna cosa utilitzem el verb **poder,** conjugat, més l'infinitiu.

poder voler	+ infinitiu

Present d'indicatiu	
VOLER	PODER
vull	puc
vols	pots
vol	pot
volem	podem
voleu	podeu
volen	poden

- A vegades utilitzem l'expressió **no puc** com a excusa, quan no volem fer una cosa, en comptes de dir **no vull,** que és massa directe. Normalment **no puc** va amb altres expressions de cortesia com **ho sento / em sap greu.**

Ús dels verbs anar i venir

- Quan proposem fer alguna activitat conjuntament podem utilitzar **anar** o **venir,** però el significat és diferent.
- Quan diem: **Vols anar al cine?** la persona que fa la proposta no indica si ha decidit anar al cine o no anar-hi.
- Quan diem: **Vols venir al cine?** la persona que fa la proposta ha decidit anar al cine.

Pronom hi amb els verbs anar i venir

- Quan fem servir el verb **anar,** sempre hem de dir el lloc: amb el complement o amb el pronom **hi.** Amb el verb **venir,** no és necessari.

*Per què no **anem al cine?***
*Avui jo no **hi** puc **anar.***

*Voleu venir **al cine?***
*Jo no puc **venir (-hi).***
*Doncs jo sí que **(hi) vinc.***

- El pronom **hi,** amb les estructures *puc, pots...* + **anar / venir** o *vull, vols...* + **anar / venir** pot anar davant o darrere; cosa que no és freqüent i que no passa amb altres verbs.

*Avui jo no **hi** puc **anar.** = Avui jo no puc **anar-hi.***

*Jo prefereixo anar al cine. = Jo prefereixo anar-**hi.***

~~*Jo hi prefereixo anar.*~~

Ús dels verbs quedar i quedar-se

- El verb **quedar** pot significar coses diverses. En aquesta unitat s'utilitza per expressar que ens citem amb amics o que ens trobem en algun lloc i en una hora, per fer alguna cosa conjuntament.

quedar (**amb** + persones)	***Quedem amb** el Carles aquest diumenge?* (Ens veiem.) *Què? **Quedem** aquesta nit?* (Ens veiem.)
quedar a + lloc o temps	*Vols que anem al cine aquesta nit?* *Sí. Com **quedem?*** ***Quedem al** cine?* *Sí, a quina hora **quedem?*** *Podem **quedar a** les deu. Et va bé?* *Sí, sí. Fins després.*

- El verb **quedar** es pot conjugar amb pronom: **quedar-se** i, en aquest cas, significa no marxar d'un lloc.

*Aquest vespre **ens quedarem** (a casa). No sortirem.*

Expressions temporals per dir l'hora

- Quan concertem una cita podem quedar a hores exactes o a hores aproximades.

Expressions d'hores exactes	a les set / a dos quarts de dotze... **en punt** **d'aquí a** mitja hora / deu minuts...	*A quina hora quedem?* *A les cinc **en punt.*** *Quina hora és ara?* *Les quatre.* *Doncs quedem **d'aquí a** una hora.*
Expressions per manifestar desacord amb l'hora proposada	**massa d'hora / aviat ≠ massa tard** **tan d'hora / aviat? ≠ tan tard?**	*Quedem a les set?* *Ui, no! És **massa d'hora.*** *Jo plego a dos quarts de vuit.* *Doncs quedem després de sopar. A dos quarts d'onze?* ***Tan tard?***
Expressions per proposar altres hores	**més d'hora / aviat ≠ més tard** 10 minuts / mitja hora **abans ≠ després / més tard**	*Quedem a les deu?* *No, quedem **més d'hora ≠ més tard.*** *I si quedem cinc minuts **abans?*** *Per què no quedem mitja hora **després / més tard?***
Expressions de franges horàries	**al matí, al migdia, a la tarda, al vespre, a la nit, a mitjanit, a la matinada**	*Quedem **al migdia?*** *Sí, a les dues al restaurant.*
Expressions d'hores aproximades	**cap a** **a quarts de** **a partir de** **tocat / tocada / tocats / tocades**	*Ens trobem a casa **cap a** les sis?* *Massa d'hora. Quedem **a quarts de** set, perquè acabo a les sis **tocades.*** *Bé, jo hi seré **a partir de** les sis.*

Pronoms relatius que i on en expressions locatives

- Quan expliquem com és un lloc (un bar, una plaça...) donem detalls per diferenciar-lo dels altres. Una manera de definir-lo és utilitzant una oració introduïda pels pronoms relatius **que** o **on.**

- Quan el que expliquem és la situació d'aquest lloc, podem utilitzar el pronom **que** amb el verb **haver-hi** i una expressió locativa.

*És un bar **que hi ha davant** de la parada del metro. = Davant de la parada del metro hi ha **un bar.***

És un bar que ~~és~~ davant de la parada del metro.

És un bar que ~~hi és~~ davant de la parada del metro.

- Quan el que expliquem és què hi ha en aquest lloc, podem utilitzar el pronom **on** amb el verb **haver-hi** i les coses que hi ha.

*És una plaça **on hi ha molts cartells** publicitaris. = **A la plaça** hi ha molts cartells publicitaris.*

És una plaça ~~que~~ hi ha molts cartells publicitaris.

Ús del verb ser per indicar lloc

- Quan indiquem on és un lloc i iniciem la frase amb el nom del lloc, la localització es fa amb el verb **ser,** seguit d'una expressió locativa.

*El cine **és** allà mateix.*

~~El cine està allà mateix.~~

~~El cine hi ha allà mateix.~~

Expressions locatives

- Per indicar on és un lloc a partir d'un punt de referència podem utilitzar les expressions locatives següents.

allà mateix
(una mica) més amunt ≠ més avall
al carrer de sobre ≠ sota
molt a la vora
a la cantonada
a la dreta ≠ a l'esquerra

- **Amunt** i **avall** indiquen una direcció. **Amunt** indica direcció ascendent. **Avall** indica direcció descendent. No indiquen un punt concret. Darrere de: **més, molt, massa, una mica més, no gaire, no tan, cap...** fem servir **amunt** o **avall** en lloc de **dalt** o **baix.**

*El cine és allà mateix, una mica més **amunt.***

El cine és allà mateix, una mica més a ~~dalt.~~

- Sovint, quan volem dir que un lloc és exactament allà on indiquem, acompanyem el locatiu amb la paraula **mateix.**

*És allà / aquí **mateix.*** *És davant **mateix.***

Forma i ús de l'imperatiu dels verbs pujar, baixar i agafar

- Per donar instruccions per anar a un lloc amb un mitjà de transport podem utilitzar els verbs **pujar, baixar** i **agafar** en imperatiu o en present d'indicatiu.

Agafar serveix per dir el mitjà de transport que s'ha d'utilitzar. S'agafa el cotxe, el taxi, l'avió, el metro, l'autobús, el vaixell...
En aquest context **prendre** no és sinònim d'**agafar.**

***Agafes** l'autobús a la plaça de Catalunya i **baixes** al final de la Rambla.*

***Agafa** els ferrocarrils i **baixa** a Sant Cugat.*

***Agafeu** el metro. **Pugeu** a la parada del Paral·lel i **baixeu** a Sants.*

Pujar i **baixar** serveixen per indicar el lloc d'origen i el lloc d'arribada. Amb aquests verbs no se sol dir el nom del mitjà de transport.

~~Prenc~~ l'autobús a la plaça de Catalunya.

Puja ~~a l'autobús~~ a la plaça de Catalunya i baixa ~~de l'autobús~~ a Sants.

	Imperatiu	Present d'indicatiu	Imperatiu	Present d'indicatiu	Imperatiu	Present d'indicatiu
	PUJAR		BAIXAR		AGAFAR	
tu	puja	puges	baixa	baixes	agafa	agafes
vosaltres	pugeu		baixeu		agafeu	

Ús de per què, perquè, que, és que i però

- Si volem quedar amb algú per fer alguna cosa, acostumem a fer propostes i esperem que els altres les acceptin o les rebutgin. Per fer propostes podem utilitzar una frase interrogativa negativa amb **per què no...?** encara que no esperem que ens contestin el perquè de la pregunta, sinó que ens acceptin o rebutgin la proposta.

> ***Per què no*** *anem al cine?* (proposta)
> *Ah, sí! Està bé.* (acceptació)

- Sovint quan ens excusem per no acceptar una proposta diem **no puc** i el motiu pel qual la rebutgem amb **perquè, que, és que** o **però** + l'excusa.

> *Et va bé divendres?*
>
> *No puc,* ***perquè*** *tinc feina.*
> *No, he d'estudiar,* ***que*** *tinc un examen.*
> *No puc...* ***És que*** *tinc feina.*
> *Em sap greu,* ***però*** *dissabte tinc convidats.*

Ús dels verbs haver-hi i ser en intercanvis telefònics

- Quan demanem per la persona amb qui volem parlar utilitzem una d'aquestes dues formes: **que hi ha** + nom o **que hi és,** + nom. En la resposta, si no diem el nom, només es pot utilitzar la forma: **hi és,** perquè la forma **hi ha** sempre necessita un nom a continuació.

> *Hola, sóc l'Albert, que* ***hi ha*** *en Ramon? / Que* ***hi és,*** *en Ramon?*
> *Sí (que* ***hi és****). / No (, no* ***hi és****).*
> *Sí (que* ***hi ha*** *en Ramon). / No (, no* ***hi ha*** *en Ramon).*

~~*Sí (que hi ha).*~~
~~*No (, no hi ha).*~~

Ús del verb trucar

- Quan telefonem, sovint expliquem el motiu pel qual telefonem, tant si parlem amb una persona com si deixem un missatge al contestador telefònic. Per això fem servir l'estructura: **trucar** (en present o en imperfet d'indicatiu) + **per** + infinitiu... / **si** + frase.

> *Hola, Albert! Et* ***truco per quedar*** *per a demà.*
>
> *És un missatge per al senyor Rovira.* ***Trucava per dir****-li que ja té el cotxe arreglat.*
>
> *Bon dia!* ***Trucava per si*** *ja tenen el resultat de les anàlisis.*

Forma i ús del futur

- Per expressar una acció futura normalment utilitzem el futur com a temps verbal. El futur dels verbs regulars de totes les conjugacions es forma afegint les terminacions **–é, –às, –à, -em, –eu, –an** a partir de l'última **–r** de l'infinitiu.

Futur			
QUEDAR	VEURE	PRENDRE	SORTIR
quedar**é**	veur**é**	prendr**é**	sortir**é**
quedar**às**	veur**às**	prendr**às**	sortir**às**
quedar**à**	veur**à**	prendr**à**	sortir**à**
quedar**em**	veur**em**	prendr**em**	sortir**em**
quedar**eu**	veur**eu**	prendr**eu**	sortir**eu**
quedar**an**	veur**an**	prendr**an**	sortir**an**

- Formes irregulars (les terminacions són les mateixes, però canvia el radical de l'infinitiu)

Futur					
ANAR	FER	VENIR	PODER	VOLER	HAVER-HI
aniré	faré	vindré	podré	voldré	
aniràs	faràs	vindràs	podràs	voldràs	
anirà	farà	vindrà	podrà	voldrà	hi haurà
anirem	farem	vindrem	podrem	voldrem	
anireu	fareu	vindreu	podreu	voldreu	
aniran	faran	vindran	podran	voldran	

- Per expressar una acció futura planificada, a vegades fem servir el present d'indicatiu.

*Aquesta nit **anem** / **anirem** al cine.*

*Dissabte que ve **tenim** / **tindrem** un examen.*

- En canvi no podem utilitzar l'expressió **anar a** (en present) + infinitiu per expressar futur.

*Demà **trucaré** al dentista per demanar hora.* *Demà ~~vaig a trucar~~ al dentista per demanar hora.*

- Podem utilitzar la forma **anar a** + infinitiu quan el verb **anar** té significat de desplaçament cap a un lloc en el present.

***Vaig** (al supermercat) **a comprar,** torno de seguida.* (Hi ha moviment.)

*Espereu-me aquí que **vaig** (al cine) **a buscar** les entrades.* (Hi ha moviment.)

Estructura per expressar propòsits de futur pensar + infinitiu

- Per expressar un propòsit de futur fem servir l'estructura **pensar** + infinitiu.

*Demà **penso anar** a la platja.*

*Aquest any **penso fer** esport.*

Expressions temporals de futur

demà: dia després d'avui

demà passat: dia després de demà

l'endemà: dia següent d'un dia passat o futur

...que ve (= proper / pròxim): temps futur

***Demà passat** és dimecres?*
*Sí, **avui** és dilluns; **demà,** dimarts; doncs **demà passat,** dimecres.*

*Divendres fan un concert i **l'endemà,** dissabte, faran teatre.*
*El dia 25 van fer un concert i **l'endemà,** el 26, van fer teatre.*

*Diumenge **que ve** anirem d'excursió.*
*La setmana **que ve** serà festa. (= **pròxima** / **propera**)*

Ús dels verbs ploure, nevar, fer i haver-hi. Forma del present d'indicatiu i de subjuntiu

- Per expressar la meteorologia hi ha verbs amb significat propi com **ploure** i **nevar**, que es conjuguen en tercera persona del singular.

Present d'indicatiu		Present de subjuntiu	
PLOURE	NEVAR	PLOURE	NEVAR
plou	neva	plogui	nevi

*Si **plou** o **neva,** ens quedarem a casa.*

*Encara que **plogui,** sortirem.*

- Els verbs **fer** i **haver-hi** es complementen amb determinats noms de fenòmens meteorològics i es conjuguen en tercera persona del singular.

fer: bon / mal temps, sol, calor, fred, vent, xafogor, un / algun xàfec, un / algun ruixat, una / alguna nevada, llamps i trons
haver-hi: núvols, neu
fer / haver-hi: boira, humitat, una tempesta

Present d'indicatiu		Present de subjuntiu	
FER	HAVER-HI	FER	HAVER-HI
fa	hi ha	faci	hi hagi

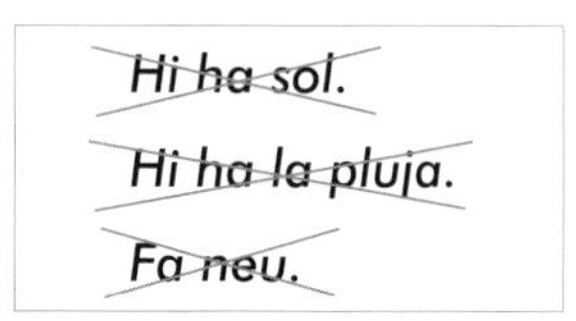

- Hi ha altres verbs per indicar fenòmens meteorològics, que es complementen amb el nom d'un tipus de fenomen concret. Aquests verbs, a diferència dels anteriors, concorden amb el nom que fa de subjecte, i per això es conjuguen en tercera persona del singular o del plural.

caure: ruixats, un / algun ruixat, xàfecs, un / algun xàfec, nevades, una / alguna nevada, llamps
bufar: vent
formar-se: tempestes
créixer: núvols, tempestes
augmentar: núvols, tempestes, temperatures

*Si **bufa** un vent molt fort i **cauen** ruixats, no anirem a la platja.*

Ús dels connectors si i encara que

- **Si** pot introduir una condició de futur en l'estructura: **si** + present d'indicatiu, frase en futur / present.

***Si plou,** no anem d'excursió.*

***Si hi ha boira,** no agafarem el cotxe.*

- **Encara que** pot introduir una concessió de futur en l'estructura: **encara que** + present de subjuntiu, frase en present d'indicatiu / futur.

***Encara que plogui,** anem d'excursió.*

***Encara que hi hagi boira,** agafarem el cotxe.*

UNITAT 2
NOTÍCIES FRESQUES

Forma del perfet d'indicatiu

És un temps verbal compost, que es forma amb un verb auxiliar (present d'indicatiu del verb **haver**) i un participi (forma masculina singular). L'auxiliar concorda amb el subjecte (persona i nombre) i el participi expressa l'acció o el fet. Cal recordar que per a la primera persona l'auxiliar només té la forma **he** i no, **haig.**

Perfet d'indicatiu	
HAVER	
he ~~haig~~	+ participi
has	
ha	
hem	
heu	
han	

Forma dels pronoms m', t', s', ens, us, s'

Hi ha verbs que es conjuguen amb els pronoms **em, et, es, ens, us** i **es.** Els pronoms d'aquests verbs indiquen que la persona que fa l'acció i la que la rep és la mateixa: *llevar-se, dutxar-se, banyar-se...* Com que l'auxiliar del perfet d'indicatiu comença per **h,** les formes **em, et** i **es** perden la vocal i s'hi apostrofen: **m', t', s',** cosa que no passa amb **ens** i **us.**

em	+ consonant
et	
es	
ens	
us	
es	

m'	+ vocal o **h**
t'	
s'	
ens	
us	
s'	

Perfet d'indicatiu		
LLEVAR-SE, DUTXAR-SE...		
m'	he	llevat, dutxat...
t'	has	
s'	ha	
ens	hem	
us	heu	
s'	han	

Forma del participi

Forma regular dels participis

infinitiu acabat en:	participi acabat en:	
–ar	**–at**	*dinar – dinat*
–er / –re	**–ut**	*perdre – perdut, convèncer – convençut*
–ir	**–it**	*sortir – sortit*

Alguns participis irregulars

Infinitiu	**Participi**
aprendre	après
encendre	encès
entendre	entès
prendre	pres
escriure	escrit
fer	fet
morir	mort
obrir	obert
treure	tret
veure	vist

Infinitiu	**Participi**
beure	begut
conèixer	conegut
creure	cregut
haver	hagut
moure	mogut
poder	pogut
ser	sigut / estat
tenir	tingut
venir	vingut
voler	volgut
viure	viscut

Els participis que acompanyen l'auxiliar **haver** no concorden ni en gènere ni nombre amb el subjecte.

Ella ha ~~anada~~ a París.

Ús del perfet d'indicatiu i del passat perifràstic d'indicatiu

Perfet d'indicatiu

- Utilitzem el perfet d'indicatiu per parlar d'activitats que s'acaben de realitzar o d'activitats realitzades dins d'una unitat de temps que encara no s'ha acabat, fins ara.

M'he dutxat *fa un moment.* (S'acaba de realitzar.)

Avui ***m'he dutxat.*** (La unitat de temps *avui* encara no s'ha acabat, fins ara.)

Aquesta setmana ***he anat*** *a treballar.* (La unitat de temps *aquesta setmana* encara no s'ha acabat, fins ara.)

- Per expressar accions passades dins del dia d'avui utilitzem el perfet d'indicatiu, encara que fem referència a parts del dia: *matí, tarda...* ja acabades.

Que et dutxaràs ara?
No, avui ***m'he dutxat*** *al matí.*

~~*No, avui em vaig dutxar al matí.*~~

- També s'utilitza per parlar d'experiències passades, fins ara, sense concretar el moment en què han passat, sinó com una part de la situació actual. Aquestes experiències s'acostumen a quantificar.

M'he enamorat *tres vegades a la meva vida.*

L'Albert parla moltes llengües, oi?
Sí, és que ***ha viatjat*** *molt.* ***Ha estat*** *quatre cops a l'Àfrica.*

- No hi pot haver cap paraula entre l'auxiliar i el participi.

Has ~~mai~~ anat a Girona?

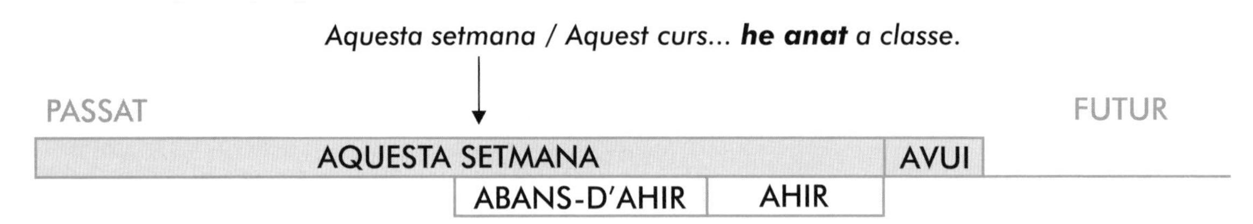

Passat perifràstic d'indicatiu

- Utilitzem el passat perifràstic d'indicatiu per explicar fets complets, passats en una unitat de temps que no inclou el present (avui) i acabats (allà on van passar). El fet va començar, va transcórrer i va acabar en aquell moment.

Com et ***vas sentir*** *quan* ***vas arribar*** *aquí?*
Em vaig enyorar *molt.*

Què ***va passar*** *el 1969?*
L'home ***va arribar*** *a la Lluna.*

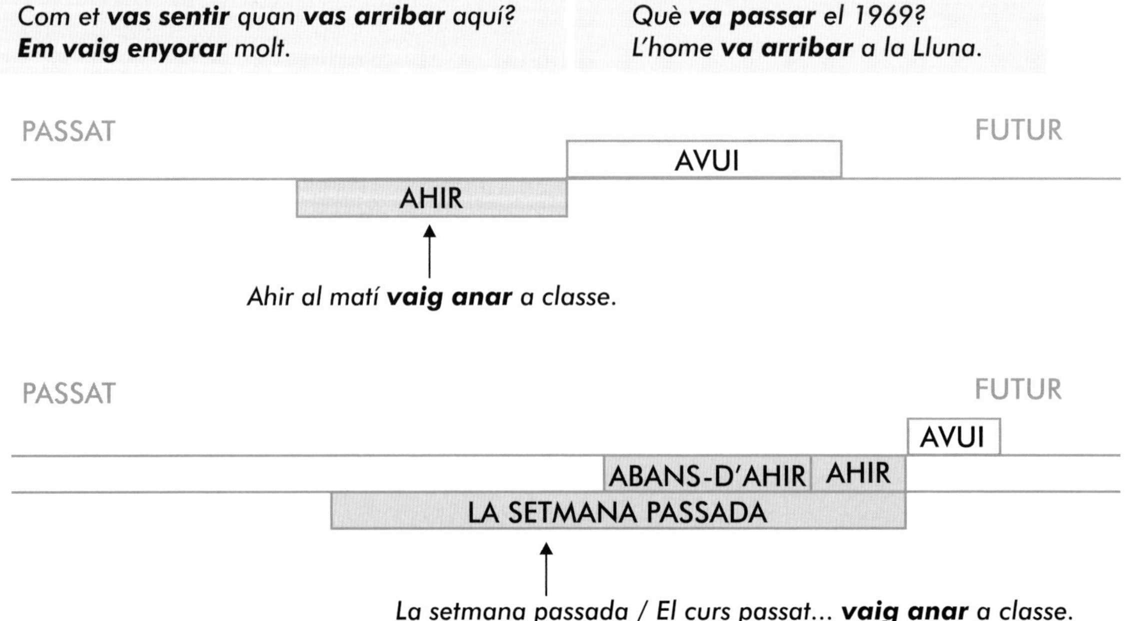

Encara que tots dos temps es diferencien clarament segons que la unitat de temps en què transcorre l'acció és acabada o no és acabada fins al dia d'avui, la nostra percepció de proximitat o de llunyania amb l'acció fa que a vegades la considerem dins o fora del nostre present i per això podem usar el perfet d'indicatiu o el passat perifràstic d'indicatiu. Sovint els marcadors temporals que tenim a la ment quan ens expressem ens fan triar un passat o un altre.

Vaig estudiar *Arquitectura.* (La persona que parla fa temps que va acabar els estudis. Pensa en una acció realitzada en una unitat de temps llunyana.)

He estudiat *Arquitectura.* (La persona que parla fa poc que ha acabat els estudis. Pensa en una acció realitzada en una unitat de temps propera.)

Marcadors temporals amb passat perifràstic d'indicatiu i amb perfet d'indicatiu

Alguns marcadors temporals que fem servir quan parlem de fets del passat ajuden a situar el temps passat.

Marcadors temporals que només poden anar amb un dels dos passats		
l'any 1992... **ahir (al matí, a la tarda...)** **abans-d'ahir** **l'altre dia** **la setmana passada / el mes passat / l'any passat...** **fa una setmana / un mes...**	Passat perifràstic d'indicatiu	***L'any 1992*** *hi va haver els Jocs Olímpics de Barcelona.* ***Ahir al vespre*** *vaig anar a la piscina.* ***La setmana passada*** *vaig tenir un examen.* *Vaig plegar de la feina* ***fa dos mesos.***
avui **ara** **recentment** **últimament** **fins ara** **fa una estona** **fa un moment** **fa mitja hora** **fa un mes / un any... que no** **aquest mes / aquesta setmana / aquests mesos / aquestes tardes...**	Perfet d'indicatiu	***Avui*** *he esmorzat a les 11 perquè m'he llevat tard.* ***Ara*** *ha trucat el teu germà.* ***Recentment*** *he treballat molt.* ***Últimament*** *he anat molt poc al cine.* ***Fins ara*** *no he fet res.* *Hem arribat* ***fa una estona / un moment / mitja hora...*** ***Fa un mes que no*** *he anat al cine.* ***Aquest dilluns*** *he tingut un examen.*

Marcadors temporals que poden anar amb tots dos passats		
no fa gaire **des de llavors / d'aleshores** **sempre** **mai** **alguna vegada**	Passat perifràstic d'indicatiu (Les accions es realitzen en una unitat de temps que ja s'ha acabat, avui.)	***No fa gaire*** *que va arribar el teu germà, oi? No, va arribar la setmana passada.* *Em vaig separar per primera vegada el 2000 i* ***des de llavors,*** *fins que no vaig conèixer l'Enric, em vaig separar tres vegades més.* *Hi vaig anar* ***sempre****.* *Quan vivia a París* ***mai*** *no vaig anar al museu del Louvre.* *La Laura? Em sembla que la vaig veure* ***alguna vegada*** *quan anava a l'escola.*
	Perfet d'indicatiu (Les accions es realitzen en una unitat de temps que encara no s'ha acabat, fins ara.)	*Ha arribat el teu germà* ***no fa gaire.*** ***Des de llavors*** */* ***Des d'aleshores*** *m'he casat dues vegades.* ***Sempre*** *he anat a esquiar a França.* ***Mai*** *no he anat al museu del Louvre.* *La Laura? Em sembla que l'he vist* ***alguna vegada*** *per l'escola.*

- La paraula **mateix** amb algunes expressions temporals aporta més immediatesa a l'acció: *ara* ***mateix,*** *avui* ***mateix...***

Estructura per expressar passat immediat acabar de + infinitiu

- **Acabar de** + infinitiu: es fa servir aquesta estructura per expressar que l'acció (de l'infinitiu) ha passat i que s'ha acabat ara mateix.

Què et passa?
Acabo de veure *un extraterrestre.*

Ús de connectors discursius

- Per organitzar les accions en passat podem fer servir connectors discursius.

primer
després (de)
llavors / aleshores
més tard
abans (de)

- **Després** i **abans,** si van seguits d'un infinitiu, han de portar la preposició **de.**
- **Llavors** / **aleshores** (= en aquell moment) s'utilitzen per situar la informació en un moment referit a una acció anterior.

Primer *m'he dutxat.* ***Després*** *(****de*** *dutxar-me) m'he vestit.* ***Aleshores*** */* ***Llavors*** *he esmorzat.*
Més tard *he sortit de casa. Però* ***abans*** *(****de*** *sortir), he fet el llit.*

- Cal no confondre **llavors** / **aleshores** amb **doncs,** perquè **doncs** no és un connector temporal.

M'he dutxat i ~~doncs~~ m'he vestit.

Pronoms d'objecte directe de tercera persona el, la, els, les, en, ho

Els pronoms **el, la, els, les, en, ho** poden substituir un objecte directe de tercera persona determinat, indeterminat o neutre.

el **la** **els** **les**	Substitueixen un element determinat (introduït per articles definits, demostratius o possessius).	*Amb qui va tenir* ***el seu primer fill?*** ***El*** *va tenir amb un ballarí.* *Abans de casar-se, ella ja tenia* ***aquesta casa?*** *Sí que* ***la*** *tenia, era de la seva família.* *Ell va agafar* ***els diners*** *sense dir-l'hi a la seva dona?* *Sí,* ***els*** *va agafar sense dir-li res.* *Després de separar-se va tenir* ***les bessones?*** *No,* ***les*** *va tenir quan encara era casada.*
en	Substitueix un element indeterminat (sense articles o introduït per articles indefinits, quantitatius, numerals o indefinits).	*Ella va tenir* ***un fill*** *amb el torero o no* ***en*** *va tenir cap?* *Es van separar perquè ell tenia* ***molts amants?*** *No, ell no* ***en*** *tenia gaires; ella, sí que* ***en*** *tenia.* *I té* ***amants?*** *I tant que* ***en*** *té!*
ho	Substitueix una frase o els demostratius neutres **això** i **allò.** En les respostes si utilitzem **això** o **allò** solem dir també el pronom **ho.** El pronom **tot** en funció d'OD va sempre amb el pronom **ho.**	*Sabies* ***que la folklòrica ja tenia fills?*** *És clar que* ***ho*** *sabia. Si* ***ho*** *sap tothom!* *I que* ***es va casar amb un cantant?*** *No,* ***això*** *no* ***ho*** *sabia.* ***Ho*** *sé* ***tot.***

Forma dels pronoms l', els, les, hi, n'

Els pronoms **el, la** i **en** perden la vocal i s'apostrofen: **l'** i **n',** en contacte amb una forma verbal començada per vocal o **h,** cosa que no passa amb **els, les** i **hi.**

el	+ consonant
la	
els	
les	
en	
hi	

l'	+ vocal o **h**
l'	
els	
les	
n'	
hi	

Has fet el llit?
Sí, ***l'****he fet aquest matí.* ***El*** *faig cada dia.*

Has convidat la teva parella?
L'*he convidat aquesta tarda.* ***La*** *convido cada dia.*

Has rentat els plats?
Els *he rentat al vespre, però normalment* ***els*** *rento al matí.*

Has pagat les copes?
Les *he pagat fa un moment, ja saps que sempre* ***les*** *pago jo.*

Has explicat acudits?
N'*he explicat uns quants perquè* ***en*** *sé molts.*

Has anat a classe?
Avui no ***hi*** *he anat, però normalment* ***hi*** *vaig cada dia.*

Forma i ús de la combinació de pronoms em, et, es + el, la, els, les, en

- Quan les formes dels pronoms d'objecte indirecte **em, et** i **es** es combinen amb els pronoms d'objecte directe **el, la, els, les** i **en** prenen formes diferents, segons si el verb comença per consonant, o per vocal o **h.**

La Maria es va fer el llit ahir?
*Sí, sí que **se'l** va fer, però avui no **se l'**ha fet.*

Avui no ~~se'l~~ ha fet.

- Els pronoms d'objecte indirecte **em, et, es** es col·loquen davant dels pronoms d'objecte directe **el, la, els, les** i **en.**

	el	la	els	les	en	
em	**me'l**	**me la**	**me'ls**	**me les**	**me'n**	
et	**te'l**	**te la**	**te'ls**	**te les**	**te'n**	+ consonant
es	**se'l**	**se la**	**se'ls**	**se les**	**se'n**	

	el	la	els	les	en	
em	**me l'**	**me l'**	**me'ls**	**me les**	**me n'**	
et	**te l'**	**te l'**	**te'ls**	**te les**	**te n'**	+ vocal o **h**
es	**se l'**	**se l'**	**se'ls**	**se les**	**se n'**	

- Quan dos pronoms s'apostrofen entre si, l'apòstrof va al màxim a la dreta.

La Maria va menjar pastissos ahir?
*No, no **se'n** va menjar cap.*

No, no ~~s'en~~ va menjar cap.

Verbs amb pronom o sense pronom

- Hi ha verbs que es conjuguen amb pronom i que indiquen que la persona que fa l'acció i la persona que la rep és la mateixa: *llevar-se, banyar-se, dutxar-se, rentar-se, mirar-se...* Quan aquests verbs es conjuguen sense pronom l'acció recau sobre una altra persona.

***Em banyo** al matí.*

*Al matí **banyo els nens.***

- Hi ha verbs que es conjuguen amb pronom i que indiquen que l'acció que fa el subjecte la rep una part del seu cos: *rentar-se les mans...*

***Em rento** les mans.* ~~*Rento les meves mans.*~~

- Hi ha verbs que es conjuguen amb pronom i que indiquen l'acció que les persones fan recíprocament: *fer-se regals, estimar-se...*

- Hi ha verbs que es poden conjugar amb pronom o sense i que utilitzem per dir el mateix: *llegir / llegir-se, prendre / prendre's, menjar / menjar-se, beure / beure's...* El verb conjugat amb pronom necessita obligatòriament l'objecte directe amb un determinant.

***He** llegit el diari. = **M'**he llegit el diari.*

***He** menjat paella. = **M'**he menjat **una** paella.* ~~*M'he menjat paella.*~~

Ús de que i quin, quina, quins, quines en frases exclamatives

- Utilitzem **que** davant d'un adjectiu o d'un adverbi per ressaltar la intensitat de l'adjectiu o de l'adverbi. Aquest **que** és una partícula àtona, no porta mai accent, i per això la **e** es pronuncia com a vocal neutra: ***Que** fort! **Que** horrorosa! **Que** simpàtics! **Que** bé!*

- Utilitzem **quin, quina, quins, quines** davant d'un nom per ressaltar-ne la intensitat: ***Quin** fàstic! **Quina** pena! **Quins** dies! **Quines** bestieses!* A vegades, l'expressió pot ser ambigua i s'ha d'entendre pel context: ***Quins** dies!* (més horrorosos / més macos).

Ús dels connectors ja i encara no

- Per comprovar si alguna cosa ha passat en una unitat de temps no acabada podem fer servir **ja** i **encara no,** amb el verb en perfet d'indicatiu.
- Usem **ja** quan ens referim a una acció la realització de la qual creiem o esperem que sigui possible o per comprovar si alguna cosa ha passat (fins ara).

__Ja__ heu fet els deures?
Sí, __ja__ els hem fet.

- Utilitzem **encara no** per expressar que una acció no s'ha produït fins ara, però que esperem que sigui possible en el futur.

Ja has visitat Andorra?
No, __encara no.__

Ús del temporal mai

- Podem fer servir **mai** (= alguna vegada) en frases interrogatives amb un sentit no negatiu.

Has vist __mai__ un ovni? = Has vist __alguna vegada__ un ovni?

- Quan fem servir **mai** (= cap vegada) en una frase negativa, si **mai** va darrere de verb, hem de fer la doble negació i negar el verb amb **no**. Si comencem la frase amb **mai,** no és obligatori negar el verb.

__No__ he vist __mai__ un ovni. = __Mai (no)__ he vist un ovni.

Ús de per què, perquè, és que i per això

per què **com és que**	Per demanar la causa d'un fet o una actuació.	***Per què*** *et vas separar?* ***Com és que*** *et vas separar?*
perquè	Per explicar la causa d'alguna cosa.	*Ens vam separar* ***perquè*** *no ens avenÍem.*
és que	Per presentar una causa com a justificació o pretext d'una cosa.	*Per què et vas separar?* ***És que*** *no ens aveníem.*
(i) per això	Per presentar la conseqüència d'alguna cosa. És sinònim de **(i) per tant.**	*No estava enamorat* ***i, per això,*** *em vaig separar.*

Expressions d'incertesa

- A vegades volem donar una informació i no volem assumir-ne la responsabilitat, perquè no estem segurs que sigui certa, ja que no prové directament de nosaltres, sinó de rumors que hem sentit. En aquests casos, per descarregar la responsabilitat, en lloc de presentar la informació directa, la introduïm amb les estructures següents.

sembla que **segons sembla** **es veu que** **no se sap si**	+ frase (amb el verb en indicatiu)	***Sembla que*** *la Isabel s'ha separat.* ***Segons sembla*** *la Isabel s'ha separat.* ***Es veu que*** *la Isabel s'ha separat.* ***No se sap si*** *la Isabel s'ha separat.*

Ús dels verbs haver-hi i passar

- Per interessar-nos sobre un esdeveniment (accident, incendi...) o sobre les coses que han succeït a una persona podem fer servir el verb **passar.** Si ens interessa l'acció, la pregunta és: *Què ha* ***passat?,*** però no podem contestar amb el verb **passar,** sinó que acostumem a fer servir l'estructura **haver-hi** + substantiu.

Què __ha passat?__
__Hi ha hagut__ un accident.

~~*Ha passat un accident.*~~

- Si contestem amb l'estructura **haver-hi** + substantiu, podem determinar o no el substantiu.

Haver-hi + substantiu indeterminat (+adjectiu / complement de nom)

Hi ha hagut ***un*** *terratrèmol* ***(molt important / de baixa intensitat).***

Haver-hi + substantiu determinat + terme comparatiu

Hi va haver ***el*** *terratrèmol* ***més important*** *que hi ha hagut mai.*

- No hem d'oblidar que el verb **haver-hi** sempre s'ha d'escriure amb el pronom **hi** en tots els temps verbals, i sempre en singular: ***hi*** *ha,* ***hi*** *ha hagut,* ***hi*** *va haver (va haver-****hi****),* ***hi*** *haurà...*

- Quan ens interessem per allò que ha passat a algú, el verb **passar** va amb els pronoms d'objecte indirecte.

Què	**m'**	ha passat?
	t'	
	li	
	ens	
	us	
	els	

- També podem contestar donant la informació amb una frase introduïda pel connector **que.**

Què ha passat?
(Que) *dos cotxes han xocat.*

Què li ha passat al Toni?
(Que) *ha tingut un accident.*

- Amb la paraula **desgràcia** o altres similars podem contestar amb el verb **passar,** ja que no explica el fet que ha passat.

Li ha passat una ***desgràcia,*** *ha tingut un accident molt fort...*

Ús del connector doncs

- Podem utilitzar **doncs** com un element oral per reprendre o seguir un discurs.

Saps què li ha passat a la Carolina? ***Doncs*** *que s'ha separat.*

Doncs... *el que et vull dir és que...*

Forma i ús de la combinació de pronoms em, et, li, ens, us, els + ho

- Quan les formes dels pronoms d'objecte indirecte **em, et, li, ens, us, els** es combinen amb el pronom d'objecte directe **ho** prenen les formes següents, tant si el verb comença per vocal com si comença per consonant, ja que **ho** no s'apostrofa mai.

	ho
em	**m'ho**
et	**t'ho**
li	**li ho / l'hi**
ens	**ens ho**
us	**us ho**
els	**els ho / els hi**

Ei, nois! Què hi ha?
Hola, Stefan. Què hi ha? Saps que l'Antoni s'ha casat amb el Pep?
Ah, sí? Com ho sabeu? Qui ***us ho*** *ha dit?*
Ens ho *han explicat l'Enric i el Víctor. I a ells* ***els ho*** *ha explicat el Pau. I al Pau* ***li ho / l'hi*** *ha explicat el Pep, que són amics. I ara nosaltres* ***t'ho*** *expliquem a tu.*

- Al català central la combinació **li ho** pren la forma oral «l'hi». Hi ha alguns escriptors que també l'escriuen així. La forma plural **els ho** pren la forma oral «els hi».

UNITAT 3

TEMPS ERA TEMPS

Flexió de gènere i nombre dels adjectius per descriure l'aspecte físic, el caràcter i la indumentària

- La majoria d'adjectius tenen una forma per al masculí i una altra per al femení, tant en singular com en plural.

SINGULAR		PLURAL	
masculí	femení	maculí	femení
	–a	**–s**	**–es**
prim *petit* *clar*	*prim**a*** *petit**a*** *clar**a***	*prim**s*** *petit**s*** *clar**s***	*prim**es*** *petit**es*** *clar**es***

- Modificacions pel que fa als femenins singulars i plurals

SINGULAR		PLURAL	
masculí	femení	femení	
–vocal tònica	**–ana, –ona...**	**–anes, –ones...**	Aparició de **–n–** i desaparició de l'accent (si n'hi ha)
*s**a*** *rod**ó***	*s**a**na* *rod**o**na*	*s**a**nes* *rod**o**nes*	
–vocal accentuada + s	**–isa, –osa...**	**–ises, –oses...**	Desaparició de l'accent
*indec**ís*** *blav**ós***	*indec**i**sa* *blav**o**sa*	*indec**i**ses* *blav**o**ses*	
–i, –u àtona	**–vocal accentuada + –ia, –ua**	**–vocal accentuada + –ies, –ues**	Aparició de l'accent
*sav**i*** *ingen**u***	*s**à**via* *ing**è**nua*	*s**à**vies* *ing**è**nues*	
–e, –o, –u	**–a**	**–es**	
*ampl**e*** *moren**o*** *europe**u***	*ampl**a*** *moren**a*** *europe**a***	*ampl**es*** *moren**es*** *europe**es***	**–e ⇒ –a** **–o ⇒ –a** **–u ⇒ –a**
–c	**–ca / –ga**	**–ques / –gues**	
*simpàti**c*** *gro**c***	*simpàti**c**a* *gro**g**a*	*simpàti**qu**es* *gro**gu**es*	singular: **–c– / –g–** plural: **–c– ⇒ –qu–** **–g– ⇒ –gu–**
–t	**–ta / –da**	**–tes / –des**	
*estre**t*** *assenya**t***	*estre**ta*** *assenya**da***	*estre**tes*** *assenya**des***	**–t– / –d–**
–s	**–sa / –ssa**	**–ses / –sses**	
*gri**s*** *ro**s***	*gri**sa*** *ro**ssa***	*gri**ses*** *ro**sses***	**–s– / –ss–**
–ig	**–ja / –tja**	**–ges / –tges**	
*ro**ig*** *ll**eig***	*ro**ja*** *lle**tja***	*ro**ges*** *lle**tges***	singular: **–ig ⇒ –ja / –tja** plural: **–ja ⇒ –ges** **–tja ⇒ –tges**
–u	**–va**	**–ves**	
*bla**u***	*bla**va***	*bla**ves***	**–u ⇒ –v–**
–l	**–l·la**	**–l·les**	
*tranqui**l***	*tranqui**l·la***	*tranqui**l·les***	**–l ⇒ –l·l–**

Modificacions pel que fa als plurals masculins

SINGULAR	PLURAL	
masculí	masculí	
–vocal tònica	**–ns**	Aparició de **–n–** i desaparició de l'accent (si n'hi ha)
*s**a*** *rod**ó***	*sa**ns*** *rodo**ns***	
–ç, –ix, –sc, –st	**–os**	Singulars acabats en **–ç, –ix, –sc, –st** plurals acabats en **–os**
*feli**ç*** *bai**x*** *fos**c*** *tris**t***	*feliç**os*** *baix**os*** *fosc**os*** *trist**os***	
–s	**–sos / –ssos**	**–sos** / **–ssos**
*gri**s*** *gra**s***	*gri**sos*** *gra**ssos***	
–ig	**–tjos / –jos**	**–ig** ⇒ **–jos / –tjos**
*ro**ig*** *lle**ig***	*ro**jos*** *lle**tjos***	

Adjectius amb tres terminacions: una de singular i dues de plural

SINGULAR	PLURAL		
masculí i femení	masculí	femení	Singulars acabats en **–ç** masculí i plural: **–ços** femení i plural: **–ces**
–aç, –iç, –oç	**–ços**	**–ces**	
*feli**ç***	*feli**ços***	*feli**ces***	

Adjectius de dues terminacions: una de singular i una de plural

SINGULAR	PLURAL	
masculí i femení	masculí i femení	
–al, –el, –il **–ble, –aire, –ista, –ant, –ent**	**–s / –es**	La majoria dels adjectius acabats en **–al, –el, –il** **–ble, –aire, –ista** **–ant, –ent** tenen una única forma al singular i al plural
*form**al**, reb**el**, fàc**il*** *responsa**ble*** *rondin**aire*** *idea**lista*** *eleg**ant*** *intel·lig**ent***	*form**als**, reb**els**, fàc**ils*** *responsa**bles*** *rondin**aires*** *idea**listes*** *eleg**ants*** *intel·lig**ents***	

Altres adjectius de dues terminacions: una de singular i una de plural

SINGULAR	PLURAL
masculí i femení	masculí i femení
gran	*grans*
rosa	*roses*
lila	*liles*
marró	*marrons*
poca-solta	*poca-soltes*
pocavergonya	*pocavergonyes*
ximple	*ximples*
triangular	*triangulars*

Concordança dels adjectius que fan referència a colors

- Quan diem el color d'una cosa podem fer servir l'adjectiu del color darrere del nom, amb el qual concorda en gènere i nombre. Però, si diem la paraula **color,** l'adjectiu va en masculí singular.

*Porta l'**abric gris** i els **pantalons,** també **grisos.*** *Porta els pantalons de **color gris.***	*Porta els pantalons de ~~color grisos~~.* *Porta els pantalons ~~gris~~.*

- Quan matisem un color podem posar-hi darrere un altre adjectiu que marqui la tonalitat. En aquest cas tots dos adjectius van en masculí singular, perquè fan referència a la paraula **color.**

*Porta **una jaqueta** (de color) **blau marí.***	*Porta una jaqueta ~~blava marina~~.*

- Quan els colors són indefinits o no tenen una tonalitat pura els expressem amb la terminació **–ós, –osa, –osos, –oses,** segons el gènere i el nombre del nom.

*Duu una camisa **grogosa** i unes faldilles **verdoses.***

Ús dels verbs portar / dur, posar-se, vestir-se i anar

- Quan parlem d'indumentària, aquests verbs tenen significats semblants, però a vegades usos diferents.

posar-se = **vestir-se amb:** col·locar sobre el cos una peça de roba
portar / **dur** = **vestir** = **anar amb:** tenir col·locada una peça de roba (portar posat)

- Els utilitzem per explicar:

com anem vestits normalment.	**portar / dur** **posar-se** **vestir-se amb** **anar amb** **vestir** (menys usat)	*A l'hivern quasi sempre **porto** / **duc** abric.* *No **em poso** mai corbata.* *Sovint **em vesteixo amb** uns pantalons texans i una samarreta.* *Normalment **vaig amb** faldilles de quadres.* *Sovint **vesteix** americana i corbata.*
què es porta (posat) en un moment determinat.	**portar / dur** **anar amb**	*Avui **porta** sabates de taló.* *Ahir **duia** la samarreta groga.* *Abans **anava amb** una bufanda de llana.*
com ens vestim en un moment determinat.	**posar-se** **vestir-se amb** (menys usat)	*Ahir **em vaig posar** mitges.* *Avui **em posaré** el jersei blau cel.* *Aquest matí **m'he vestit amb** uns pantalons de ratlles.*

Ús dels verbs portar / dur i tenir

- Quan descrivim persones pel que fa a cabells o complements fem servir els verbs **portar** / **dur** o **tenir.** El verb **tenir** acostuma a expressar naturalesa. Els verbs **portar** / **dur** expressen decisió personal, canvi, accidentalitat...

***Té** els cabells castanys i arrissats i els **porta** llargs i recollits.*
***Té** els cabells grisos, però se'ls ha tenyit i els **porta** castanys.*

*Que **porta** bigoti el Rudy?*
*Bigoti, no. Em sembla que **duu** barba.*

*Que **porta** ulleres l'Eli?*
*Sí que en **porta.** I avui també **duu** arracades i rellotge.*

L'Eli ~~té~~ ulleres perquè és miop.

Present d'indicatiu dels verbs dur, soler i vestir-se

Present d'indicatiu
DUR
duc
dus (duus)
du (duu)
duem
dueu
duen

Present d'indicatiu
SOLER
solc
sols
sol
solem
soleu
solen

Present d'indicatiu
VESTIR-SE
em vesteixo
et vesteixes
es vesteix
ens vestim
us vestiu
es vesteixen

Estructures amb els verbs acostumar i soler

- Els verbs **acostumar** i **soler** serveixen per expressar accions freqüents o repetides. Es posen davant del verb que expressa l'acció, que va en infinitiu. En aquest tipus d'estructura el verb **acostumar** va sempre seguit de la preposició **a.**

acostumar	a	+ infinitiu
soler		

- Si el verb de l'infinitiu es conjuga amb pronom, aquest es pot col·locar davant dels verbs **acostumar** o **soler,** o darrere de l'infinitiu. El pronom **es** (davant del verb) seguit d'un verb que comença pel so [s] s'acostuma a canviar per **se.**

pronoms	ACOSTUMAR		Infinitiu
m'	acostumo	a +	posar
t'	acostumes		
s'	acostuma		
ens	acostumem		
us	acostumeu		
s'	acostumen		

ACOSTUMAR		Infinitiu	pronoms
acostumo	a +	posar	–me
acostumes			–te
acostuma			–se
acostumem			–nos
acostumeu			–vos
acostumen			–se

pronoms	SOLER	Infinitiu
em	solc	vestir posar
et	sols	
(es) se	sol	
ens	solem	
us	soleu	
(es) se	solen	

SOLER	Infinitiu	pronoms
solc	vestir posar	–me
sols		–te
sol		–se
solem		–nos
soleu		–vos
solen		–se

*L'Anna **acostuma a posar-se** roba ampla i la Teresa **se sol vestir** amb roba ben estreta.*

Ús dels verbs ser i tenir per descriure l'aspecte físic i el caràcter

- Per indicar qualitats físiques o de caràcter permanents o definitòries d'una persona fem servir el verb **ser** + adjectiu o participi.

*En Joan **és** gras i simpàtic, en canvi la Núria **és** prima i avorrida.*

- Per descriure com és una persona per com té les parts del cos fem servir el verb **tenir** + nom de la part del cos + adjectiu.

*En Quico **té els braços llargs.***

Ús de gran, gros i gruixut

Aquests adjectius tenen una especificitat per precisar mesures de pes, volum... de les persones o coses i també de les seves parts. Cal remarcar que quan una persona té excés de pes és **grassa;** no, **grossa.** I que quan precisem el volum de les parts del cos solem dir **gros;** no, **gran.**

gras ≠ prim (pes)	*Ell és molt **gras,** pesa cent quilos i la seva dona és molt **prima.***
gros ≠ petit (volum)	*Té el nas **gros** i les orelles **petites.***
gran ≠ petit (superfície)	*El quadre de la Gioconda és més aviat **petit,** fa 77 x 53 cm; en canvi el Guernica és molt **gran,** ocupa tota una paret.*
gran ≠ jove (edat)	*El meu avi és molt **gran,** té noranta anys i la meva àvia és molt més **jove,** només en té cinquanta.*
gruixut ≠ prim (gruix)	*Té els braços **gruixuts;** en canvi té les cuixes **primes.***

Pesa 150 quilos.
S'hauria d'aprimar perquè està molt ~~gros~~.

Té el cap molt ~~gruixut~~.

Pronoms d'objecte directe el, la, els, les, en

Quan substituïm un objecte directe determinat (amb article definit, demostratiu o possessiu), els pronoms corresponen a les formes dels articles dels noms de l'objecte directe.

com	té / tenen	**el** cap	?
		la cara	
		els ulls	
		les cames	

el	té / tenen	rodó
la		petita
els		grossos
les		llargues

Com té la cara?
***La** té rodona. (= Té **la cara** rodona.)*

Quan substituïm un objecte directe indeterminat, sense article definit (pot no portar determinant, o portar article indefinit, numeral, quantitatiu o indefinit), el pronom és **en.**

té / tenen	**arrugues**	?
porta / porten	**bigoti, barba...**	

en	té / tenen
	porta / porten

Té moltes arrugues, oi?
*Sí que **en** té moltes. (= Sí que té moltes **arrugues.**)*

Forma i ús de la combinació de pronoms el, la, els, les + hi

- Per descriure parts del cos amb el verb **tenir** hem de dir la part del cos (nom) i la manera com és (adjectiu). Aquest adjectiu actua com un modificador del verb: *té el cap* ***rodó*** *= té* ***rodó*** *el cap, tinc les cames* ***llargues*** *= tinc* ***llargues*** *les cames.* Quan substituïm aquest adjectiu, el pronom és **hi.**

- Si volem substituir el nom i l'adjectiu de l'objecte directe, hem de combinar el pronom del nom, **el, la, els, les** amb el pronom de l'adjectiu, **hi.**

el	+ hi	=	**l'hi**
la			**la hi / l'hi**
els			**els hi**
les			**les hi**

Aquesta nena té els ulls grossos, oi?
Sí que ***els hi*** *té. (= Sí que té* ***els ulls grossos.****)*

Aquest nen té les orelles grosses, oi?
~~*Sí que les té.*~~

Ús del pronom ho com a atribut

- **Ho** és el pronom que substitueix l'atribut: adjectiu o participi, que serveix per descriure, en una frase amb el verb **ser.**

No és baix aquest noi per fer de model?
Ho *és una mica. (= És una mica* ***baix.****) Però és decidit.*
Sí que ***ho*** *és. (= Sí que és* ***decidit.****)*

No és baix aquest noi per fer de model?
~~L'~~és una mica.

Estructures comparatives

- Quan comparem persones podem fer servir les estructures següents.

tots dos / tres... – totes dues / tres...	***Tots tres*** *són prims.* ***Totes dues*** *són primes.*
cap dels dos / tres... – cap de les dues / tres...	***Cap dels quatre*** *(no) és gras.* ***Cap de les dues*** *(no) és grassa.*
cap d'ells – cap d'elles	***Cap d'ells*** *(no) és gras.* ***Cap d'elles*** *(no) és grassa.*
ni l'un ni l'altre – ni l'una ni l'altra	***Ni l'un ni l'altre*** *(no) són grassos.* ***Ni l'una ni l'altra*** *(no) són grasses.*
ni ell ni jo – ni ella ni jo	***Ni ell ni jo*** *(no) som grassos.* ***Ni ella ni jo*** *(no) som grasses.*

- Tant si comparem homes entre si, com homes i dones, tots els elements que hi fan referència han d'anar en masculí. Si comparem dones entre si, tots els elements que hi fan referència han d'anar en femení.

- Quan utilitzem l'estructura amb **cap**... el verb va en tercera persona del singular. En els altres casos va en plural.

Cap *d'elles* ***és*** *grassa.* ~~*Cap d'elles són grasses.*~~

Forma i ús del verb assemblar-se

- El verb **assemblar-se** significa ser molt igual. Aquest verb pot ser d'acció recíproca o d'acció no recíproca, encara que el significat és el mateix.

Acció recíproca: el subjecte només pot ser plural i no hi ha objecte directe ni objecte indirecte en forma de complement verbal.	*El meu germà i jo (nosaltres)* ***ens assemblem.*** (= Jo m'assemblo al meu germà i el meu germà s'assembla a mi.)
Acció no recíproca: el subjecte pot ser totes les persones verbals i hi ha d'haver complement introduït per la preposició **a**.	***Jo m'assemblo*** *al meu germà.*

Present d'indicatiu
ASSEMBLAR-SE
m'assemblo
t'assembles
s'assembla
ens assemblem
us assembleu
s'assemblen

- Quan l'acció no és recíproca, el complement es pot substituir pel pronom **hi.**

*Us assembleu **als vostres pares?***
*Sí que ens **hi** assemblem.* (hi = als nostres pares)

- Cal no confondre el verb **assemblar-se** i el verb **semblar.**

*El Jordi **sembla** alemany, però és català.*

~~*En Jim se sembla a en Jack.*~~

Perífrasis de probabilitat i possibilitat

- Per expressar que una cosa és probable es pot fer servir:

deure (en qualsevol persona i temps verbal) + infinitiu	*Aquest **deu ser** el Gérard Depardieu.*
és probable que + verb (en subjuntiu)	***És probable que** aquest **sigui** el Gérard Depardieu.*
segurament / **probablement** + verb (en indicatiu)	*Aquest **segurament és** el Gérard Depardieu.*

- Per expressar que una cosa és possible (però que no arriba a ser probable) es pot fer servir:

poder (en tercera persona de singular) + ser + que + verb (en subjuntiu)	***Pot ser que** aquesta **sigui** l'Angelina Jolie.* ~~*Pot ser aquesta sigui l'Angelina Jolie.*~~
potser + verb (en indicatiu)	***Potser** aquesta **és** l'Angelina Jolie.* ~~*Potser que aquesta sigui l'Angelina Jolie.*~~

- No es pot expressar una probabilitat o una possibilitat amb el verb en futur.

Aquest ~~serà~~ el Tom Cruise.

Forma de l'imperfet d'indicatiu

Imperfet d'indicatiu				
ACOSTUMAR	SOLER	SUSPENDRE	TENIR	LLEGIR
acostumava	solia	suspenia	tenia	llegia
acostumaves	solies	suspenies	tenies	llegies
acostumava	solia	suspenia	tenia	llegia
acostumàvem	solíem	suspeníem	teníem	llegíem
acostumàveu	solíeu	suspeníeu	teníeu	llegíeu
acostumaven	solien	suspenien	tenien	llegien

- Les terminacions de l'imperfet d'indicatiu són: per a la primera conjugació –**a**va, –**a**ves, –**a**va, –**à**vem, –**à**veu, –**a**ven; i per a la segona i tercera conjugació –**i**a, –**i**es, –**i**a, –**í**em, –**í**eu, –**i**en. Normalment les formes de l'imperfet d'indicatiu tenen la síl·laba tònica en les terminacions. La primera i la segona persona del plural sempre s'accentuen.
- L'imperfet d'indicatiu dels verbs **ser, fer, dir, riure, dur...** tenen la síl·laba tònica a l'arrel. La primera i la segona persona del plural sempre s'accentuen.

Imperfet d'indicatiu				
SER	FER	DIR	RIURE	DUR
era	**fe**ia	**de**ia	**re**ia	**du**ia
eres	**fe**ies	**de**ies	**re**ies	**du**ies
era	**fe**ia	**de**ia	**re**ia	**du**ia
érem	**fè**iem	**dè**iem	**rè**iem	**dú**iem
éreu	**fè**ieu	**dè**ieu	**rè**ieu	**dú**ieu
eren	**fe**ien	**de**ien	**re**ien	**du**ien

Ús de l'imperfet d'indicatiu

- Utilitzem l'imperfet d'indicatiu per descriure fets passats, contrastats amb el present. Per això normalment les frases en imperfet d'indicatiu tenen un element referencial temporal, ja sigui una expressió, ja sigui una altra frase.

Utilitzem el present d'indicatiu per **descriure...**	Utilitzem l'imperfet d'indicatiu per **descriure...**
com són actualment les persones. *(Tinc tretze anys)* ***Sóc*** *grassa i baixa,* ***tinc*** *la cara rodona i* ***porto*** *els cabells recollits.* *(És petita)* ***Té*** *mal humor.* *Sempre* ***portes*** *mitjons llargs?*	com eren abans les persones. *Als tretze anys* ***era*** *grassa i baixa,* ***tenia*** *la cara rodona i* ***portava*** *els cabells recollits.* *De petita* ***tenia*** *mal humor.* *Sempre* ***portaves*** *mitjons llargs?*
com són actualment les coses. *Ara les ulleres* ***són*** *molt grosses i* ***tenen*** *els vidres molt gruixuts.* *Tinc una camisa molt maca:* ***és*** *de cotó i* ***té*** *les mànigues llargues.*	com eren abans les coses. *Abans les ulleres* ***eren*** *molt grosses i* ***tenien*** *el vidres molt gruixuts.* *Llavors tenia una camisa molt maca:* ***era*** *de cotó i* ***tenia*** *les mànigues llargues.*
rutines personals actuals. *(Ara que sóc petit)* ***Jugo*** *a pilota,* ***vaig*** *a classe,* ***estudio*** *cada dia i sempre* ***faig*** *els deures.* *Ara* ***llegeixo*** *moltes novel·les.*	rutines personals d'abans. *Quan era petit* ***jugava*** *a pilota,* ***anava*** *a classe,* ***estudiava*** *cada dia i sempre* ***feia*** *els deures.* *Abans* ***llegia*** *moltes novel·les.*
esdeveniments habituals o repetits actuals. *Ara molt poca gent* ***es divorcia.*** *(Són els anys 60)* ***Hi ha*** *moltes manifestacions.*	esdeveniments habituals o repetits d'abans. *Abans molt poca gent* ***es divorciava.*** *Als anys 60* ***hi havia*** *moltes manifestacions.*

Ús del passat perifràstic i del perfet d'indicatiu respecte de l'imperfet d'indicatiu

Passat perifràstic d'indicatiu i perfet d'indicatiu

- Utilitzem el passat perifràstic d'indicatiu i el perfet d'indicatiu per explicar situacions completament acabades en el passat. Sabem que la situació va passar o ha passat en un moment i que es va acabar o s'ha acabat.

A la dècada dels seixanta ***van prohibir*** *les manifestacions.*

Aquesta setmana ***hi ha hagut*** *un congrés sobre telefonia.*

- Utilitzem el passat perifràstic d'indicatiu i el perfet d'indicatiu per ordenar cronològicament accions o esdeveniments passats.

Vaig anar *a l'escola del poble fins als catorze anys, després* ***vaig anar*** *a l'institut. Dels divuit als vint-i-tres* ***vaig viure*** *a Girona...*

Avui ***he anat*** *a classe i després* ***he tornat*** *a casa. Quan* ***he arribat, he dinat...***

Imperfet d'indicatiu

- Utilitzem l'imperfet d'indicatiu per descriure una situació del passat (recent o remot), habitual o repetida, sense explicar si aquella situació era acabada o no, simplement fem èmfasi en l'acció en ella mateixa o en la seva repetició. L'element referencial temporal és un adverbi, una locució adverbial o un complement circumstancial de temps.

Aquest matí ***plovia*** *molt.* ("plovia molt" descriu què passava en un temps recent, *"aquest matí"*)

A la dècada dels seixanta ***hi havia*** *moltes manifestacions.* (*"hi havia moltes manifestacions"* descriu què passava en un temps remot, *"a la dècada dels seixanta"*)

- Utilitzem l'imperfet d'indicatiu per descriure o contextualitzar una situació durant la qual han passat o van passar uns fets.

Quan ***anava*** *a l'hospital m'ha trucat la Coré.* (Descrivim la situació: *"quan anava a l'hospital"*, durant la qual *"m'ha trucat la Coré"*.)

Vaig marxar del meu país perquè ***hi havia*** *una dictadura.* (Descrivim la situació: *"hi havia una dictadura"*, durant la qual *"vaig marxar del meu país"*.)

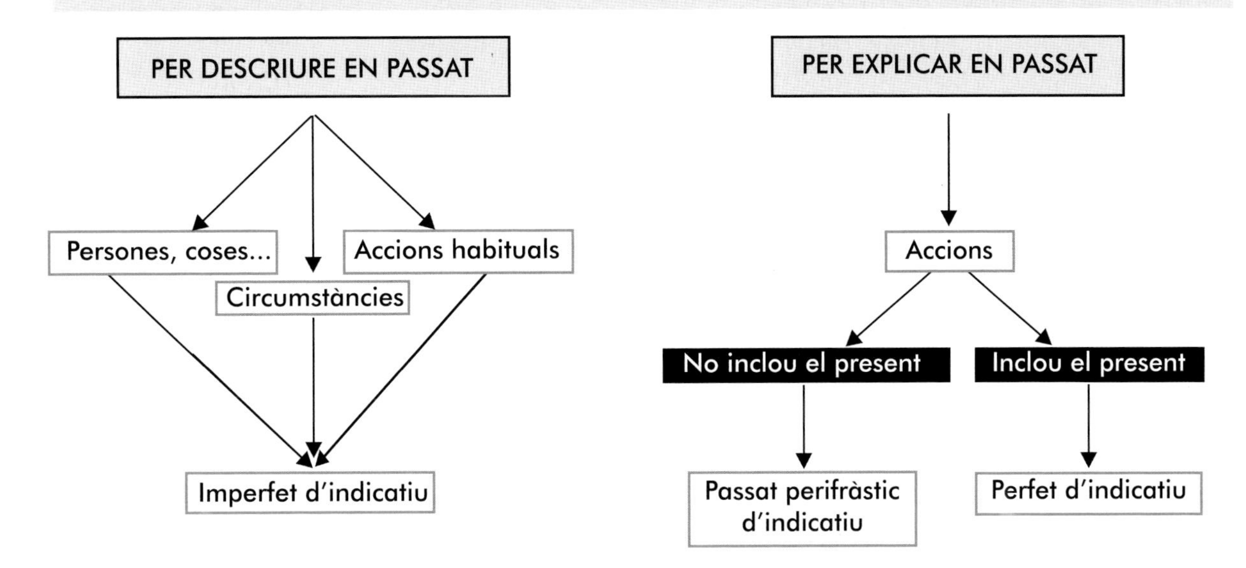

Marcadors temporals que marquen un temps limitat

Utilitzem el passat perifràstic o el perfet d'indicatiu	No utilitzem l'imperfet d'indicatiu
Ahir vaig treballar ***fins a les tres.***	*Ahir ~~treballava~~ fins a les tres.*
Va estudiar a la universitat ***quatre anys.***	*~~Estudiava~~ a la universitat quatre anys.*
Avui he jugat a futbol ***dues hores.***	*Avui ~~jugava~~ a futbol dues hores.*

Connectors discursius això sí, és clar que, encara que

això sí	Fa la mateixa funció que faria **i,** però reforça la idea posterior. Introdueix oracions que van en indicatiu.	*Era molt grassa;* ***això sí,*** *sempre* ***anava*** *molt elegant.*
és clar que	Expressa una oposició o una contrarietat entre les dues oracions. Introdueix oracions que van en indicatiu.	*És molt maca;* ***és clar que l'han arreglat*** *una mica.*
encara que	Introdueix una certa dificultat a l'acció posterior. Introdueix oracions que normalment van en subjuntiu.	***Encara que sigui*** *gran, fa molt de goig.*

Ús de verbs que indiquen canvis físics i de caràcter

- **Fer-se** i **tornar-se**: aquests dos verbs marquen un canvi físic, de condició, de caràcter... Tot i que no està regulat, el verb **fer** s'acostuma a fer servir per expressar canvis físics o de condició: *gran, vell, lleig, maco, ric, milionari...* i el verb **tornar-se,** per expressar canvis de la manera de ser: *boig, pobre, antipàtic, gandul, avorrit...*

- Altres verbs que indiquen canvis: **engreixar-se** ≠ **aprimar-se** (expressen un canvi físic de guany o pèrdua de pes) i **quedar-se calb** (expressa la pèrdua de cabells).

UNITAT 4

ESTIC FOTUT!

Ús dels verbs ser i estar

- Per indicar qualitats permanents o definitòries del caràcter d'una persona fem servir el verb **ser** + adjectiu o participi.

*En Joan **és** divertit i simpàtic, en canvi la Núria **és** nerviosa i avorrida.*

- Per indicar qualitats o estats transitoris referents a l'estat anímic o físic en què es troba algú en un determinat moment fem servir el verb **estar** + adjectiu o participi. En aquest cas indiquem qualitats que no defineixen la persona.

*La Dolors **està** amoïnada i també **està** nerviosa perquè ha perdut la feina.*
*Sí, i això que **és** una persona molt animada i tranquil·la.*
*Sí, sí, però ara **està** molt prima. Potser **està** malalta.*

- Els adjectius i participis, tant amb el verb **ser** com amb el verb **estar,** concorden en gènere i nombre amb el subjecte.

- Hi ha adjectius i participis que pel seu significat només poden expressar qualitats permanents (amb el verb **ser**) o qualitats transitòries (amb el verb **estar**). N'hi ha alguns que poden expressar totes dues coses i és el verb **ser** o **estar** que indica si la qualitat és permanent o transitòria.

qualitats permanents o definitòries	qualitats transitòries
constant, cregut, idealista, independent, intel·ligent, presumit, sincer, tímid, tossut...	*adormit, amoïnat, angoixat, atabalat, avergonyit, cansat, content, deprimit, desanimat, desesperat, empipat, enamorat, enfadat, espantat, fumut, fotut, preocupat, sorprès, trist...*
alegre, animat, avorrit, despistat, distret, feliç, histèric, mandrós, nerviós, simpàtic, tranquil...	

- Alguns adjectius o participis (angoixat, atabalat, trist...) que normalment indiquen qualitats transitòries poden utilitzar-se per indicar qualitats permanents amb l'estructura: **és una persona...**

*El Pere **és una persona** molt **trista** i **angoixada.** Avui es troba malament i encara **està** més **trist** i més **angoixat** que mai.*

Ús del pronom ho com a atribut

- **Ho** és el pronom que substitueix l'atribut: adjectiu o participi en frases amb els verbs **ser, estar** i **semblar.**

*La Dolors està **amoïnada?***
*Sí que **ho** està (amoïnada). I també està **nerviosa** perquè ha perdut la feina.*
*Doncs no **ho** sembla (nerviosa).*
*És que és molt **discreta.***
*Sí, sí que **ho** és (discreta).*

Ús de bé, malament, millor i pitjor

- Per expressar l'estat anímic o físic d'algú podem fer servir els adverbis **bé** i **malament.** Si l'estat d'algú ha millorat o ha empitjorat podem fer servir **més bé** o **millor** i **més malament** o **pitjor.** Cap d'aquestes formes no pot anar amb el verb **ser.**

*Està **més bé,** la Joana?*
*Sí, està **millor.** En canvi el seu germà està **pitjor.***
Ostres!

Com et trobes?
~~Sóc millor.~~

Ús d'estar tip / fart / cansat de... En com a complement de règim

- Les formes **estar tip, estar fart** i **estar cansat** poden significar que no se suporta una cosa, una persona o una situació. En aquest cas, han d'anar acompanyades obligatòriament d'un complement introduït per la preposició **de. Tip, fart** i **cansat** concorden en gènere i nombre amb el subjecte. Podem substituir el complement d'aquestes formes pel pronom **en.**

*No **estàs cansat d'**estudiar?*
*D'estudiar, no; però sí que **estic tip de** tu, que no em deixes estudiar.*
*Doncs jo **estic fart de** veure tants llibres a l'habitació.*

*Estic tip **d'aquesta situació!***
*Sí, tens raó. Jo també **n'**estic tipa.*

Perífrasi d'obligació haver de + infinitiu

- Per donar consell podem fer servir la perífrasi d'obligació **haver de** + infinitiu en condicional, perquè suavitza l'obligatorietat que dóna la mateixa expressió en present d'indicatiu. Encara que s'usi el condicional, no expressa una condició, sinó un consell en el present.

Tenim un problema molt greu amb el nostre fill.
***Hauríeu de parlar** amb ell.*

Condicional	
HAVER	
hauria	de + infinitiu
hauries	
hauria	
hauríem	
hauríeu	
haurien	

Estructures per aconsellar convenir + infinitiu i anar bé + infinitiu

- Si fem servir l'estructura **convenir** + infinitiu, podem utilitzar el present d'indicatiu o el condicional. Utilitzem el condicional per indicar una recomanació i el present d'indicatiu per indicar una recomanació-obligació.

Condicional		**Present d'indicatiu**	
CONVENIR			
em	convindria + infinitiu	em	convé + infinitiu
et		et	
li		li	
ens		ens	
us		us	
els		els	

- Si volem aconsellar amb l'estructura **anar bé** + infinitiu, només podem utilitzar el condicional.

Tinc mal de cap!
***Et convindria / convé** dormir una mica.*
*Sí, crec que **m'aniria** bé dormir mitja hora.*

Tinc mal de panxa.
~~Et va bé anar al metge~~.

Condicional	
ANAR bé	
m'	aniria bé + infinitiu
t'	
li	
ens	
us	
els	

- En totes dues estructures el subjecte de la frase és l'infinitiu. Per això els verbs **convenir** i **anar** sempre van en tercera persona del singular i es conjuguen amb el pronom d'objecte indirecte.

Ús de fer mal, tenir mal de i fer-se mal a

- Fem servir l'estructura **fer mal** + la part del cos, quan sentim dolor a qualsevol part del cos, interior o exterior. El verb **fer** concorda amb la part del cos (en tercera persona del singular o del plural), perquè aquesta és el subjecte. Aquesta estructura es conjuga sempre amb el pronom d'objecte indirecte.

Què tens?
***Em fa mal** la panxa.*
I a vosaltres què us fa mal?
***Ens fan mal** els braços, de jugar a tennis.*

Em ~~faig~~ mal el braç.

Present d'indicatiu	
FER mal	
em	fa / fan mal...
et	
li	
ens	
us	
els	

- Fem servir l'estructura **tenir mal de** + la part del cos, quan sentim un dolor a una part interior del cos, en dolences habituals com *mal de cap, de queixal, de coll, d'esquena, d'orella...*

Què li passa al Carles?
***Té mal de** panxa. I a tu?*
***Tinc mal de** cap. És que ahir vaig sortir i vaig beure massa.*

~~Tinc mal de colze.~~

- Fem servir l'estructura (en passat) **fer-se mal a** + la part del cos, quan s'explica el dany o el mal que ha rebut o va rebre el mateix subjecte.

Perfet d'indicatiu	
FER-SE mal	
m'he	fet mal a...
t'has	
s'ha	
ens hem	
us heu	
s'han	

Passat perifràstic d'indicatiu	
FER-SE mal	
em vaig	fer mal a...
et vas	
es va	
ens vam	
us vau	
es van	

Què t'ha passat?
***M'he fet mal a** la cama. M'he donat un cop amb la taula.*
Ui, quin mal!
*El Pere ha tingut un accident i **s'ha fet mal al** braç.*

- Normalment fem servir **tenir dolor** per indicar que ens fan mal els ossos o els músculs, de manera general i bastant permanent.

Per què camina així?
*És que **tinc dolor.** Ja se sap que amb l'edat...*
Sí, i amb els canvis de temps.

~~Tinc dolor de cap.~~
~~Em fa dolor la panxa.~~
~~M'he fet dolor a la cama.~~

Ús del verb trobar-se

- Per demanar per l'estat anímic o físic d'algú, podem fer servir el verb **trobar-se.** Acostumem a respondre amb els adverbis **bé, malament, millor** o **pitjor.**

*Com **us trobeu?***
***Ens trobem** millor.*

Com et trobes?
~~Em trobo cansat.~~

Forma del present d'indicatiu del verb tossir

Present d'indicatiu
TOSSIR
tusso
tusses
tus
tossim
tossiu
tussen

Ús d'alguns verbs que es conjuguen amb pronom o sense pronom

- Per explicar els incidents que poden passar a alguna persona, podem fer servir verbs que n'indiquen la causa. Aquests verbs es conjuguen amb pronom i indiquen que la persona que fa l'acció i la que la rep és la mateixa, o que l'acció que fa el subjecte la rep una part del cos: *intoxicar-se, tallar-se, cremar-se, trencar-se, torçar-se, inflar-se*... També podem fer servir el verb **fer-se / donar-se** + l'objecte directe: *fer-se un tall, fer-se una cremada, fer-se una ferida, donar-se un cop.*

Què els ha passat a la Francesca i al Quim?
*Doncs que **s'han intoxicat.** Són a l'hospital.*

Ui, què li passa?
***M'he tallat** el dit. / **M'he fet un tall** al dit.*

Què t'has fet?
***M'he cremat** la mà. / **M'he fet una cremada** a la mà.*

Com va anar el cap de setmana?
*Malament. Vam anar a esquiar i l'Antònia **es va trencar** la cama i jo **em vaig torçar** el turmell.*
Ui, pobres!

Estàs bé?
*No gaire. **M'he donat un cop** al cap i **m'he fet una ferida.***
Vés a urgències, que et mirin la ferida.

Què t'ha passat?
M'he torçat** el peu fa un moment i ara **s'ha inflat.
Posa-t'hi gel.

- Aquests verbs que es conjuguen amb pronom poden conjugar-se sense pronom, però el significat canvia. L'acció que la persona fa no la rep ella, sinó algú altre o una part del cos d'una altra: *intoxicar, tallar, cremar, trencar, torçar, inflar...*

*Els cuiners **van intoxicar** l'Antoni.* (objecte directe: l'Antoni)

***He trencat** la cama a l'Antoni, jugant a futbol.* (objecte directe: la cama; objecte indirecte: l'Antoni)

- Quan el subjecte del verb **inflar-se** és una part del cos, acostumem a fer referència a la persona afectada amb els pronoms d'objecte indirecte.

Perfet d'indicatiu		Passat perifràstic d'indicatiu	
se m'	ha / han inflat	se'm	va / van inflar
se t'		se't	
se li		se li	
se'ns		se'ns	
se us		se us	
se'ls		se'ls	

***Se t'ha inflat** el turmell?*
*Ui, sí! **Se m'ha inflat** molt.*

*El Genís es va donar un cop a la mà i **se li van inflar** els dits.*

Forma i ús dels pronoms d'objecte indirecte

- El pronom d'objecte indirecte substitueix el complement que normalment es refereix al destinatari o receptor de l'acció. Amb verbs com *agradar, encantar, anar bé, convenir, fer mal...* el subjecte és una cosa que produeix un efecte a algú i el complement indirecte es refereix al receptor, a la persona que experimenta l'efecte.
- Moltes vegades s'acostuma a reforçar el pronom d'objecte indirecte amb el pronom fort (jo, tu, ell, ella, vostè, nosaltres, vosaltres, ells, elles, vostès) introduït per la preposició **a.** En aquests casos, la forma **jo** pren la forma **mi.** Les altres formes no canvien.

a mi	em	+ consonant	m'	+ vocal
a tu	et		t'	
a ell, a ella, a vostè	li		li	
a nosaltres	ens		ens	
a vosaltres	us		us	
a ells, a elles, a vostès	els		els	

- Cal no confondre els pronoms d'objecte indirecte de tercera persona **li** i **els** i el pronom de tercera persona **es** dels verbs que es conjuguen amb pronom (*fer-se mal...*).

*Què **li** ha passat al Jordi?*
***S'**ha trencat la cama.*
***Li** convindria quedar-se a casa.*

Com es troba la Isabel?
*No gaire bé. **S'**ha donat un cop al cap.*
***S'**ha donat un cop al cap o **li** han donat un cop al cap?*
***S'**ha donat un cop ella mateixa.*
*I **s'**ha fet mal?*
*Una mica. Encara **li** fa mal.*

Com estan els teus fills?
Avui han caigut.
*I **s'**han fet mal?*
*Diuen que **els** fa mal l'esquena.*

Forma i ús de l'imperatiu

- Utilitzem l'imperatiu per donar instruccions i ordres, per fer peticions, per aconsellar... És una manera més directa per aconsellar que les formes *et convindria, t'aniria bé, hauries de...*
- Si utilitzem l'imperatiu, sempre hi ha d'haver el destinatari de l'imperatiu present en la comunicació. Per això no existeix una forma de l'imperatiu adreçat a **ell, ella, ells, elles.** Tampoc existeix per a **jo,** ja que no es poden donar ordres a un mateix. En el cas de **nosaltres,** sí que existeix una forma perquè s'entén que som entre els destinataris.
- La forma regular de l'imperatiu per a **tu** és igual que la tercera persona del present d'indicatiu. Per a **vostè** és igual que la tercera persona del present de subjuntiu.

	MENJAR	BEURE	DORMIR
tu	menja	beu	dorm
vostè	mengi	begui	dormi

Algunes formes irregulars

	FER	ANAR	DIR	SER
tu	fes	vés	digues	sigues
vostè	faci	vagi	digui	sigui

Quan volem negar la forma de l'imperatiu utilitzem sempre les formes del present de subjuntiu.

	tu	vostè
no	mengis	mengi
	beguis	begui
	dormis	dormi
	facis	faci
	vagis	vagi
	diguis	digui
	siguis	sigui

*No **mengis** tant!*

*No **faci** tanta feina!*

Forma dels pronoms 't, 's

- Si l'imperatiu va amb pronom, aquest sempre va darrere del verb: *posa**'t**, tapa**'t**, apunta**'t**, amoïna**'t**, posi**'s**, tapi**'s**, apunti**'s**, amoïni**'s...*** Si la forma és negativa, el pronom es col·loca davant del verb: *no **et** posis, no **et** tapis, no **t'**apuntis, no **t'**amoïnis, no **es** posi, no **es** tapi, no **s'**apunti, no **s'**amoïni...*

- El pronom **et** s'apostrofa (**'t**) amb l'imperatiu (tu), si aquest acaba en **–a;** si no, pren la forma **–te:** *posa**'t**, tapa**'t;** pren-**te**, beu-**te...***

- El pronom **es** s'apostrofa (**'s**) sempre amb l'imperatiu (vostè): *posi**'s**, tapi**'s**, apunti**'s**, amoïni**'s...***

UNITAT 5

QUÈ VOLS SER?

Ús dels connectors durant, quan i mentre

- **Durant** + quantitat de temps: introdueix un complement temporal d'una oració, que indica la duració d'una situació, d'un procés, d'un esdeveniment... L'oració no pot anar en imperfet d'indicatiu, perquè limitem la quantitat de temps.

Vaig estudiar Medicina ***durant tres anys.***

~~*Estudiava*~~ *informàtica durant tres anys.*

- **Durant** + nom de situacions, processos, esdeveniments... que s'han realitzat en un període de temps. L'oració pot anar en imperfet d'indicatiu perquè no es limita la quantitat de temps.

Durant la carrera, *vaig treballar. Feia de cambrer.*

- **Quan** introdueix una oració que fa la funció de complement temporal. Serveix per presentar un fet com a contemporani d'un altre, fent èmfasi en el moment en què comença l'acció.
- Si ens referim a accions presents o passades, el verb de l'oració introduïda per **quan** va en indicatiu.

Quan acabo *la classe de rus,* ***faig*** *un curs d'informàtica.*

Quan vaig acabar *la carrera,* ***vaig començar*** *a treballar.*

Quan he acabat *les classes,* ***me n'he anat*** *a la feina.*

- Si ens referim a accions futures, el verb de l'oració introduïda per **quan** va en present de subjuntiu o en futur.

Quan acabi / acabaré *la carrera,* ***buscaré*** *feina.*

- **Mentre** introdueix una oració que fa la funció de complement temporal. Serveix per presentar un fet com a contemporani d'un altre, fent èmfasi en el procés de l'acció.
- Si ens referim a accions presents, el verb de l'oració introduïda per **mentre** va en present d'indicatiu.

Mentre vaig *amb metro,* ***estudio*** *els verbs d'anglès.*

- Si ens referim a accions passades, el verb de l'oració introduïda per **mentre** acostuma a anar en imperfet d'indicatiu.

Mentre estudiava, vaig fer *de cangur.*

Mentre feia *l'examen,* ***m'he posat*** *molt nerviosa.*

Mentre estudiava, feia *de cangur.*

- Si ens referim a accions futures, el verb de l'oració introduïda per **mentre** va en present de subjuntiu o en futur. És més habitual fer servir el present de subjuntiu.

Mentre ***faré / faci*** *la carrera,* ***buscaré*** *feina.*

Ús dels connectors per i perquè

- Les estructures **per** + substantiu / infinitiu i **perquè** + oració en indicatiu poden servir per introduir el motiu, la causa, la justificació, la idea que provoca una actuació.

Estudio català ***per*** *amor.*

Estudio català ***per*** *trobar feina.*

Estudio català ***perquè*** *vull integrar-me.*

Ús del passat perifràstic d'indicatiu i del perfet d'indicatiu

- Encara que tots dos temps es diferencien clarament segons que la unitat de temps en què transcorre l'acció és acabada o no és acabada fins al dia d'avui, la nostra percepció de proximitat o de llunyania amb l'acció fa que a vegades la considerem dins o fora del nostre present i per això podem usar el perfet d'indicatiu o el passat perifràstic d'indicatiu.

Vaig estudiar *Arquitectura.* (La persona que parla fa temps que va acabar els estudis. Pensa en una acció realitzada en una unitat de temps llunyana.)

He estudiat *Arquitectura.* (La persona que parla fa poc que ha acabat els estudis. Pensa en una acció realitzada en una unitat de temps propera.)

- Quan parlem de la part d'un procés ja complert i ens situem després del procés (durant tres anys, tota la tarda, cinc dies, tres vegades, fins a les 11...) fem servir el perfet d'indicatiu o el passat perifràstic d'indicatiu. Mai l'imperfet d'indicatiu, perquè aquests temporals indiquen un temps limitat.

Vaig treballar *tres anys a la mateixa empresa.*

He estudiat *tota la tarda.*

~~*Em matriculava d'informàtica tres vegades aquest any.*~~

Perífrasi estar + gerundi en passat

- Utilitzem la perífrasi **estar** + gerundi en passat per explicar el desenvolupament d'una acció passada (durant un any, dos dies, fins a les vuit...). Pot utilitzar-se en cada un dels temps verbals del passat.

Passat perifràstic d'indicatiu		
vaig	estar	+ gerundi
vas		
va		
vam		
vau		
van		

Perfet d'indicatiu		
he	estat	+ gerundi
has		
ha		
hem		
heu		
han		

Imperfet d'indicatiu	
estava	+ gerundi
estaves	
estava	
estàvem	
estàveu	
estaven	

El 2000 ***vaig estar estudiant*** *tot l'any per treure'm les oposicions.* (durant un any)

Aquest matí ***he estat estudiant*** *català.* (tot aquest matí)

Quan ***estava estudiant,*** *has trucat.* (en aquell moment)

Ús dels verbs acabar, deixar i plegar

acabar	Donar fi a una activitat començada (estudis o feina).	*Vaig començar la carrera l'any 2002 i la vaig* ***acabar*** *l'any 2007.*
deixar	Abandonar, no continuar una activitat (els estudis o la feina).	*Vaig* ***deixar*** *els estudis perquè no m'agradava el que feia i vaig començar a treballar.*
plegar (de)	Deixar o abandonar la feina.	*Vaig* ***plegar de*** *la feina perquè em pagaven poc.*
		~~*Vaig començar la universitat l'any 2002 i vaig plegar l'any 2003.*~~
	Acabar la feina o interrompre-la per reprendre-la més tard, en un altre moment.	*A la feina comencem a les nou del matí i* ***pleguem*** *a les cinc de la tarda.*

Ús dels verbs parlar, entendre i escriure

- Per preguntar si es parla un idioma, podem determinar-lo o no determinar-lo, però normalment no el determinem.

Parles anglès? = Parles l'anglès?

- Si hem de pronominalitzar l'idioma, acostumem a fer servir el pronom **el,** amb els verbs **parlar, entendre** i **escriure.**

Parles francès?
*No **el** parlo, però **l'**entenc perquè s'assembla al català.*

~~No, no ho parlo.~~

- També podem especificar el grau d'idioma que parlem, normalment amb **bé** o **malament,** o amb els quantificadors **una mica de** i **gens de.**

*Parlo **una mica d'**anglès.*
*No parlo **gens de** francès.*
*Entenc molt **bé** l'anglès, però l'escric molt **malament.***

Ús dels verbs fer, estudiar i aprendre

fer / estudiar	Fem servir aquests verbs per parlar dels estudis (obligatoris, universitaris, d'idiomes...).	***Faig** anglès. = **Estudio** anglès.* ***Vaig fer** Psicologia. = **Vaig estudiar** Psicologia.* *~~Vaig aprendre Psicologia.~~*
aprendre	Fem servir aquest verb per fer valoracions del procés d'aprenentatge.	*Estic estudiant francès i no n'**aprenc** gens.* *Doncs jo **he après** anglès molt de pressa.*

Forma del present d'indicatiu dels verbs aprendre i entendre

Present d'indicatiu	
APRENDRE	ENTENDRE
aprenc	entenc
aprens	entens
aprèn	entén
aprenem	entenem
apreneu	enteneu
aprenen	entenen

Forma i ús del condicional

- El condicional dels verbs regulars de totes les conjugacions es forma afegint les terminacions **–ia, –ies, –ia, –íem, –íeu, –ien** a l'última **–r** de l'infinitiu.

Condicional		
ESTUDIAR	ESCRIURE	LLEGIR
estudiaria	escriuria	llegiria
estudiaries	escriuries	llegiries
estudiaria	escriuria	llegiria
estudiaríem	escriuríem	llegiríem
estudiaríeu	escriuríeu	llegiríeu
estudiarien	escriurien	llegirien

Hi ha verbs que tenen irregularitats en la conjugació del condicional i també del futur. Les irregularitats són al radical, les terminacions no varien.

Futur
VOLER
voldré
voldràs
voldrà
voldrem
voldreu
voldran

Condicional
VOLER
voldria
voldries
voldria
voldríem
voldríeu
voldrien

Fem servir el condicional del verb **voler** + infinitiu per referir-nos a alguna acció present o futura, que representa un desig.

*Quan acabis la carrera, què **voldries** fer?*
***Voldria** trobar feina.*

Forma del present de subjuntiu

El present de subjuntiu dels verbs regulars es forma afegint a l'arrel les terminacions **–i, –is, –i, –em, –eu, –in,** per als verbs de la primera i segona conjugació, i **–i, –is, –i, –im, –iu, –in,** per als verbs de la tercera conjugació.

Present de subjuntiu	
ACABAR	PARLAR
acabi	parli
acabis	parlis
acabi	parli
acabem	parlem
acabeu	parleu
acabin	parlin

Alguns verbs presenten algunes alteracions.

Present de subjuntiu			
SER	TENIR	SABER	PODER
sigui	tingui	sàpiga	pugui
siguis	tinguis	sàpigues	puguis
sigui	tingui	sàpiga	pugui
siguem	tinguem	sapiguem	puguem
sigueu	tingueu	sapigueu	pugueu
siguin	tinguin	sàpiguen	puguin

Estructures per demanar requisits

Les formes impersonals **és imprescindible, és necessari, és millor, és important, fa falta, cal** poden servir per demanar requisits.

	construcció impersonal (subjecte)	construcció personal (subjecte)
és imprecindible **és necessari** **és millor** **és important** **fa falta** **cal**	Ø + verb de la frase (infinitiu)	**que** + verb de la frase (present de subjuntiu)
	*És necessari **tenir** experiència.* *Fa falta **saber** idiomes.*	*És imprescindible **que** ell **tingui** experiència per a aquesta feina.* *Roser, cal **que sàpigues** anglès, si vols viatjar.*

- Per indicar que algú necessita persones o candidats amb unes característiques concretes podem fer servir les estructures següents.

<table>
<tr><td rowspan="4">voler
buscar
demanar...</td><td rowspan="4">algú
una persona
candidats...</td><td colspan="2">+ adjectiu</td><td>Volem un candidat bilingüe.</td></tr>
<tr><td colspan="2">+ preposició + nom</td><td>Busquen un candidat amb coneixements d'idiomes.</td></tr>
<tr><td rowspan="2">+ que</td><td>verb en indicatiu: se sap que la persona que es vol, es busca... existeix.</td><td>Vull aquell actor que té experiència, i no l'altre.
Volen només les persones que saben idiomes.</td></tr>
<tr><td>verb en subjuntiu: no se sap si la persona que es vol, es busca... existeix.</td><td>Vull algú que tingui experiència.
Es demanen persones que sàpiguen idiomes.</td></tr>
</table>

Ús del connector si

- Serveix per introduir una condició o fer una hipòtesi en el present projectada cap al futur. El verb de l'oració condicional introduïda per **si** va en present d'indicatiu i el de l'oració principal, en futur o en present d'indicatiu. No es fa servir ni el futur ni el present de subjuntiu després del connector **si.**

Si *acabo la carrera, t'asseguro que busco feina.*

Si *acabo la carrera, buscaré feina.*

~~Si acabaré / acabi~~ la carrera, buscaré feina.

Flexió de gènere dels substantius

El gènere de les coses

- Tots els substantius tenen gènere, que pot ser masculí o femení. Els noms que designen coses només tenen un gènere: uns són sempre masculins i els altres sempre són femenins. És important saber el gènere del nom perquè tots els elements amb flexió de gènere que s'hi refereixen han de tenir el mateix gènere.
- No hi ha una terminació marcada per als noms masculins o femenins, però generalment els acabats en **–a** són femenins, encara que hi ha algunes excepcions.

El gènere de les persones i dels animals

- En els substantius corresponents a éssers sexuats, el gènere és l'indicador de la distinció entre masculí i femení i, generalment, tenen dues formes: una per al masculí i una altra per al femení.
- La formació del femení (i també del plural) del nom segueix les normes de formació del femení (i també del plural) de l'adjectiu.
- En alguns casos hi ha una paraula diferent per a cada sexe: *home – dona...*

El gènere de les professions

- Pel que fa als noms de professions, n'hi ha molts que s'han creat recentment (en masculí o en femení) perquè abans no existien, ja que moltes professions tradicionalment les feien els homes o les dones: *pilot, mestressa de casa...*
- La formació del femení (i també del plural) de les professions segueix les normes de formació del femení (i també del plural) de l'adjectiu.
- Els noms acabats en **–òleg** fan el femení en **–òloga:** *filòleg – filòloga.*
- Hi ha noms masculins als quals s'ha d'afegir la terminació **–essa** per formar el femení: *metge – metgessa.*
- En alguns casos el nom és invariable i per tant té una única forma per al masculí i per al femení. Llavors fem servir l'article per determinar el gènere: *el / la periodista, el / la comptable....*

Ús de bo, dolent, bon, bé, malament, ben i mal

Per valorar coses podem fer servir els adjectius **bo** i **dolent,** que han d'anar després del nom. Acostumen a anar amb el verb **ser** i concorden en gènere i nombre amb el nom.

*El sou és **bo** ≠ **dolent.***
*La feina és **bona** ≠ **dolenta.***

*Els horaris són **bons** ≠ **dolents.***
*Les feines són **bones** ≠ **dolentes.***

Si col·loquem l'adjectiu davant del nom, **bo** canvia per **bon – bona – bons – bones.** En aquesta estructura, a més de fer la concordança amb el nom en gènere i nombre, l'adjectiu s'acostuma a determinar amb l'article indefinit.

*És un **bon** sou.*
*És una **bona** feina.*
*Són uns **bons** horaris.*
*Són unes **bones** feines.*

~~És un bo sou.~~

No es pot posar l'adjectiu **dolent** davant del nom. S'ha de canviar per la forma **mal – mala – mals – males,** tot i que aquesta forma no s'utilitza gaire.

*És un **mal** professional.*

~~És un dolent sou.~~

~~És una dolenta feina.~~

Per explicar l'estat (bo i dolent) de les coses fem servir els adverbis **bé** i **malament** amb el verb **estar** i no, amb el verb **ser.** Es fa servir **ben** i **mal** davant d'un participi o d'un adverbi.

*El sou està **bé** ≠ **malament.***

*La feina està **ben** ≠ **mal pagada.***

Ús de les preposicions a i en

Per indicar lloc gairebé sempre utilitzem la preposició **a,** però davant d'alguns determinants és més freqüent utilitzar la preposició **en.** Si el verb és **anar,** s'acostuma a utilitzar la preposició **a.**

a	el, la, els, les i darrere del verb **anar**
en	un, una, uns, unes
	aquest, aquesta, aquests, aquestes; aquell, aquella, aquells, aquelles
	algun, alguna, alguns, algunes

*Treballo **a l'**Hospital Central.*
*Treballo **a** casa.*
*Per buscar feina **aniré a** una oficina de col·locació.*

*Treballo **en un** hospital.*
*Vaig estudiar **en aquesta** escola.*
*He treballat **en algunes** sucursals d'aquest banc.*

Ús de feina, treball, professió, ocupació, ofici

Normalment fem servir la paraula **feina** per definir una activitat laboral retribuïda o no, o per expressar el lloc on treballem. Per a aquests usos no fem servir la paraula **treball.**

*Quina **feina** fas? = De què fas?*
*Avui no aniré a la **feina,** perquè estic malalt.*

~~Quin treball fas?~~

Per explicar el volum o la quantitat de tasques a fer, fem servir la paraula **feina.**

*No puc sortir perquè tinc molta **feina.***

~~Tinc molt treball.~~

- Normalment fem servir la paraula **treball** pel resultat d'una obra produïda en realitzar una activitat laboral o d'estudi. L'expressió **lloc de treball** significa una plaça laboral.

*Has acabat el **treball** d'història?*

*En aquesta empresa hi ha un **lloc de treball** per ocupar.*

- Normalment fem servir la paraula **professió** per designar l'activitat laboral per la qual una persona s'ha preparat intel·lectualment i **ocupació** per designar l'activitat laboral que s'està fent en un moment determinat. La paraula **ocupació** només s'usa en situacions administratives i en textos oficials. No sempre **professió** i **ocupació** es corresponen.

*En Joel és informàtic de **professió,** va estudiar un Cicle Formatiu de primer grau.*

Professió?
Llicenciat en Belles Arts.
Ocupació?
Dependent d'uns grans magatzems.

- Un **ofici** és una professió d'un art manual o mecànic.

*Hi ha **oficis** que desapareixen, com fer d'esmolet.*

Ús de ser, fer de i treballar de

- Per indicar la professió o l'ofici utilitzem: **ser** + nom de la professió o estudis, sense cap determinant.

***Sóc** metge.*

***Sóc** paleta.*

Sóc ~~un~~ metge.

- Per indicar l'ocupació utilitzem: **fer** / **treballar** + **de** + nom de la professió, l'ofici o la feina. No acostumem a fer servir aquesta estructura amb el nom d'una professió que requereixi uns estudis per treballar-hi.

***Faig de** / **Treballo de** cambrer.*

Perífrasis d'obligació personals i impersonals

- Per donar instruccions o consells es pot utilitzar la perífrasi d'obligació **haver de** + infinitiu. Es pot conjugar de manera impersonal, sense referir-se a ningú en concret, o personal, fent referència a una persona determinada. Es pot utilitzar en present d'indicatiu o en condicional.

	Present d'indicatiu	**Condicional**		
impersonal	s'ha	s'hauria	**de** + infinitiu	*Per ser auxiliar de vol **s'ha** / **s'hauria de tenir** bona presència.*
personal	he / haig	hauria		*Si voleu ser auxiliars de vol, **heu de saber** idiomes i **hauríeu de** tenir bona presència.*
	has	hauries		
	ha	hauria		
	hem	hauríem		
	heu	hauríeu		
	han	haurien		

- També podem fer servir la perífrasi **caldre** + infinitiu / **que** + subjuntiu per donar instruccions, consells o expressar requisits. Es pot conjugar de manera impersonal, sense referir-se a ningú en concret, o personal, fent referència a una persona determinada, amb l'oració subordinada en present de subjuntiu i introduïda per **que.**

impersonal	**cal**	+ infinitiu	*Per ser auxiliar de vol, **cal saber** idiomes i **tenir** experiència.*
personal		**que** + present de subjuntiu	*Pere, si vols ser auxiliar de vol, **cal que sàpigues** idiomes i **que tinguis** experiència.*

- Quan contestem podem fer servir el verb **caldre** sense infinitiu ni frase de subjuntiu.

Per a aquesta pel·lícula, cal que l'actor sigui alt i ros?
*Alt, sí; ros, **no (cal).***
I cal tenir experiència?
*Sí **(que cal).***

UNITAT 6

QUÈ ÉS AIXÒ?

Ús dels verbs ser, semblar, fer i tenir

- Per identificar objectes podem fer servir els verbs **ser** i **semblar.**

*Això **és** una bombeta.*

*Aquest paquet no sé què és, però **sembla** una joia.*

- Per descriure objectes segons els sentits podem fer servir els verbs **ser, semblar, fer** i **tenir.**

ser / semblar	adjectiu de forma, color, gust...	***És** quadrat, **és** gruixut, **sembla** tou...*
	de quadres..., de ratlles..., de colors...	***És** de quadres petits, de colors clars...*
	de + material	***Sembla** de metall o de plàstic.*
fer	bona olor / olor (de...) ≠ pudor (de...)	***Fa** bona olor? Sí, **fa** olor de poma.*
	soroll	***Fa** una mica de soroll.*
tenir	+ substantiu	***Té** rodes, una tapa...*
	gust de...	***Té** gust de cafè.*

- El verb **assemblar-se** es conjuga sempre amb pronom i el verb **semblar,** en aquests usos, sense.

*Aquests perfums **s'assemblen** molt.*

Aquests perfums ~~se semblen~~ molt.

Estructures per expressar possibilitat

- Quan no sabem exactament què és una cosa podem expressar-ho de maneres diferents.

deure + infinitiu	***Deu ser** un programa informàtic nou.*
poder + infinitiu	***Podria ser** l'últim disc de la Madonna.*
potser + una frase en indicatiu	***Potser és** una revista sobre cotxes.*
em sembla que + una frase en indicatiu	***Em sembla que són** uns llapis de colors.*

- Cal no confondre **sembla,** que usem per identificar o descriure objectes, i **em sembla que,** que usem per opinar amb un determinat grau d'inseguretat.

__Sembla__ un aparell per mesurar la pressió de la sang.

__Em sembla que__ és un aparell que fan servir els metges.

~~*Em sembla un aparell...*~~

Contrast entre què i quin, quina, quins, quines

- L'interrogatiu **què** va seguit sempre del verb i els interrogatius **quin, quina, quins, quines** van seguits del nom (que es pot ometre) i el verb. Tots aquests interrogatius poden anar precedits d'una preposi-

*De **què** és? / De **què** té gust? / De **què** té forma? / De **què** fa olor?*

*De **quin** color és? / De **quin** material és? / De **quina** forma és?*

~~*De què forma és?*~~

Estructures adjectives

- Per definir objectes fem servir adjectius o altres estructures.

adjectiu	*És un objecte **rodó, aspre...***
preposició + nom	*És un objecte **de pell.***
pronom relatiu **que** + frase en indicatiu	*És un objecte **que té rodes.***

Cap, ningú i res

En frases negatives

- **Cap** és un adjectiu invariable que serveix per dir la quantitat zero de coses comptables o persones. Ha d'anar acompanyat d'un nom o d'un pronom, excepte que sigui l'únic element de la resposta.

*No hi ha **cap dependenta?***
*No, no **n'**hi ha **cap.***

*No tens **cap regal?***
*No, no **en** tinc **cap,** encara.*

Quants llibres has comprat?
Cap.

~~*Aquí no hi ha cap.*~~

- **Ningú** és un pronom invariable que serveix per dir la quantitat zero de persones. No va seguit de cap nom.

*No hi ha **ningú.** = No hi ha **cap persona.***

No hi ha ~~ninguna~~ persona.

- **Res** és un pronom invariable que serveix per dir la quantitat zero de coses. No va seguit de cap nom.

*En aquest paquet no hi ha **res.** = En aquest paquet no hi ha **cap cosa.***

- L'existència dels pronoms **ningú** i **res** anul·la la presència del pronom **en** perquè l'oració no pot tenir dos pronoms fent la mateixa funció.

No ~~n'~~hi ha ningú.
No ~~n'~~hi ha res.

En frases interrogatives

- **Cap, ningú** i **res** no tenen valor negatiu en frases interrogatives. El verb pot anar precedit de **no.**

Cap és equivalent a **algun – alguna**

Ningú és equivalent a **algú.**

Res és equivalent a **alguna cosa.**

*(No) Hi ha **cap** dependenta? = Hi ha **alguna** dependenta?*

*Que (no) hi ha **ningú?** = Que hi ha **algú?***

*(No) Vol **res** més? = Vol **alguna** cosa més?*

Ús dels verbs haver-hi i ser

- Per demanar i dir l'existència d'una cosa o d'una persona utilitzem el verb **haver-hi.**

*Al meu barri **hi ha** molts bancs i no **hi ha** cap ferreteria.*

*Què **hi ha** a la setena planta?*
*A la setena **hi ha** la perfumeria.*

- Per demanar i dir la situació d'algú o d'alguna cosa utilitzem el verb **ser,** que no necessita el pronom **hi,** si no es vol substituir el lloc.

*La ferreteria **és** a la cantonada i el banc **és** davant.*

*On **és** el llibre? L'has vist?*
***És** sobre la taula.*
*No, no **hi és.***

~~*No hi és sobre la taula.*~~

- Quan demanem la confirmació de la situació d'una cosa que sabem que existeix, podem fer la pregunta amb els verbs **haver-hi** i **ser.** La resposta s'acostuma a fer amb el verb **ser** perquè donem la localització.

*A la planta baixa **hi ha** la secció de moda? = Que **hi ha** la secció de moda a la planta baixa? = La secció de moda **és** a la planta baixa?*

*No, la secció de moda **és** a la primera planta.*

No, la secció de moda no ~~hi ha~~ a la planta baixa. ~~Hi ha~~ a la primera planta.

Ús del pronom en amb el verb haver-hi

- El verb **haver-hi** és un verb defectiu que només es conjuga en tercera persona del singular, perquè no té subjecte. Sempre ha d'anar acompanyat de l'objecte directe; és a dir, la cosa o la persona que existeix o que no existeix.

*Hi ha **un supermercat.***

*No hi havia **gaire gent.***

- Podem substituir l'objecte directe pel pronom **en,** que s'apostrofa perquè el verb comença per **h.** Cal no confondre **n'** amb l'adverbi negatiu **no,** que no s'apostrofa mai.

Hi havia gaire gent?
*No, no **n'**hi havia gaire.* (n' = gent)

~~*N'hi havia ningú.*~~ *(≠ No hi havia ningú.)*

- El pronom **en,** pot substituir tot l'objecte directe o només el nom. Si l'objecte directe va precedit per un quantitatiu, aquest es manté.

Al teu barri, hi ha cap farmàcia?
*Sí, **n'**hi ha **dues.** (= Sí, hi ha dues farmàcies.)*

- Si a l'objecte directe hi ha algun adjectiu, el pronom **en** pot substituir el nom i l'adjectiu o només substituir-ne el nom; llavors l'adjectiu ha d'anar introduït per la preposició **de.**

Al teu barri hi ha botigues de roba?
*Sí, sí que **n'**hi ha.* (n' = botigues de roba)

Com són els mercats de Barcelona?
N'**hi ha **de** molt **grans, de mitjans** i **de petits.
(n' = mercats)

Expressions locatives al capdamunt i al capdavall

- Per indicar on és un lloc a partir d'un punt de referència al carrer podem utilitzar les expressions locatives **al capdamunt** i **al capdavall,** equivalents a **a dalt de tot** i **a baix de tot.**

On és el quiosc?
*És a dalt de tot, **al capdamunt** d'aquest carrer.*
On és el forn?
*És a baix de tot, **al capdavall** d'aquest carrer.*

~~*És al cap de dalt / de baix d'aquest carrer.*~~

Ús de per a què i per

- Quan volem saber la utilitat d'alguna cosa utilitzem l'interrogatiu **per a què** seguit del verb **servir** o altres formes equivalents. **Per a què** s'usa només per formular preguntes, directes o indirectes, però mai per respondre-les. Per respondre-les normalment utilitzem la preposició **per** + infinitiu.

***Per a què** serveix això?*
***Per** estendre la roba.*
*T'han dit **per a què** serveix això?*

Pronom relatiu on

- A part de fer d'interrogatiu, **on** pot fer també de pronom relatiu adverbial. En aquesta funció, sempre indica un lloc, introdueix una nova oració en funció d'adjectiu i substitueix el nom d'un lloc expressat en l'oració principal.

*Coneixes una botiga **on** venguin allargadors?* (on = botiga)

*Saps on és aquella botiga **on** venen allargadors?* (on = botiga)

*Saps si hi ha alguna botiga **on** venguin allargadors?* (on = botiga)

- L'existència del pronom **on** anul·la l'existència del pronom **hi** (com a locatiu) ja que una oració no pot tenir dos pronoms fent la mateixa funció.

Sap si hi ha alguna botiga on ~~hi~~ venguin allargadors?

Ús del present d'indicatiu o del present de subjuntiu

- Normalment una oració subordinada pot anar només en indicatiu o només en subjuntiu, però en alguns casos, pot anar en tots dos modes, encara que la significació no sigui exactament la mateixa.

Indicatiu	**Subjuntiu**
La persona que pregunta sap que hi ha un lloc on venen agulles d'estendre, però no sap on és.	La persona que pregunta no sap si hi ha algun establiment on es venguin agulles d'estendre en aquell lloc.
*Saps on **venen** agulles d'estendre?* *Saps on ~~venguin~~ agulles d'estendre?*	*Saps cap botiga on **venguin** agulles d'estendre?*

Forma i ús de l'imperatiu

- Per donar indicacions per anar a un lloc podem utilitzar indistintament l'imperatiu o el present d'indicatiu.

Com s'hi va?
***Agafes** el metro aquí mateix i **baixes** a la parada dels Francs.*
***Puja** fins al capdamunt del carrer i **tomba** a mà dreta. És allà mateix.*

Imperatiu		
	TOMBAR	PUJAR
(tu)	tomba	puja
(vostè)	tombi	pugi
(vosaltres)	tombeu	pugeu
(vostès)	tombin	pugin

Connectors discursius

- Quan expliquem l'evolució d'un fet, la història d'una persona o d'un lloc, unim les nostres idees amb paraules o expressions temporals de present o de passat. També, en la narració, com en qualsevol tipus d'explicació, exposem idees que són la causa, la finalitat, la conseqüència... d'altres que hem dit anteriorment i que introduïm amb unes paraules o expressions que ens indiquen aquesta relació. Per generalitzar, d'aquestes paraules o expressions, se'n diuen connectors discursius, perquè ens ajuden a fer un discurs seguit i entenedor.

- Connectors per indicar

temps	**actualment / ara**	***Actualment** / **ara** l'establiment és una cereria.*
	anteriorment / abans / temps enrere	***Abans** / **anteriorment** / **temps enrere** l'establiment era una casa de modes.*
	després / més endavant	***Després** / **més endavant,** la botiga de modes es va traspassar.*
	durant	***Durant** seixanta-dos anys va ser una botiga de modes.*
	quan	***Quan** l'establiment va obrir les portes era una botiga de modes.*
	llavors / aleshores	*Martí Prat es va morir. **Llavors** / **aleshores** Paulí Subirà es va quedar la cereria.*
causa	**perquè**	*Paulí Subirà es va quedar l'establiment **perquè** les germanes Prat no coneixien l'ofici.*
	com que	***Com que** les germanes Prat no coneixien l'ofici, Paulí Subirà es va quedar l'establiment.*
dificultat	**encara que**	*L'establiment s'ha conservat **encara que** els productes han canviat una mica.*
oposició	**però**	*Ara és una cereria, **però** abans era una botiga de modes.*

- Cal no confondre **llavors / aleshores,** connectors temporals que indiquen "en aquell moment", i **doncs,** que no introdueix mai una frase temporal.

> *Martí Prat es va morir. ~~Doncs~~ Paulí Subirà es va quedar la cereria.*

- Utilitzem **perquè** i **com que** segons l'ordre de les oracions que uneixen, encara que tots dos siguin connectors causals.

> *Paulí Subirà es va quedar l'establiment ~~com que~~ les germanes Prat no coneixien l'ofici.*

Contrast entre que i què

- **Que** i **què** són dos elements que podem usar en les interrogacions, encara que tenen funcions diferents.

que	És una partícula, no necessària, que solem posar davant del verb per reforçar la interrogació i que fa canviar l'entonació de la frase. És una partícula àtona i per això el so de la lletra **e** és neutre [ə]. Les respostes a aquest tipus d'interrogació poden ser: **sí** / **no.**	*(**Que**) hi ha la perfumeria a la primera planta?* *No, és a la planta baixa.*
què	És un pronom interrogatiu, necessari, que va seguit del verb. És una partícula tònica i el so de la **e** és obert [ɛ]. Les respostes a aquest tipus d'interrogació no es poden contestar amb **sí** / **no,** sinó amb una informació nova.	*A la desena planta, **què** hi ha?* ***Què** hi ha a dalt de tot?* *Hi ha la secció de roba de nens.*

Ús dels verbs poder i voler en intercanvis lingüístics per comprar

voler	Per indicar una intenció determinada d'obtenir alguna cosa. Es pot fer la petició en present o en condicional.	***Vull** una ampolla de colònia.* ***Voldria** un perfum.*
	Per suggerir a algú que faci alguna cosa. Va seguit d'un verb en infinitiu. Normalment no s'utilitza en les respostes sense l'infinitiu.	*El **vol** olorar?* *Sí, gràcies.*
poder	Per demanar o concedir permís. Es pot fer la petició en present o en condicional. Va seguit d'un verb en infinitiu. En les respostes afirmatives no se sol utilitzar perquè seria una mica redundant. En les respostes negatives normalment s'utilitza, però en forma impersonal, per treure la brusquedat de la prohibició.	***Puc** emprovar-me aquests pantalons?* *Sí, sí (que **pot**).* ***Puc** pagar amb targeta?* *Ho sento, però no **es pot.***
	Per demanar que algú faci alguna cosa per nosaltres, de manera més educada que fent servir un imperatiu, el qual sovint té un sentit autoritari o descortès. Va seguit d'un verb en infinitiu. En les respostes afirmatives no se sol utilitzar sense l'infinitiu. En les respostes negatives normalment s'utilitza, però sempre amb una disculpa, per treure la brusquedat de la negació.	*Em **pot** portar una talla més petita?* *Ara mateix.* *Em **pot** atendre?* *Ho sento, ara no **puc.** Estic atenent un altre client.*

Quadres gramaticals

PRONOMS

Pronoms personals febles

		pronoms davant del verb				pronoms darrere del verb			
		el verb comença per consonant		el verb comença per vocal o **h**		el verb acaba en consonant o **–u**		el verb acaba en vocal	
		singular	plural	singular	plural	singular	plural	singular	plural
1a persona		em	ens	m'	ens	–me	–nos	'm	'ns
2a persona		et	us	t'	us	–te	–vos	't	–us
3a persona		es		s'		–se		's	
	m	el	els	l'	els	–lo	–los	'l	'ls
	f	la	les	l'	les	–la	–les	–la	–les
		en		n'		–ne		'n	
		ho		ho		–ho		–ho	
	m i f	li	els	li	els	–li	–los	–li	'ls
		hi		hi		–hi		–hi	

Combinació de pronoms

Pronoms davant del verb

	el	**la**	**els**	**les**	**en**	**ho**	
em	me'l	me la	me'ls	me les	me'n	m'ho	el verb comença per consonant
et	te'l	te la	te'ls	te les	te'n	t'ho	
es	se'l	se la	se'ls	se les	se'n	s'ho	
ens	ens el	ens la	ens els	ens les	ens en	ens ho	
us	us el	us la	us els	us les	us en	us ho	
es	se'l	se la	se'ls	se les	se'n	s'ho	

	el	**la**	**els**	**les**	**en**	**ho**	
em	me l'	me l'	me'ls	me les	me n'	m'ho	el verb comença per vocal o **h**
et	te l'	te l'	te'ls	te les	te n'	t'ho	
es	se l'	se l'	se'ls	se les	se n'	s'ho	
ens	ens l'	ens l'	ens els	ens les	*ens n'	ens ho	
us	us l'	us l'	us els	us les	*us n'	us ho	
es	se l'	se l'	se'ls	se les	se n'	s'ho	

(*) Amb el verb **anar-se'n** s'admeten les formes: *ens en anem* i *us en aneu*.

Pronoms darrere del verb

		el	**la**	**els**	**les**	**en**	**ho**
el verb acaba en consonant o **–u**	**em**	–me'l	–me–la	–me'ls	–me–les	–me'n	–m'ho
	et	–te'l	–te–la	–te'ls	–te–les	–te'n	–t'ho
	es	–se'l	–se–la	–se'ls	–se–les	–se'n	–s'ho
	ens	–nos–el	–nos–la	–nos–els	–nos–les	–nos–en	–nos–ho
	us	–vos–el	–vos–la	–vos–els	–vos–les	–vos–en	–vos–ho
	es	–se'l	–se–la	–se'ls	–se–les	–se'n	–s'ho

		el	la	els	les	en	ho
el verb acaba en vocal	em	–me'l	–me–la	–me'ls	–me–les	–me'n	–m'ho
	et	–te'l	–te–la	–te'ls	–te–les	–te'n	–t'ho
	es	–se'l	–se–la	–se'ls	–se–les	–se'n	–s'ho
	ens	'ns–el	'ns–la	'ns–els	'ns–les	'ns–en	'ns–ho
	us	–us–el	–us–la	–us–els	–us–les	–us–en	–us–ho
	es	–se'l	–se–la	–se'ls	–se–les	–se'n	–s'ho

Pronoms davant del verb

	ho	
em	m'ho	el verb comença per consonant o vocal
et	t'ho	
li	li ho (l'hi)	
ens	ens ho	
us	us ho	
els	els ho (els hi)	

Pronoms darrere del verb

		ho
el verb acaba en consonant o **–u**	em	–m'ho
	et	–t'ho
	li	–li–ho (–l'hi)
	ens	–nos–ho
	us	–vos–ho
	els	–los–ho

		ho
el verb acaba en vocal	em	–m'ho
	et	–t'ho
	li	–li–ho (–l'hi)
	ens	'ns–ho
	us	–us–ho
	els	'ls–ho ('ls–hi)

Pronoms davant del verb

	hi	
el	l'hi	el verb comença per consonant o vocal
la	la hi (l'hi)	
els	els hi	
les	les hi	
en	n'hi	

Pronoms darrere del verb

		hi
el verb acaba en consonant o **–u**	el	–l'hi
	la	–la–hi (–l'hi)
	els	–los–hi
	les	–les–hi
	en	–n'hi

		hi
el verb acaba en vocal	el	–l'hi
	la	–la–hi (–l'hi)
	els	'ls–hi
	les	–les–hi
	en	–n'hi

Pronoms davant i darrere del verb

	em	et	li	ens	us	els	
es	se'm	se't	se li	se'ns	se us	se'ls	el verb comença per consonat
	se m'	se t'	se li	se'ns	se us	se'ls	el verb comença per vocal o **h**
	–se'm	–se't	–se–li	–se'ns	–se–us	–se'ls	el verb acaba en consonant o vocal

VERBS

Present d'indicatiu

- Segona conjugació: primera persona del present d'indicatiu acabada en **–c.**

SOLER	PRENDRE	DUR
solc	prenc	duc
sols	prens	dus (duus)
sol	pren	du (duu)
solem	prenem	duem
soleu	preneu	dueu
solen	prenen	duen

Altres verbs: aprendre, entendre, escriure, suspendre, vendre, beure, caure, poder, ser, tenir, venir, estar, avenir-se...

Present de subjuntiu

- Formes regulars

ACABAR	PERDRE	DORMIR	SERVIR
acabi	perdi	dormi	serveixi
acabis	perdis	dormis	serveixis
acabi	perdi	dormi	serveixi
acabem	perdem	dormim	servim
acabeu	perdeu	dormiu	serviu
acabin	perdin	dormin	serveixin

- Formes irregulars

ANAR	FER	SABER	SORTIR	HAVER-HI
vagi	faci	sàpiga	surti	
vagis	facis	sàpigues	surtis	
vagi	faci	sàpiga	surti	hi hagi
anem	fem	sapiguem	sortim	
aneu	feu	sapigueu	sortiu	
vagin	facin	sàpiguen	surtin	

- Segona i tercera conjugació: primera persona del present d'indicatiu acabada en **–c,** present de subjuntiu en **–gu–.**

CAURE	ESTAR	TENIR	VENIR	SER	PODER	PLOURE
caigui	estigui	tingui	vingui	sigui	pugui	
caiguis	estiguis	tinguis	vinguis	siguis	puguis	
caigui	estigui	tingui	vingui	sigui	pugui	plogui
caiguem	estiguem	tinguem	vinguem	siguem	puguem	
caigueu	estigueu	tingueu	vingueu	sigueu	pugueu	
caiguin	estiguin	tinguin	vinguin	siguin	puguin	

Imperfet d'indicatiu

- Segona conjugació: formes que tenen la primera síl·laba tònica.

FER	DIR	DUR
feia	deia	duia
feies	deies	duies
feia	deia	duia
fèiem	dèiem	dúiem
fèieu	dèieu	dúieu
feien	deien	duien

Altres verbs: riure, seure, treure, caure, veure, creure...

- Formes acabades en **–dre.**

SUSPENDRE
suspenia
suspenies
suspenia
suspeníem
suspeníeu
suspenien

Altres verbs: prendre, aprendre, entendre...

- Tercera conjugació: formes acabades en **–air, –eir, –uir.**

AGRAIR	OBEIR	TRADUIR
agraïa	obeïa	traduïa
agraïes	obeïes	traduïes
agraïa	obeïa	traduïa
agraíem	obeíem	traduíem
agraíeu	obeíeu	traduíeu
agraïen	obeïen	traduïen

La primera i la segona persona del plural porten accent a la **i,** totes les altres hi porten dièresi.

Futur

- Formes regulars

QUEDAR	CONÈIXER	PRENDRE	SORTIR
quedaré	coneixeré	prendré	sortiré
quedaràs	coneixeràs	prendràs	sortiràs
quedarà	coneixerà	prendrà	sortirà
quedarem	coneixerem	prendrem	sortirem
quedareu	coneixereu	prendreu	sortireu
quedaran	coneixeran	prendran	sortiran

- Formes irregulars

ANAR	FER	TENIR	VENIR	VOLER	PODER	HAVER-HI
aniré	faré	tindré	vindré	voldré	podré	
aniràs	faràs	tindràs	vindràs	voldràs	podràs	
anirà	farà	tindrà	vindrà	voldrà	podrà	hi haurà
anirem	farem	tindrem	vindrem	voldrem	podrem	
anireu	fareu	tindreu	vindreu	voldreu	podreu	
aniran	faran	tindran	vindran	voldran	podran	

Condicional

Formes regulars

QUEDAR	CONEIXER	PRENDRE	SORTIR
quedaria	coneixeria	prendria	sortiria
quedaries	coneixeries	prendries	sortiries
quedaria	coneixeria	prendria	sortiria
quedaríem	coneixeríem	prendríem	sortiríem
quedaríeu	coneixeríeu	prendríeu	sortiríeu
quedarien	coneixerien	prendrien	sortirien

Formes irregulars

ANAR	FER	TENIR	VENIR	VOLER	PODER	HAVER-HI
aniria	faria	tindria	vindria	voldria	podria	
aniries	faries	tindries	vindries	voldries	podries	
aniria	faria	tindria	vindria	voldria	podria	hi hauria
aniríem	faríem	tindríem	vindríem	voldríem	podríem	
aniríeu	faríeu	tindríeu	vindríeu	voldríeu	podríeu	
anirien	farien	tindrien	vindrien	voldrien	podrien	

Imperatiu

Formes regulars

	RESPIRAR	DORMIR
tu	respira	dorm
vostè	respiri	dormi
vosaltres	respireu	dormiu
vostès	respirin	dormin

Formes irregulars

	ANAR	FER	SORTIR
tu	vés	fes	surt
vostè	vagi	faci	surti
vosaltres	aneu	feu	sortiu
vostès	vagin	facin	surtin

	BEURE	SEURE	DIR	TENIR*	VENIR
tu	beu	seu	digues	té / tingues	vine
vostè	begui	segui	digui	tingui	vingui
vosaltres	beveu	seieu	digueu	teniu / tingueu	veniu
vostès	beguin	seguin	diguin	tinguin	vinguin

(*) **té** i **teniu** es fan servir quan es dóna físicament una cosa: ***Té,*** *et dono el llibre, agafa'l.*
tingues i **tingueu** es fan servir quan no expressem una cosa física: ***Tingueu*** *paciència.*

Participi

- Formes regulars

Infinitiu acabat en:	Participi acabat en:
–ar	**–at**
–er, –re, –r	**–ut**
–ir	**–it**

- Formes irregulars

Infinitiu	**Participi**
aprendre	après
beure	begut
caure	caigut
complir	complert
conèixer	conegut
creure	cregut
dir	dit
dur	dut
encendre	encès
entendre	entès
escriure	escrit
fer	fet
haver	hagut
imprimir	imprès
mantenir	mantingut

Infinitiu	**Participi**
morir	mort
moure	mogut
obrir	obert
poder	pogut
prendre	pres
prometre	promès
ser	sigut / estat
suspendre	suspès
tenir	tingut
treure	tret
venir	vingut
veure	vist
viure	viscut
voler	volgut

PRONUNCIACIÓ I ORTOGRAFIA

Vocals. Síl·laba tònica i síl·laba àtona. Tipus d'accents

- En català hi ha cinc vocals, que representen vuit sons vocàlics. Hi ha algunes zones on no fan tots els sons.
- Normalment les paraules només tenen una síl·laba tònica, que es pronuncia amb més força; totes les altres són àtones.
- Les vocals **i** i **u** tenen sempre el mateix so [**i**], [**u**].
- Les vocals **a, e** i **o** tenen un so diferent si són en una síl·laba tònica o àtona.
- Les vocals **a** i **e** en síl·laba àtona tenen el mateix so: vocal neutra [ə] (so entre la **e** i la **a**).
- La vocal **o** en síl·laba àtona es pronuncia [**u**].
- Les vocals **e** i **o** en síl·laba tònica poden tenir dos sons: obert [ɛ] , [ɔ] (amb la boca més oberta) i tancat [**e**], [**o**] (amb la boca més tancada).
- Si les paraules porten accent gràfic, aquest sempre va sobre la vocal tònica.
- No totes les vocals de síl·labes tòniques porten accent gràfic.
- L'accent pot ser agut o tancat (´) i greu o obert (`).
- Si la vocal **a** porta accent, és obert: **à**
- Si les vocals **i** i **u** porten accent, és tancat: **í, ú**
- Les vocals **e** i **o** poden portar accent obert: **è, ò** (pronunciació més oberta) o accent tancat **é, ó** (pronunciació més tancada).

	a	e	i	o	u
síl·laba tònica	[a] **A**nna	[ɛ] Ter**e**sa [e] P**e**re	[i] Dav**i**d	[ɔ] P**o**l [o] Isid**o**r	[u] J**ú**lia
síl·laba àtona	[ə] M**a**ri**a**, G**e**rard		[i] Dan**i**el	[u] J**o**an, Pa**u**la	

Accentuació gràfica

- Segons la síl·laba tònica diem que les paraules són:
  agudes, si la síl·laba tònica és l'última: ca-ta-**là**, a-le-**many**
  planes, si la síl·laba tònica és la penúltima: **à**-rab, xi-**le**-na
  esdrúixoles, si la síl·laba tònica és l'antepenúltima: **À**-fri-ca, **À**-si-a
- Les paraules agudes s'accentuen si acaben en:

a	*catal**à***	**as**	*Tom**às***		
e	*eslov**è**, tamb**é***	**es**	*cameruns**ès**, despr**és***	**en**	*dep**èn**, ent**én***
i	*marroqu**í***	**is**	*pa**ís***	**in**	*Berl**ín***
o	*per**ò**, let**ó***	**os**	*arr**òs**, silenci**ós***		
u	*urd**ú***	**us**	*Jes**ús***		

- Les paraules planes s'accentuen si no acaben en les dotze terminacions anteriors: **àrab**, **néixer**, **conèixer**, teníem, psic**òleg**, **córrer**, **únic**... I no s'accentuen si acaben en alguna de les dotze terminacions anteriors: tenia...
- Les paraules esdrúixoles s'accentuen totes: **À**frica, Am**è**rica, esgl**é**sia, **Í**ndia, S**ò**nia, f**ó**rmula, R**ú**ssia.
- Normalment les paraules que tenen una síl·laba no s'accentuen, però hi ha diverses excepcions: **sóc, és, són, té, què, sí, bé, nét, véns, més, sé...** perquè aquestes paraules també existeixen sense accent i tenen un significat diferent.

Els diftongs. La "i" i la "u" entre dues vocals. La dièresi (¨)

- Una paraula té, en general, tantes síl·labes com vocals, que es pronuncien: *prat, maig, ro-sa, pen-sa, lle-geix, Ma-ri-a, ca-fe-te-ra, far-mà-ci-a*

Diftong

- Un diftong és la unió de dues vocals en una mateixa síl·laba, de manera que totes dues es pronuncien. Hi ha dos tipus de diftongs: els creixents i els decreixents.

diftongs creixents	**–ua, –üe, –üi, –uo** darrere de les lletres **g–** i **q–**	***qua***-*tre*, ***qües***-*ti-ó*, *pin-**güí**, **quo**-ti-di-à*
diftongs decreixents	**ai, ei, oi, ui** **au, eu, iu, ou, uu**	***ai***-*gua*, ***fei***-*na*, ***boi***-*ra*, ***cui***-*na* *pa-**lau**, **peu**, **ciu**-tat, **mou**-re, **duu***

La i i la u entre dues vocals

- Normalment, quan les lletres **i** i **u** es troben entre dues vocals, actuen com si fossin la consonant de la segona vocal: *de-**ia**, mo-**u**en.*

Dièresi (¨)

Les dièresis s'utilitzen en tres casos.

- Si cal que la **u** després de **g–** o **q–** es pronunciï, en els conjunts: –q**ü**e, –q**ü**i, –g**ü**e, –g**ü**i: *q**ü**estió, aig**ü**es, ping**üí**.*
- Si la **i** dels diftongs decreixents cal que formi una síl·laba independent (i no es pot accentuar): *can-vi-**ï**, a-gra-**ï**m.* No porten dièresi, però, les **i** en les terminacions dels infinitius, futurs o condicionals: *a-gra-**i**r, con-du-**i**-ré, o-be-**i**-ri-a.*
- Si la **i** entre dues vocals cal que formi una síl·laba independent (i no es pot accentuar): *a-gra-**ï**-a, con-du-**ï**-es, o-be-**ï**-en.*

Alteracions ortogràfiques

- Per qüestions ortogràfiques o fonètiques alguns verbs, noms o adjectius es veuen obligats a canviar les consonants del radical.

–a / –o		–e– / –i–	
–ca / –co	*tan**ca**, tan**co**, blan**ca**...*	**–que– / –qui–**	*tan**quen**, blan**ques**, to**qui**...*
–ça / –ço	*comen**ça**, comen**ço**, dol**ça**...*	**–ce– / –ci–**	*comen**ces**, dol**ces**, ca**ci**...*
–ja / –jo	*men**jo**, men**ja**, llet**ja**...*	**–ge– / –gi–**	*men**geu**, llet**ges**, men**gi**...*
–ga / –go	*ple**ga**, ple**go**, ami**ga**...*	**–gue– / –gui–**	*ple**gues**, ami**gues**, ple**gui**...*

Apostrofació

- En català l'apòstrof significa l'absència d'una vocal: **a** o **e.** Només s'apostrofen els articles definits i personals en masculí i femení singular, la preposició **de** i alguns pronoms febles.
- **El** i **la** s'apostrofen (**l'**) davant de noms començats per vocal o per la lletra **h**. L'article femení, però, no s'apostrofa si el nom comença per una **i** / **hi** o una **u** / **hu** en posició àtona: ***L'**Índia, però, **la** Isabel...*
- La preposició **de** s'apostrofa sempre davant d'un nom que comença per vocal o per **h**: ***d'A**tenes, **d'H**ongria...*
- Alguns pronoms s'apostrofen davant dels verbs començats per vocal o per la lletra **h,** o s'elideixen darrere dels verbs acabats en vocal, excepte **-u,** o entre ells: ***m'**agrada, **me'n** vaig, **t'**arregles, **te'n** vas, **n'**hi ha, **n'**agafa, compra**'n,** passi**'m...***

Contracció

- Les preposicions **a**, **de** i **per** es contrauen amb l'article definit masculí, singular i plural.

	de	a	per
el	**del** ***del*** *Japó*	**al** ***al*** *Japó*	**pel** ***pel*** *carrer*
els	**dels** ***dels*** *Estats Units*	**als** ***als*** *Estats Units*	**pels** ***pels*** *carrers*

- Les preposicions **a, de** i **per** no es contrauen si l'article definit és femení, singular i plural, o si l'article s'apostrofa amb el nom perquè comença per vocal o per **h.**

	de	a	per
la	***de la*** *Xina*	***a la*** *Xina*	***per la*** *plaça*
les	***de les*** *Filipines*	***a les*** *Filipines*	***per les*** *places*
l'	***de l'****Equador /* ***de l'****Argentina*	***a l'****Equador /* ***a l'****Argentina*	***per l'****autor /* ***per l'****avinguda*

Transcripcions

CONTINGUT DELS CD

CD1

UNITAT 1	UNITAT 2	UNITAT 3
LLIBRE DE L'ALUMNE	LLIBRE DE L'ALUMNE	LLIBRE DE L'ALUMNE
PISTA 1: Exercici 4	PISTA 9: Exercici 1	PISTA 19: Exercici 1
PISTA 2: Exercici 8	PISTA 10: Exercici 7	PISTA 20: Exercici 5
PISTA 3: Exercici 10	PISTA 11: Exercici 10	PISTA 21: Exercici 6
PISTA 4: Exercici 16	PISTA 12: Exercici 11	
	PISTA 13: Exercici 15	
	PISTA 14: Exercici 20	
LLIBRE D'EXERCICIS	LLIBRE D'EXERCICIS	LLIBRE D'EXERCICIS
PISTA 5: Exercici 13	PISTA 15: Exercici 4	PISTA 22: Exercici 8
PISTA 6: Exercici 24	PISTA 16: Exercici 11	PISTA 23: Exercici 21
PISTA 7: Exercici 32	PISTA 17: Exercici 27	PISTA 24: Exercici 31
PISTA 8: Exercici 36	PISTA 18: Exercici 35	PISTA 25: Exercici 32

CD2

UNITAT 4	UNITAT 5	UNITAT 6
LLIBRE DE L'ALUMNE	LLIBRE DE L'ALUMNE	LLIBRE DE L'ALUMNE
PISTA 1: Exercici 2	PISTA 10: Exercici 4	PISTA 18: Exercici 3
PISTA 2: Exercici 5	PISTA 11: Exercici 9	PISTA 19: Exercici 6
PISTA 3: Exercici 7	PISTA 12: Exercici 14	PISTA 20: Exercici 8
PISTA 4: Exercici 10		PISTA 21: Exercici 12
PISTA 5: Exercici 13		
PISTA 6: Exercici 14		
LLIBRE D'EXERCICIS	LLIBRE D'EXERCICIS	LLIBRE D'EXERCICIS
PISTA 7: Exercici 7	PISTA 13: Exercici 7	PISTA 22: Exercici 12
PISTA 8: Exercici 26	PISTA 14: Exercici 11	PISTA 23: Exercici 20
PISTA 9: Exercici 38	PISTA 15: Exercici 20	PISTA 24: Exercici 25
	PISTA 16: Exercici 37	PISTA 25: Exercici 26
	PISTA 17: Exercici 39	

AIXÍ, COM QUEDEM

LLIBRE DE L'ALUMNE

PISTA 1 Exercici 4

1. Hola, Nico!

Guillem! Què fas? Ja fa més d'un quart d'hora que t'estic esperant!

Ostres! És veritat! Ai, ai! Encara sóc a casa, però em dutxo i vinc volant. Espera't aquí.

No, no... Si esperar, ja espero des de fa més de 15 minuts. Ets un cas, tio!

Em sap greu, però és que saps què passa? Que...

M'és igual, va vinga, vine de pressa i ja m'ho explicaràs després.

2. Així, a quina hora quedem?

A un quart i cinc de tres. Tinc taula per a dos quarts de tres.

I on?

Quedem davant del restaurant. Saps on és?

Sí, més o menys, ja el trobaré.

No, no... T'ho explico, que encara et perdràs i faràs tard. És al carrer Pifarré, 346, cantonada carrer Maragall, entre una farmàcia i una comissaria de policia. És una porta verda amb unes lletres negres. Si agafes el metro, la línia blava, sortiràs a la parada Maragall, és davant mateix de la parada de metro...

Sí, sí, home, em sembla que ho trobaré.

3. Demà és el dia, oi?

Sí, quedem demà.

Em ve de gust coneixe't finalment, perquè em sembla que ja et conec molt, però no és el mateix poder veure't i fer-te un petó.

Sí, jo també tinc moltes ganes de parlar amb tu cara a cara. Quedem al bar Billar? Oi que t'agrada molt?

Sí, m'agrada molt, però prefereixo quedar en un lloc més tranquil.

Doncs quedem al cafè Fidel. És un lloc molt agradable.

Ens coneixerem?

Sí, jo portaré la mateixa jaqueta blava que a la foto que et vaig enviar.

A quina hora et va bé?

A les vuit del vespre?

Em sembla perfecte.

Fins demà, doncs.

Sí, fins demà. Quina vergonya, oi?

No, dona. Tot anirà bé.

4. Digui?

Que hi ha la Rita?

Sí, sóc jo.

Hola, Rita. Sóc el Pau.

Ah! Hola, Pau. Com anem?

Bé, mira, et truco per... avui quedem o què?

Sí... si vols... Què vols fer?

Què et sembla si anem a la inauguració del bar d'un amic meu. Tinc dues invitacions.

Ostres! És que no coneixeré ningú. A mi no em ve gaire de gust. M'estimo més que quedem després.

D'acord. Després de la inauguració et trucaré. Podem anar a fer una copa tots dos.

Sí... ai, no, després no puc, no em va gaire bé, perquè haig d'acabar un treball que estic fent i és per a demà.

No hi fa res, doncs quedem demà.

Sí... però és que demà no em va bé, perquè treballo fins tard: tinc una reunió.

I després? Jo no tinc pressa.

Home, però és que serà molt tard.

No, no... jo sempre vaig a dormir molt tard... Però si vols quedem al matí.

No, al matí no puc perquè vénen a casa els de la rentadora. Bé, ja ho veurem... eh? Em sap greu, però és que últimament tinc molta feina.

Bé, no t'amoïnis, ja et telefonaré.

5. Aquest és el contestador d'en Fede Ramis. Deixeu el vostre missatge després del senyal.

Hola, Fede. Et va bé quedar demà? Tinc molta feina, però m'agradaria anar a prendre alguna cosa. Mira, a les set plego, després vaig al gimnàs i surto a un quart de nou. Haig de passar per casa a canviar-me i anar a buscar el cotxe. Jo calculo que a tres quarts de nou ja estaré. A dos quarts de deu he quedat amb l'Àlex davant de l'auditori per menjar alguna cosa abans del concert. O sigui que de tres quarts de nou a un quart de deu tinc lliure. Et va bé?

PISTA 2 Exercici 8

Diàleg 1

Anem al cine diumenge?

A la nit?

Sí, a l'última sessió.

Molt bé, on quedem?

A la plaça del Diamant.

A la plaça del Diamant... Com s'hi va?

Agafa la línia verda i baixa a la tercera parada, que és Fontana. La plaça és allà mateix.

Doncs quedem cap a les deu a la plaça del Diamant.

D'acord.

Diàleg 2

Et ve de gust anar a veure les fonts de Montjuïc?

Quan?

Podem anar-hi aquest dissabte.

A quina hora?

Crec que l'espectacle comença a quarts de deu. Què et sembla si quedem mitja hora abans?

Sí, està bé. Ah! I com s'hi va, a les fonts de Montjuïc?

Agafes el metro, la línia vermella, aquí mateix i baixes a Espanya. Hi ha sis parades. Les fonts són una mica més amunt.

Diàleg 3

Vols venir demà a dinar a casa meva?

Ah! Molt bé! A quina hora vinc?

Quan et vagi bé. A partir de la una jo ja sóc a casa.

Doncs jo vindré quan surti de classe, a les dotze tocades. Ah! I per cert, com s'hi va, a casa teva?

Doncs, si ets a l'escola agafa el metro allà mateix, fins a la plaça Catalunya. Són tres parades.

I a Catalunya faig transbord?

Sí, agafa els Ferrocarrils i baixa a Les Planes. Casa meva és molt a la vora de l'estació. Si et perds, truca'm.

Molt bé. Si no em perdo, ens veiem demà a casa teva a quarts de dues, les dues.

PISTA 3 Exercici 10

Diàleg 1

Digui?

Hola, que hi ha la Sònia?

No, no hi és. Sóc la Rita. De part de qui?

Sóc l'Enric. Quan hi serà?

M'ha dit que vindrà cap a les deu. Si vols, truca-li al vespre.

Molt bé. Doncs ja li trucaré. Adéu.

Adéu.

Diàleg 2

Digui?

Hola, sóc l'Amadeu. Que hi ha la Patrícia?

Sí, un moment, ara s'hi posa.

Sí?

Hola, Patrícia! Sóc l'Amadeu.

Ei, hola. Com anem?

Mira que et trucava perquè et volia convidar al cine.

Ah, molt bé. Quan?

Et va bé aquest vespre? Si vols, quedem per sopar alguna cosa abans i, mentrestant, podem decidir la pel·lícula. Podríem anar al Cinemàpolis, que n'han estrenat quatre.

Doncs bé... Quedem al bar que hi ha al davant, cap a les nou?

Perfecte! A les nou al bar que hi ha davant del cine.

Fins després. Adéu.

Adéu.

Diàleg 3

Ei, Antoni! On ets?

Sóc al súper. Estic comprant quatre coses. I tu?

Sóc a la feina. Mira, et trucava per si vols venir a casa meva a sopar aquest dissabte.

Dissabte? Al vespre?

Sí. És que he convidat la Isabel i vindrà amb una amiga.

Ah! Per això vols que vingui, oi?

Home, si a més de venir a sopar de franc coneixes una rossa explosiva...

Molt bé, vindré, però no portaré res, d'acord?

Hi estic acostumat. Però sigues puntual. Quedem cap a quarts de deu.

Molt bé, a quarts de deu a casa teva. Fins dissabte.

Adéu.

Adéu.

Diàleg 4

Sí?

Hola, Alícia, sóc l'Eduard.

No sóc l'Alícia, sóc l'Olga.

Ai, perdona. Que hi és, l'Alícia?

Sí, sí, ara s'hi posa. Un moment.

Sí?

Alícia, sóc l'Eduard. Què fas?

Estava treballant. Haig d'acabar una traducció per a demà.

Doncs... què et sembla si quedem demà? Podríem anar al cine o a sopar...

Ostres! Demà no puc. És que tinc un sopar amb l'Àlex.

Amb l'Àlex?

Sí, tornem a sortir, saps?

Ah, enhorabona. Doncs...

Si vols l'hi dic a l'Olga, a ella segur que li ve de gust sortir amb tu.

Ah, l'Olga... bé, ja li trucaré. És que ara tinc una mica de pressa.

Molt bé, ja l'hi diré. Adéu.

Adéu, adéu.

PISTA 4 **Exercici 16**

1. Nosaltres pensem anar a la platja. Ens agrada el sol i la calor. Aguantem força bé la xafogor i les temperatures altes. Odiem el fred. Buscarem un hotelet barat davant de la platja. No farem res: dormirem, anirem a la platja, ens banyarem i menjarem. Ja treballem prou durant la setmana!

2. M'agradaria anar a esquiar, però no sé si hi haurà neu. Jo esquiaré i el meu marit anirà a un balneari que hi ha a prop de les pistes. A ell no li agrada esquiar i no suporta el fred. A la nit, quedarem amb uns amics que ja van pujar ahir.

3. Farem una excursió cap a l'interior de Catalunya. Visitarem unes comarques que no coneixem. No ens importa si plou, perquè ens agrada la pluja. Sortirem dissabte ben d'hora i tornarem diumenge a la tarda, havent dinat. No volem trobar cues.

4. Aquest cap de setmana quedarem a Dénia amb uns amics per fer surf. Sembla que hi farà vent i ens ho passarem molt bé. Encara que plogui no canviarem de plans, perquè de tota manera ens mullarem.

LLIBRE D'EXERCICIS

PISTA 5 **Exercici 13**

1. Quedem a quarts de vuit?
   No, una mica més d'hora.
   Doncs quedem a un quart de vuit.

2. A quina hora ens trobem?
   Deu minuts abans de començar el partit.
   No, millor una mica més d'hora, cap a les sis.
   D'acord.

3. Tu ets puntual?
   Jo sí.
   Doncs quedem a tres quarts i cinc en punt de tres.
   Molt bé. Fins després.

4. Vols que ens trobem davant de l'escola a les dues en punt?
   Sí, però arribaré a les dues tocades.
   Doncs ens trobem a les dues tocades. Fins després.

5. Quedem a quarts de dotze per prendre una copa?
   D'acord, així tindrem temps de sopar.
   Molt bé doncs, a quarts de dotze al bar de sempre.

PISTA 6 **Exercici 24**

1. Hola Joan! Et ve de gust sortir aquesta nit?
   Ho sento, Lluís, però surto amb la Mònica.
   I què et sembla si sortim tots tres?
   Em sap greu, però vull sortir sol amb ella.
   D'acord. Un altre dia. No hi fa res.
   Gràcies, Lluís. Sortim demà, eh?

2. Jaume, et ve de gust anar sopar a una pizzeria?
   Vols dir? Sempre hi ha molta gent i la pizza no m'agrada gaire. Mira, Lola, i si sopem a casa meva?
   Em sap greu, però no m'agraden els teus sopars.
   Molt bé. Doncs anem a casa meva, jo em preparo el meu sopar i tu demanes una pizza al Pizza Ràpid. Ah, i la pagues tu!

3. Enric, vols venir a la festa dels meus veïns *okupes*?
   Vols dir? A mi m'agraden les festes tranquil·les.
   Ostres, Enric, com ets! Ets un avorrit. Jo sí que hi vaig. Fins demà.
   Molt bé. Fins demà.

4. Júlia, vols que ens trobem a la porta del Liceu?
   No, millor que quedem al Zurich i baixem la Rambla passejant.
   Ai, no! Al Zurich sempre hi ha molta gent i no ens veurem.
   Molt bé! Doncs ens trobem a les sis en punt al vestíbul del Liceu.

PISTA 7 **Exercici 32**

1. A la Franja de Ponent augmentaran els núvols i les temperatures seran baixes. El vent bufarà entre fluix i moderat, cauran alguns ruixats a la costa, les temperatures baixaran i no hi farà sol. A la zona prelitoral es formaran tempestes amb llamps i trons. A Andorra el cel serà serè en general durant el matí, però creixeran els núvols cap a la tarda i cauran alguns ruixats al vespre.

2. Aquest cap de setmana a la Catalunya Nord encara hi nevarà una mica i hi haurà temperatures mínimes sota zero. En canvi a la costa, dissabte, hi farà sol i calor intensa; diumenge, però, el temps canviarà: hi haurà núvols i potser cauran alguns ruixats. A les Illes Balears s'espera un cap de setmana assolellat, amb temperatures altes, fins i tot hi farà xafogor. No hi haurà cap núvol.

3. Al País Valencià al llarg del cap de setmana augmentaran els núvols alts i mitjans que deixaran el cel entre mig i molt ennuvolat, amb possibilitat d'alguns plugims febles. Temperatures una mica més baixes i vent entre moderat i fort. A l'interior del Principat hi plourà, i en alguns punts hi poden caure xàfecs. A la costa no hi haurà visibilitat perquè hi haurà boira. Als Pirineus continuarà nevant i hi farà més fred.

PISTA 8 **Exercici 36**

1. Aquest cap de setmana pensem anar als Pirineus, de divendres a diumenge. Farem una excursió a peu divendres, si fa sol. Si plou, la farem dissabte al matí.

2. Dissabte a la tarda anirem a visitar uns pobles molt petits que hi ha a la vora de Camprodon i, si neva, ens quedarem a l'apartament.

3. Si fa sol, aniré a la platja dissabte al matí. Si plou, no hi aniré, i estudiaré una mica. No tinc gens de ganes que plogui, perquè vull anar a la platja. Ja estudiaré diumenge.

4. Diumenge quedaré amb la Rosa per anar al Parc Güell, si fa sol. Si plou, la convidaré a dinar a casa i mirarem una pel·lícula... Hummm! Bé, em sembla que encara que no plogui ens quedarem a casa.

UNITAT 2 NOTÍCIES FRESQUES

LLIBRE DE L'ALUMNE

PISTA 9 Exercici 1

Avui no ha estat un dia gaire interessant. Aquest matí m'he llevat, com cada dia, a les 7 del matí, m'he dutxat, m'he vestit i he esmorzat a casa. He pres un cafè amb llet i unes torrades. A un quart de nou he sortit de casa, he agafat l'autobús i he arribat a la feina. Abans d'entrar a la feina, he fet un cafè al bar de sota del despatx. He començat a treballar a les 9. He tingut una reunió amb uns clients francesos, he trucat als comercials de Sevilla i a les 2 he anat a dinar. Havent dinat, he tornat al despatx, he llegit uns informes per a demà i a dos quarts de sis he plegat. Quin dia més avorrit a la feina! Després he anat al gimnàs, un parell d'hores. Quan tornava cap a casa, he passat pel supermercat i hi he comprat quatre coses per al sopar. Quan he arribat a casa, m'he trobat la meva veïna a l'ascensor. Ostres quina veïna! Hem parlat una mica i li he dit que la convidava a una cervesa a casa. Primer ha dit que no ho sabia..., però després ha dit que sí! Quina sort! M'he canviat de roba, m'he posat còmode. I bé, fins aquí no ha estat un dia gaire interessant, però potser canviarà... de moment he posat una ampolla de cava a la nevera...

PISTA 10 Exercici 7

Ostres, Sebastià, quina cara que fas!

Ja ho pots ben dir! Finalment diumenge! Aquesta setmana ha estat horrible.

Ah, sí? I què has fet?

He fet moltes coses: he anat al dentista, he anat al gimnàs a nedar una mica. També he tingut classe de francès i he sortit a la nit: he anat al cine, he convidat el meu germà, l'Àlex, a sopar. A més, he fet una entrevista de feina, perquè la meva ja no la suporto. Odio el cap! He parlat amb l'Helena, que m'ha dit que està embarassada! I crec que res més. Ah, sí! He jugat un partit de futbol i he reservat un bitllet per anar a Madrid el cap de setmana que ve.

Home, no et queixis. No n'hi ha per a tant! Però tu has treballat aquesta setmana? Quin estrès! Quina cara!

PISTA 11 Exercici 10

Ei, Pere! Què hi ha? Què, com ha anat el cap de setmana?

Normalet.

Per què? Què has fet?

Doncs, res d'especial. M'he quedat a casa i he treballat una mica. També he vist dues pel·lícules a la tele. Dissabte al vespre va venir la Rita a sopar a casa i es va quedar a dormir. I tu, què has fet?

He anat al Priorat amb la meva germana. Hem anat a visitar uns pobles preciosos i hem comprat vi i oli. Vam sortir divendres a la tarda i vam tornar diumenge.

Ostres, el Priorat! És bonic, oi?

Sí, molt. M'ha sorprès perquè no m'ho imaginava. Mira, ara arriba la Clara. Ei, Clara, com anem?

Bé, i vosaltres?

Bé, parlant del cap de setmana.

Has anat a esquiar, Clara?

No, aquest cap de setmana no hi he anat. He anat al casament del meu estimat cunyadet. Sí, el germà de la Dolors s'ha casat.

Què dius, ara? El germà de la Dolors s'ha casat? Que fort!

Sí, home! De veritat? Aquell tio tan faldiller.

Sí, ell que s'ha passat la vida dient: «Jo no em casaré mai. Jo sóc solter de mena! Quina bestiesa això de casar-se...»

Caram! I com va anar?

Doncs una mica avorrit, francament. Ja saps com són els casaments.

Sí, ja ho sé. Uf, quina mandra! I quan es va casar?

Es va casar dissabte al migdia, però la festa es va acabar a la matinada. Diumenge la Dolors se'n va anar a casa d'una amiga a fer un treball per a la universitat i jo em vaig quedar a casa. I vosaltres, què heu fet?

Doncs jo he fet una excursió pel Priorat. I aquest, com cada cap de setmana, s'ha quedat a casa amb l'excusa de treballar... amb la Rita.

No fotis! Quina novetat!

PISTA 12 Exercici 11

Què dius ara?

Sí, home!

Que bé!

De veritat?

Ostres!

Que fort!

Caram!

Quina novetat!

Llàstima!

Quina mandra!

Quina bestiesa!

Quina sort!

No pot ser!

No fotis!

PISTA 13 **Exercici 15**

Ecos de societat

El torero tarragoní, Josep Anton Bou, ha fet avui l'última *corrida,* perquè demà es casarà amb la folklòrica sevillana Rocío de Triana, embarassada de vuit mesos. El torero i la folklòrica es van conèixer fa vuit mesos quan participaven al concurs televisiu *El germà petit*. La folklòrica es va casar per primera vegada fa tres anys i es va quedar vídua al cap de tres setmanes. El torero es va casar fa un any amb la coneguda Raquel Mosquits, que fa de perruquera, però al cap de dos mesos sembla que van començar els problemes, perquè la perruquera va mantenir una curta relació amb el seu entrenador de tennis. No se sap si aquesta va ser la causa de la ruptura, però la perruquera i el torero es van separar al cap de quatre mesos. Aleshores el torero va participar al concurs televisiu *El germà petit,* on va conèixer la folklòrica. Es veu que es van enamorar a primera vista... i per això demà hi ha casori.

PISTA 14 **Exercici 20**

1. Què t'ha semblat? T'ha agradat?
   Doncs no gaire, la veritat. I a tu?
   Home, no m'ha entusiasmat. Es veu que és un pintor molt famós, però jo no el coneixia.
   Jo tampoc.

2. Ei, Joan, i aquesta cara?
   Ja se n'han anat! I no he aconseguit cap autògraf!
   Què dius ara? Quina llàstima, perquè trigaran a tornar...

3. Pobres! He vist la notícia a la televisió!
   Jo l'he sentit a la ràdio.
   Que fort! Pobres dones!
   Ja ho pots ben dir! Pobres dones!

4. Es veu que els atracadors són de la comarca.
   Com ho saps? D'on ho has tret això?
   Perquè el propietari els ha sentit parlar i tenien accent d'aquí.
   Ostres!

5. D'on ho has tret?
   M'ho ha dit el meu fill.
   El teu fill va a aquests locals?
   No, home, no. El meu fill va anar a estudiar ahir a la nit a casa d'un amic. I aquest migdia, quan tornava cap a casa, ha vist l'incident.
   Ja, ja, a estudiar. Segur que va estudiar molt!

6. Han dit si hi ha hagut ferits?
   No, no ho saben, però creuen que no n'hi ha hagut.
   Quina sort!
   Ja ho pots ben dir!
7. Què dius ara?
   Doncs això, que potser han estat els mateixos treballadors.
   Els treballadors? Vols dir?
   I tant! I a més, què pots esperar amb el nom d'aquest carrer!

8. Explica'm què ha passat?
   Doncs el mateix que fa dos dies.
   Un altre cop? De veritat?
   Sí, sí. I ha estat més greu.
   Déu-n'hi do!

LLIBRE D'EXERCICIS

PISTA 15 **Exercici 4**

1. begut	**2.** conegut
3. cregut	**4.** dinat
5. dit	**6.** entès
7. escrit	**8.** fet
9. mort	**10.** mogut
11. pogut	**12.** pres
13. sigut	**14.** tingut
15. treballat	**16.** tret
17. vingut	**18.** vist
19. viscut	**20.** volgut

PISTA 16 **Exercici 11**

Avui tenim amb nosaltres una lleidatana que ha viscut una vida plena d'aventures. Ara viu a Barcelona, al barri del Raval. Es diu Antònia Pelegrí i Cabrenys, té 83 anys i és feliçment casada. Perquè vostè s'ha casat, si ho he entès bé, cinc vegades, oi?

Això mateix, m'he casat cinc vegades. L'última, aquesta mateixa setmana, amb un jove molt trempat, un artista que ha entès que el món no és només vida material.

M'ha dit fa una estona, abans de començar aquesta entrevista, que ha viscut als cinc continents.

Sí, és veritat. He tingut una vida molt moguda, i tant! He conegut Àsia, Àfrica, Amèrica, Austràlia i puc dir que he visitat les ciutats europees més importants. De París, Londres i Barcelona, per exemple, ho conec tot.

És una dona amb molt de caràcter, vostè. I forta, ja es veu!

He patit quatre guerres, he escrit centenars d'articles de premsa. També he sigut fotògrafa i he après set idiomes. He conegut artistes, m'he enamorat d'homes molt diferents, he volgut un món millor, he guanyat i he perdut, però sempre he mirat endavant.

PISTA 17 Exercici 27

1. Avui no he anat a treballar perquè tenia son.
2. Avui ens hem banyat en una platja fantàstica del Carib.
3. Aquesta setmana he dinat i he sopat cada dia amb el pesat del director!
4. Aquest curs m'he matriculat de rus, àrab, espanyol, japonès i català.
5. Avui m'he declarat al meu xicot. Li he dit que em vull casar i tenir fills amb ell.
6. He suspès un altre cop l'examen de conduir!
7. Demà no podré venir a la festa.
8. La Glòria està embarassada! Serà el vuitè!
9. Ho sento, però no he pogut arribar abans!
10. Saps que han anul·lat el concert?

PISTA 18 Exercici 35

Accident mortal de Diana de Gal·les

Ahir a la nit la princesa Diana de Gal·les, el seu acompanyant Dodi al-Fayed i el conductor del seu vehicle van perdre la vida en un accident automobilístic a París. La notícia ha causat commoció al món sencer, i sobretot a Anglaterra. Aquest matí milers d'anglesos, quan han sabut la notícia, han anat als diferents palaus reials i han deixat espelmes i flors, per expressar el seu dolor per la pèrdua de la princesa més estimada d'Anglaterra: la princesa del poble.

Devastació total a l'Índic

Un terratrèmol de 8,9 graus a l'escala de Richter, el quart en intensitat des que s'aplica aquest sistema de mesura, va provocar ahir la mort de més d'11.000 persones a diversos països del Sud-est Asiàtic. El tremolor es va registrar a deu quilòmetres de profunditat en un punt proper al nord de l'illa de Sumatra (Indonèsia), al límit entre l'oceà Índic i el golf de Bengala, fet que va originar diversos tsunamis -onades gegantines- que van colpejar amb una brutalitat devastadora les costes d'Indonèsia, Sri Lanka, Tailàndia, Bangladesh, el sud de l'Índia i altres estats de la zona. Els tsunamis van arribar fins a les costes occidentals d'Àfrica.

S'estavella un avió contra una de les torres bessones del World Trade Center

Un avió comercial ha topat contra l'estructura de les Torres Bessones del World Trade Center de Nova York i això ha provocat un incendi en la part superior d'una de les torres. El forat és molt gran i afecta diverses plantes. La fumera és visible des de tot Manhattan. Nombrosos vehicles de bombers, ambulàncies i policia s'han desplaçat fins al lloc del fet, però les tasques de rescat i extinció del foc són molt costoses per l'alçada on hi ha hagut l'accident. Els motius de l'accident encara es desconeixen, com també el nombre de víctimes. El sinistre ha afectat també l'altra torre, on hi ha hagut una altra explosió.

En aquests edificis, hi treballen normalment desenes de milers de persones. Les Torres Bessones estan situades al centre financer de l'illa de Manhattan, molt a prop de Wall Street.

L'huracà «Katrina» perd força, però avança pel sud dels EUA

El temut huracà Katrina ha deixat al seu pas un mínim de 80 morts, que seran centenars quan es puguin comptar, cases totalment destrossades i poblacions inundades als Estats de Louisiana, Mississipí i Alabama.

Si ja dilluns va passar de la categoria cinc a la dos, el Katrina últimament ha perdut la força devastadora i s'ha convertit en depressió tropical quan ha entrat a Tennessee. Això vol dir que els vents de 240 quilòmetres per hora han quedat reduïts a 56 per hora, però el Centre Nacional d'Huracans dels Estats Units ha advertit que cal mantenir actives totes les alertes, perquè pot recuperar la força d'un huracà.

UNITAT 3 TEMPS ERA TEMPS

LLIBRE DE L'ALUMNE

PISTA 19 Exercici 1

1. Du un vestit amb mànigues fins als colzes, collaret i barret blanc.
2. Porta un vestit blanc, amb faldilles amples, cos estret, amb cinturó i mànigues curtes.Com a complements porta arracades, collaret i una bossa, també blanca.
3. Du un vestit negre, amb mànigues curtes. Porta ulleres, un collaret i una bossa blanca.
4. Du un vestit escotat, amb mànigues curtes i cos estret. Com a complements porta un barret blanc, un collaret i guants blancs llargs.
5. Porta un vestit negre, amb mànigues molt curtes. Du ulleres, guants blancs i collaret.
6. Porta un vestit estret, escotat i sense mànigues. La faldilla és estreta, ni llarga ni curta, just sota els genolls. Com a complements du un barret blanc, sabates de taló, guants blancs curts i arracades.

PISTA 20 Exercici 5

1. De petita era molt baixa i més aviat grassa. Tenia la cara rodona, el front ample i les orelles petites. Tenia els cabells rossos i llisos i els portava recollits. Duia unes ulleres modernes molt grosses i sempre anava amb brusa, faldilles molt curtes, mitjons llargs i sabates de cuiro. A l'escola em deien «quatre ulls», però a mi m'era igual perquè era molt diferent de les altres nenes, que semblaven clòniques.
2. Quan era jove era alt i prim. Tenia les galtes xuclades, els pòmuls sortits i la barbeta punxeguda. Era pèl-roig i portava els cabells llargs, deixats anar. També portava barba. Semblava estranger, danès, holandès... o de per allà al nord. Crec que era atractiu, perquè les noies em miraven bastant. Jo també hi col·laborava, a l'hivern em posava caçadores de cuiro i bufandes molt llargues.
3. La meva germana i jo, de joves, érem molt atlètiques. Teníem les cames llargues, la cintura estreta, les espatlles amples i l'esquena dreta. Teníem els cabells foscos, com els ulls, i sempre els dúiem curts. No acostumàvem a dur faldilles ni sabates de taló, com moltes amigues nostres. Ens deien que semblàvem xicotots, però a nosaltres ja ens agradava. Per això, sempre portàvem calçat esportiu i solíem anar amb texans i samarretes.
4. De petits, el meu germà i jo ens assemblàvem molt. Érem baixos, grassos i molt rossos. Teníem la cara quadrada, el nas arremangat, la boca petita i riallera amb uns llavis prims. Teníem el cos curt, les cames gruixudes i fèiem una mica de panxa. Teníem els cabells arrissats i els dúiem curts. A l'hivern sempre anàvem amb jerseis gruixuts i pantalons llargs. La nostra mare volia que ens poséssim l'abric, però nosaltres quan sortíem de casa ens el trèiem sempre. A l'escola hi havia nens que es reien de nosaltres i ens deien "fati bomba", però nosaltres ens divertíem molt quan ens fèiem passar l'un per l'altre. Mai no ens reconeixien.

PISTA 21 Exercici 6

1. Abans era més aviat lletja i prima. Era morena i portava els cabells llargs que li tapaven un front molt ample. Tenia els ulls blaus i la barbeta punxeguda. En canvi ara té el front estret, és maca i rossa, encara que sigui poc natural. S'ha tornat milionària, però no sembla gaire feliç.
2. De jove era molt atractiu: era alt i prim, però era robust. Tenia els cabells castanys i el nas una mica aguilenc. En canvi després es va quedar bastant calb, es va engreixar i se li va fer la cara rodona. Quan es va fer vell es va tornar antipàtic i gandul. Això sí, era molt ric!
3. Ara porta els cabells llargs i llisos, però els tenia molt arrissats. Tenia el nas prim i punxegut, els ulls oblics i la cara rodona. És clar que la cirurgia fa miracles! Molta gent diu que s'ha fet vell i lleig. És clar que també hi ha qui creu que ha millorat.
4. De jove tenia els cabells castanys i els portava més aviat curts i llisos. Tenia les galtes molsudes, les celles molt gruixudes, el nas petit i els llavis molt gruixuts. Després es va convertir en una rossa molt atractiva. Portava els cabells més curts i arrissats, que li feien la cara més rodona.

LLIBRE D'EXERCICIS

PISTA 22 Exercici 8

1. En Miquel porta ulleres i un barret. Duu una samarreta i pantalons llargs, sandàlies i mitjons. Sempre porta armilla.
2. Els senyors Feliu van molt ben vestits. Ella porta un vestit de flors sense mànigues i escotat. Porta unes sabates de taló i una bossa. Ah, i també porta arracades. El senyor Feliu va amb una jaqueta fosca i uns pantalons foscos. Porta una camisa i barret.

PISTA 23 **Exercici 21**

1. dúiem
2. vestien
3. solien
4. acostumàveu
5. eren
6. teníem
7. fèieu
8. llegíeu
9. suspeníem
10. escrivíem

PISTA 24 **Exercici 31**

En Josep Puig és una persona a qui agrada treballar, que compleix amb les seves obligacions i que acostuma gairebé sempre a fer les coses en el temps acordat. En Josep Puig es relaciona educadament i acostuma a dir sempre la veritat. Pensa i actua segons les normes socials i, a més, entén les coses ràpidament.

La Maria Capmany és una persona poc segura de si mateixa a qui costa prendre decisions importants. Acostuma a fer les coses sense haver-les pensat abans. No explica mai els seus sentiments, però li agrada saber les intimitats dels altres. La Maria Capmany no és gaire intel·ligent i molt sovint diu o fa coses sense gaire sentit.

La Magda Planes és una dona que no pensa les coses dues vegades i pren les decisions ràpidament. Sempre pensa que tothom és bo, per això, a vegades, hi ha gent que l'enganya, i ella mai se n'adona. La Magda Planes sempre t'explica les coses que li passen, però sempre exagera i a vegades no diu la veritat. Bé, segons ella diu la seva veritat.

PISTA 25 **Exercici 32**

«Tap de bassa»

La Maria està a punt de fer 16 anys i supera per poc el metre i mig d'alçada. Morena, amb els cabells llargs i arrissats i uns ulls negres molt grossos, no li falten admiradors. Però s'ho ha passat molt malament. Ara ens explica: "T'adones que ets baixeta, quan t'ho diuen els companys: baixeta, nena, tap de bassa, microbi... M'ho deien set o vuit vegades al dia." Ara tant li fa. Fins i tot hi troba avantatges insospitats. Ens diu rient: "Les baixetes lliguen més. Els nois baixets, no; però les baixetes els van bé a tots, als alts i als baixos." Però quan tenia nou o deu anys es va sentir molt acomplexada perquè les seves amigues eren més altes que ella, sobretot la seva millor amiga. "La meva millor amiga era alta, molt prima, rossa i portava els cabells deixats anar. Tenia bon tipus, però de cara era bastant lletja perquè portava unes ulleres molt gruixudes. Jo era baixa, grassa i sempre duia els cabells recollits." Eren molt diferents físicament, però s'assemblaven molt de caràcter: eren tímides, bones nenes i molt llestes. Estudiaven molt i no suspenien mai. Diu, sense cap enveja: "La meva amiga va canviar, es va engreixar una mica, es va posar lents de contacte i es va convertir en una noia molt atractiva. Jo, en canvi, no vaig canviar gaire, em vaig aprimar, però no vaig créixer". La Maria s'assembla molt a la seva mare, una morena guapíssima... de poca alçada, que amb l'edat va perdre els complexos, com li passarà a ella, que ja comença a tenir més seguretat i a ser més decidida. "A casa, els meus pares em van ajudar a comprendre que ser baixa no tenia res de dolent. Dona... m'estimaria més haver crescut una mica més, fins a un metre seixanta o així, però ja no m'importa ser com sóc."

UNITAT 4 ESTIC FOTUT

LLIBRE DE L'ALUMNE

PISTA 1 Exercici 2

Benvinguts i benvingudes al programa «Un sopar amb...»

La nostra guanyadora d'aquesta setmana es diu Maria. La Maria es defineix com una noia normal. Viu en un petit poble a prop del mar. Fa de mestra a l'escola del poble i li agrada molt la feina. Tots els nens l'estimen molt. Fa una vida molt tranquil·la i no té maldecaps. Cada dia va a l'escola, prepara les classes, menja a casa... Tampoc té cap problema amb els veïns. Els caps de setmana es lleva tard, perquè encara que la feina li agrada molt, li agrada més no fer res i somniar amb els seus herois, els actors de les pel·lícules que veu al cine. Li agrada molt el cine. També surt a ballar perquè se sent jove. Té moltes il·lusions: conèixer un bon noi, casar-se, tenir fills... i ara sopar amb el seu actor favorit.

Perquè sí, senyores i senyors, la Maria aquesta nit soparà amb el seu actor preferit. I qui és? Després ens ho dirà ella mateixa. Quan l'hi hem dit, no s'ho podia creure. L'hem seguit durant tot el dia per saber com està. S'ha llevat tard pensant molt amb el seu amor i poc en el seu dia de cada dia. Quan anava a l'escola no ha trobat les claus del cotxe, les ha buscat desesperadament pertot arreu, però res, no les ha trobat, això que després ha vist que les tenia a la bossa. Ha anat a peu a l'escola i, és clar, ha arribat tard. I a més ha plegat d'hora perquè volia anar a la perruqueria. A la Maria li agrada molt anar ben vestida i ben arreglada. No ha dinat perquè no tenia gana. Quan ha arribat a casa seva se sentia cansada i tenia molta son. S'ha estirat un moment al sofà; li han vingut ganes de plorar i sentia pànic. Les seves amigues l'han anat a visitar per aconsellar-la de com s'havia de vestir. Quin problema! No sabia si dur pantalons o faldilla, si sabates de taló o sabates planes... També han anat a visitar-la els seus pares. A la porta de casa seva tots els veïns l'esperaven. Al final, ha perdut els nervis i ha fet fora tota la gent de casa seva. Volia quedar-se sola. He pogut parlar amb ella i m'ha dit que no sap de què parlarà amb el seu amor platònic durant el sopar, que no sap si farà el ridícul... un munt de dubtes. Però rebem amb un fort aplaudiment... la Maria!

PISTA 2 Exercici 5

1. Sóc una persona gran i visc sola. Vivia molt tranquil·la fins que van arribar els meus veïns. Són uns joves *okupes* que fan festes cada nit. Fan molt soroll i a més tenen molts gossos. I jo tinc molta por dels gossos. Els joves van bruts. No fan res, són molt mandrosos. I són molt mal educats. Estic molt nerviosa i atabalada i no puc dormir. Què hauria de fer?
2. Hola, truco des de Barcelona i sóc un noi de quinze anys. El meu problema és que tinc un company a l'institut que cada dia em demana dos euros. M'ha dit que, si no li porto els diners cada dia, tindré problemes. Tinc por i estic espantat, a més sempre estic despistat a classe. No m'atreveixo a dir-ho als meus pares ni als profes. Què puc fer?
3. Bon dia. Em dic Anna i truco des de Tarragona. Tinc un problema. Durant un mes el meu marit ha estat a l'estranger i jo he sortit de rebaixes, he anat a sopar amb les meves amigues i m'ho he passat molt bé, però he gastat 3.000 euros de la VISA que tenim en comú. L'Albert torna demà i no sé com dir-l'hi! Estic molt amoïnada i, sobretot, avergonyida. Què puc fer?
4. Bon dia. Truco perquè estic desesperat. He suspès disset vegades el carnet de conduir. Quan m'examino no sé què em passa, em poso nerviós i no sé ni el que faig. Giro a l'esquerra quan he de tombar a la dreta i coses així. Demà tinc l'examen per divuitena vegada. Què m'aconselleu?
5. Hola. Em dic Pere. Truco perquè ja no sé què fer. Fa un mes que surto amb una noia i n'estic molt enamorat, però fa uns dies que el seu «ex» em persegueix. Tinc pànic perquè és un tio histèric. Què he de fer?
6. Hola. Em dic Joana i truco des de Sabadell. Estic molt fotuda. Fa deu anys que em vaig casar amb l'home que estimo i mai no hem tingut cap problema greu. Hem tingut dos nens que són molt macos. Aiiii! Ahir vaig sortir abans de treballar i, quan vaig arribar a casa, vaig trobar l'Andreu, el meu marit, amb un amic nostre, el Jordi, al llit! Em vaig quedar tan sorpresa que vaig marxar de casa. Què faig?

PISTA 3 Exercici 7

1. Tinc mal de cap i mal de coll.
2. Em fa mal el pit.
3. Em fan mal tots els ossos.
4. Ai, ai, ai! Tinc mal de panxa.
5. M'he fet mal al peu i al genoll.
6. Em fa mal el cul... i els malucs també!
7. Em fa mal l'ull, el nas i aquesta dent.
8. M'he fet mal al turmell.
9. M'he fet mal al braç i a l'espatlla.
10. Tinc mal de queixal. Quin mal!
11. M'he fet mal al dit i a l'ungla.

PISTA 4 **Exercici 10**

El malalt ha ingressat a urgències a les vuit del matí. Ha tingut un accident de trànsit. No té ferides importants. Quan ha arribat, tenia tos i li costava respirar. Té febre, es mareja i té mal de panxa. Les radiografies no mostren cap os trencat. Està en observació des de fa dotze hores. S'esperen els resultats de la darrera anàlisi de sang i de l'escàner.

PISTA 5 **Exercici 13**

Conversa 1

Hola, Àngela.

Ei, Joan, com anem?

Doncs, mira, no gaire bé. Et truco perquè estic una mica preocupat. Des d'aquest matí tinc vòmits, mal de panxa i estic marejat. No sé què em passa.

Joan, no et posis nerviós, sobretot no et posis nerviós! És una ressaca i prou, m'entens? Ho sé perquè ho sé, perquè et conec. Oi que m'entens? Vas beure gaire, ahir a la nit? Oi que sí? I segur que no has dormit gaires hores, oi? Pren una coca-cola, fica't al llit i dorm molt. Desconnecta el mòbil. Apa, vés! A la nit estaràs bé, ja ho veuràs. I avui no surtis, que et conec, bandarra! I per sopar, menja arròs bullit o una torrada. I beu molta aigua. Aigua, eh? Vinga, un petonet i fes bondat!

Conversa 2

Jaume?

Ei, Joan, com anem?

Doncs, mira, no gaire bé. Et truco perquè estic una mica preocupat. Des d'aquest matí tinc vòmits, mal de panxa i estic marejat. No sé què em passa.

Ei, tio, ets un cagat. Saps que hi ha una passa de grip de panxa? Diuen que pot ser forta. Posa't el termòmetre i, si tens febre, fica't al llit i no vagis a treballar. Pren algun analgèsic, i, si tens tos, no fumis i pren algun xarop. A la nit tapa't bé i beu llet calenta o alguna infusió amb mel. La mel va molt bé per al coll. Si la febre augmenta vés a l'hospital, d'urgències, o potser et convindria trucar al 061o a una ambulància. Fes-me cas. Apa, nen! Que no sigui res! Adéu, xato!

Conversa 3

Pep, sóc jo, el Joan!

Ei, Joan, què fas, nen?

Doncs, mira, no gaire bé. Et truco perquè estic una mica preocupat. Des d'aquest matí tinc vòmits, mal de panxa i estic marejat. No sé què em passa.

Què dius, ara! Això són nervis! Mira, relaxa't, respira profundament, perquè l'aire entri fins als pulmons. Escolta música relaxant i concentra't en coses positives. Ah, i beu molta aigua, perquè purifica. No mengis greixos, menja fruita i, sobretot, no beguis alcohol. Si vols, vés al meu massatgista. És un massatgista molt bo i fa uns massatges... hummm! Segur que després de mitja hora amb ell, et trobaràs millor. I si us plau, no t'amoïnis i fes fora les males vibracions!

PISTA 6 **Exercici 14**

Bé, exactament què li passa?

No ho sé. No sé què em passa, però em trobo molt malament. Tusso contínuament i em fa mal el pit.

Fuma?

Sí, però fa uns sis mesos que fumo més, dos paquets cada dia.

Déu, n'hi do! Hauria de fumar menys.

Molt bé, ho intentaré.

Es mareja?

Només al matí, quan em llevo.

Quants àpats fa? Segueix una rutina?

Ara no. Al matí no esmorzo mai. A més hi ha molts dies que no sopo. No tinc gana.

Beu alcohol cada dia?

Bé, només una copeta de conyac a la tarda, amb el cafè i alguna cervesa després de sopar, per animar-me.

Doncs hauria de fer els quatre àpats cada dia. I de moment, no begui gens d'alcohol.

Molt bé, ho intentaré.

Camina, fa exercici o practica algun esport?

Uiiii! Sóc bastant sedentari. Treballo davant de l'ordinador, assegut. Vaig a la feina amb cotxe. Abans hi anava amb metro, però és que ara estic molt cansat. Fins i tot els caps de setmana em quedo a casa. No surto.

Hauria de fer una mica d'exercici. Camini o passegi mitja hora cada dia.

Molt bé, ho intentaré.

Està trist? Té problemes a la feina o té maldecaps? El preocupa alguna cosa?

Home, doncs sí. Estic bastant trist i deprimit.

Des de quan està trist i deprimit?

Des que es va morir l'Evarist, l'ocellet de la meva vida, ara fa sis mesos. Abans era una persona molt dinàmica i positiva, i sempre estava content, però ara...

Ah... No s'amoïni. Està trist perquè s'ha mort el seu ocellet?. Això no és una malaltia greu. Tard o d'hora trobarà un altre Evarist. Li aniria bé sortir més, truqui als amics, viatgi, vagi al cine. No treballi tantes hores i mengi més. Apunti's al gimnàs i faci esport o estudiï idiomes.

Molt bé, ho intentaré.

Ara li faré fer una anàlisi de sang i una radiografia. Vingui d'aquí a una setmana, que ja tindré els resultats. I ànims!

LLIBRE D'EXERCICIS

PISTA 7 Exercici 7

Persona 1

Bon dia. Em dic Remei i sóc una persona molt tranquil·la, però fa dies que estic molt nerviosa i amoïnada. No puc dormir per culpa dels meus veïns perquè fan molt soroll.

Persona 2

Hola, sóc en Xavi. El meu problema és que tinc un company de feina que cada dia em demana diners per esmorzar. No sé com dir-li que no. No m'atreveixo a dir prou.

Persona 3

Bon dia, sóc la Laura. Truco perquè fa dies que no dormo, no tinc gana, estic trista i desesperada perquè el meu gat ha desaparegut. Jo me l'estimo, aiiiii...!

Persona 4

Bon dia, sóc el Pep. Truco perquè fa dies que estic desesperat. He suspès l'examen una altra vegada, però he dit a tothom que he aprovat. Quan m'examino no sé què em passa, em poso nerviós encara que jo no sóc així. M'enfado amb mi mateix i em poso de mal humor, perquè no dic la veritat.

Persona 5

Hola. Em dic Alfred i truco perquè ja no sé què fer. Fa un mes que surto amb una noia i n'estic molt enamorat, però fa uns dies que he conegut una altra noia a classe que m'agrada molt. Quan la veig, tinc ganes de fer-li un petó.

Persona 6

Hola. Em dic Joan i truco des de Girona. Estic fotut. Jo sóc molt formal i bona persona, però no sé com...uf... no sé com m'he gastat els diners del viatge de final de curs dels meus companys i ara no els puc tornar...i no sé com els ho puc dir, perquè em fa molta vergonya.

PISTA 8 Exercici 26

1. Estic molt cansat. Tinc mal d'esquena i molt mal de cap. Fa dies que estic molt nerviós i tinc taquicàrdia. Tinc insomni i em costa respirar bé. Tinc molts problemes i estic molt preocupat.
2. Tinc molt mal de cap i ganes de vomitar. Faig mala cara. Ai! Em trobo malament...
3. No paro de tossir. Tinc febre i em costa respirar. Tremolo i tinc mocs. Em fa mal el pit.
4. No sé què em passa, però vomito tot el que menjo. Estic marejat; a més a més, tinc diarrea i de tant en tant tremolo. Crec que estic molt malalt.

PISTA 9 Exercici 38

Normalment tinc mal de cap i fa uns dies que també em fa mal l'esquena. La setmana passada vaig anar al dentista perquè tenia mal de queixal i per culpa de l'aire condicionat de la sala d'espera ara tinc mal de coll. Ah, i també em fan mal els genolls quan hi ha molta humitat. Sempre tinc dolor. Deu ser herència de la meva mare. Ja de petit era un nen malaltís, sempre estava malalt: o estava constipat, o tenia diarrea o febre, no menjava, vaig tenir problemes de cor... I ara de gran continuo igual. I amb tots aquests mals sempre tinc mal humor, estic deprimit i desanimat. El metge em diu que no em preocupi i que m'haig d'animar, que no és res, però tot em fa mal... Estic ben fotut!

Mai no em fa mal res i no acostumo a posar-me malalta. Em ve de família: les dones de la meva família són molt sanes: la meva àvia, la mare de la meva mare, va morir als 99 anys i no va prendre mai cap pastilla, ni cap xarop. Bevia vi sempre amb els àpats i abans d'anar-se'n a dormir es prenia un gotet de conyac, per al cor, deia. La meva mare té 73 anys i no li fa mal res. Potser és que les dones no ens queixem tant. Jo no sé què és anar al metge, ni de petita! I no m'estic de res: fumo, menjo de tot i em passo hores al sofà mirant la tele. A l'hivern no em refredo mai, no sé què és tenir mal de panxa i mai no he anat a cap especialista... Bé, només tinc alguna ressaca de tant en tant, però això rai! La gent diu que sóc una persona molt positiva i alegre i que per això no estic mai malalta. Potser sí.

UNITAT 5 QUÈ VOLS SER?

PISTA 10 Exercici 4

1. Em dic Stefania i sóc italiana. Vaig venir a estudiar a Barcelona amb una beca Erasmus, ja fa uns quants anys. Quan vaig arribar vaig començar a estudiar català a la universitat perquè les classes eren en català. Jo ja l'entenia una mica, perquè el català i l'italià s'assemblen bastant i a més sabia castellà. Després vaig conèixer el Ferran, que és d'Olot, i me'n vaig enamorar. A Olot tothom parla català. I ara que l'Àlex, el meu fill, va a escola, l'he d'ajudar amb els deures i ho fa tot en català. Això sí, jo li parlo sempre en italià.

2. Sóc la Sarah i sóc australiana, de Melbourne. Quan vaig arribar a Roses només parlava en anglès perquè tothom m'entenia i a més no necessitava ni el català ni l'espanyol per a la feina, perquè treballo per a una companyia anglesa. Llavors vaig començar a estudiar espanyol, però els amics que vaig fer al poble parlaven català i encara que podien parlar espanyol amb mi sempre em sentia una "guiri", com diuen aquí. Vaig decidir aprendre català per integrar-me, per parlar amb els meus amics, per anar a comprar...

3. Em dic Lupe i vaig conèixer el meu xicot per internet fa dos anys. No sabia que a Mallorca es parlava català. Per a mi tot era Espanya. El meu xicot em va dir que a Mèxic podia estudiar català. Em vaig matricular a un curs i em va agradar moltíssim. Fa tres mesos que vaig arribar a Mallorca i amb el meu xicot ja comencem a parlar català entre nosaltres i també m'atreveixo a dir algunes coses en català quan vaig a comprar. Estic fent un curs a l'Escola Oficial d'Idiomes de Palma, el tercer nivell. Ah, però quan m'enfado encara em passo al mexicà! Em surt de dins.

4. Sóc en Claudio i sóc de l'Argentina. Sóc filòleg i faig classes de llengua anglesa en un centre d'idiomes. També treballo en una empresa de traduccions. M'agraden molt les llengües. A la facultat he estudiat anglès, alemany, portuguès i francès. He estudiat català perquè el meu avi era català. Va arribar a l'Argentina i es va casar amb la meva àvia, i ell sempre parlava català tant a la meva àvia com al meu pare. Per tant, des de petit sempre he sentit aquesta llengua a casa i tenia molta curiositat per aprendre-la. L'any que ve aniré a visitar uns familiars catalans que viuen a prop de Barcelona, i espero que podré parlar millor el català.

PISTA 11 Exercici 9

Entrevistarem dos treballadors de l'empresa Copenal SL per saber el grau de satisfacció i les condicions en què treballen. Tenim aquí el senyor Prunés que és...

Bé, sóc el conserge de l'empresa.

Molt bé, el conserge de l'empresa. I què fa?

Faig de tot. Jo sóc enginyer industrial i tinc un màster per la universitat de Geòrgia i, com que no trobava feina d'enginyer i estava a l'atur, vaig entrar a treballar en aquesta empresa perquè buscaven un conserge, però em van prometre unes condicions que no s'han complert. Per exemple, el meu horari és segons conveni, però treballo moltes hores perquè faig hores extres. No tinc un horari fix, puc començar a les vuit del matí i plegar a les deu del vespre. I a vegades no tinc temps per dinar. De vacances, de moment no n'hem parlat, perquè segons el director tenim molta feina endarrerida i ja les farem més endavant. I el sou, què vol que li digui del sou? Un misèria! Segons conveni!

I no es queixa?

És clar que em queixo..., però tinc un contracte laboral de tres mesos renovable, i tal com està el món laboral...

Bé, doncs, ànims i que tingui sort.

I vostè també va entrar aquí perquè no trobava feina?

No, no. Jo mai he buscat feina, sempre han vingut a buscar-me.

Llavors deu estar molt ben preparat, oi?

Sí, és clar. Quan vaig acabar els estudis obligatoris els papàs em van enviar a estudiar als Estats Units. Allà hi vaig fer uns cursos de cine i vaig conèixer moltes persones famoses. En definitiva, vaig agafar molta experiència...

...que li ha servit per entrar a l'empresa on treballa.

No, no. De fet, no. Quan els papàs van deixar d'enviar-me diners als Estats Units, vaig tornar. Com que no sabia què fer, al final el papà em va buscar aquesta feina.

I de què fa?

Sóc l'assessor del director. Assessoro les decisions que ha de prendre el director.

I està content amb les condicions laborals?

Sí, no em puc queixar. No tinc un horari fix, tinc un horari molt flexible. Vinc quan em necessita el director i cobro un bon sou.

Quina sort! I té un contracte fix?

Contracte fix? Ah, no ho sé. Li diré a la mamà que li ho pregunti al papà quan vingui a dinar.

Ui, no, avui el papà no anirà a dinar a casa. És que té una reunió amb l'assessor.

Moltes gràcies... senyor, senyor Copenal...

PISTA 12 Exercici 14

Entrevista 1

Hola. Bon dia senyora Polinyà. Segui, segui, sisplau.

Bon dia. Gràcies.

Repassem la fitxa tècnica. És de Girona i té 24 anys, oi?

Sí, el proper més en faré 25.

Molt bé. I quins estudis ha fet?

He estudiat Formació Professional de Segon Grau. He fet un Cicle de Formació de Grau Mitjà en Gestió Administrativa. També he estudiat anglès i ara estic estudiant francès.

Té coneixements d'informàtica?

Sí, normalment treballo amb Word i també he treballat amb programes de base de dades.

Té carnet de conduir?

No, no en tinc, però penso matricular-me en una autoescola aviat.

Quina experiència professional té?

Doncs vaig fer de cangur i vaig fer de monitora en un esplai. Quan estudiava vaig fer pràctiques en una empresa de construcció, a l'oficina. Ajudava a portar la comptabilitat. Ara treballo de dependenta en una botiga de moda de dona.

Com es definiria?

Doncs, sóc una persona bastant dinàmica i treballadora. Sóc sociable i sempre m'avinc molt amb els companys de classe o de feina.

Té disponibilitat per incorporar-se aviat a la feina?

Sí, sí. El cap de la botiga on treballo sap que estic buscant una feina nova.

Molt bé, doncs, senyora Polinyà. Ja li direm alguna cosa.

Entrevista 2

Bona tarda. Vostè és la senyora Pardo, oi?

Sí senyor.

Aquí tinc la seva fitxa. Em podria explicar quins estudis ha fet i la seva trajectòria professional?

Sóc diplomada en Empresarials. Quan vaig acabar la diplomatura vaig anar un any a Londres. Hi vaig estudiar anglès i també vaig treballar en uns grans magatzems. Feia el control de la mercaderia que arribava al magatzem. Quan vaig tornar de Londres, vaig fer de traductora per a un despatx d'arquitectura. Traduïa els informes dels projectes. Llavors, en aquest mateix despatx, em van oferir altres feines i fins fa dos anys hi vaig treballar.

Quines altres feines feia al despatx d'arquitectura?

Anava a visitar els clients que estaven interessats en els projectes de remodelació de l'espai. El despatx d'arquitectura on treballava estava especialitzat en arquitectura verda.

I com és que va plegar?

Vaig tenir la meva filla. Aquests dos anys he treballat des de casa: faig traduccions.

Ha treballat en equip?

Sí, l'últim any, abans de plegar del despatx, vaig formar tres persones. Vam treballar juntes i va ser una experiència molt positiva.

Es considera una persona amb iniciativa?

Sóc una persona treballadora, amb idees, flexible... M'agrada discutir noves propostes, vinguin d'on vinguin.

Molt bé, senyora Pardo. Li trucarem per dir-li alguna cosa.

LLIBRE D'EXERCICIS

PISTA 13 Exercici 7

1. Jo sóc la Gertrudis, sóc de Veneçuela, de Caracas. Fa vuit mesos que visc a Lleida i vaig a la universitat. Quan vaig arribar no parlava català ni l'entenia. Els lleidatans són molt acollidors i simpàtics, i a la universitat m'hi sento molt bé. A més, hi ha un lleidatà especial... en Miquel que em fa sentir molt bé, per això no enyoro Caracas.

2. Em dic Otto i sóc suec. Els meus pares van venir a Palma perquè el meu pare treballa en una empresa de mobles i el van traslladar aquí. Fa un any que vivim a Palma. Jo vaig a l'institut i tinc molts amics. També treballo els caps de setmana. Faig de cangur de la filla dels meus veïns, que són mallorquins.

3. Em dic Lorena i sóc argentina. Fa dos anys que visc a Tortosa. Fins ara treballava en una empresa anglesa amb el meu marit, que és anglès. A casa parlem anglès i castellà, però la meva filla a l'escola i amb les seves amigues parla català. Les altres mares i les mestres de l'escola em parlen català, però jo no m'atreveixo a parlar-lo, i sempre contesto en castellà. Ara estic estudiant Dret i, quan acabi la carrera, vull fer oposicions per treballar a la Generalitat.

4. Sóc el Norberto i és la primera vegada que vinc a Europa. Tenia moltes ganes de venir perquè els meus avis sempre em parlaven de la seva terra i em cantaven cançons en català. Entre ells parlaven català i també amb el meu pare, però jo era molt petit. Després vaig anar al Casal Català que hi ha a l'Havana i allà vaig llegir molts llibres d'autors catalans, perquè tenen una biblioteca molt gran.

PISTA 14 Exercici 11

1. A mi no m'agrada aprendre llengües. Sóc una persona molt dolenta per a les llengües. Parlo català i amb prou feines castellà. Ara estudio italià perquè he conegut un venecià, però no hi ha manera. He comprat un curs d'autoaprenentatge i estudio sol a casa. Faig llistes de paraules i de verbs amb la traducció al costat, però em costa molt recordar què volen dir.

2. Quan viatjo tinc realment problemes i per això estudio anglès. He repetit dos cops el primer nivell, perquè no tinc temps d'estudiar, i per aprendre una llengua has d'estudiar. A casa escolto cançons dels Beatles i d'Abba, i entenc les lletres. També miro les pel·lícules en versió original.

3. He estudiat molts anys francès i anglès, però encara em costa parlar bé. A mi m'interessa sobretot parlar, perquè a la feina he de trucar a molts clients estrangers. Per això, el que faig és un intercanvi. El dilluns i el dimecres faig intercanvi d'anglès: un dia parlem català i l'altre dia parlem anglès; i el dimarts i el dijous faig intercanvi de francès.

4. A mi em fa molta vergonya parlar si sé que puc fer errors. Potser sóc massa perfeccionista, però, si no ho dic bé, prefereixo no dir-ho. Parlo molt a poc a poc per estar segur que faig les estructures correctes i que pronuncio bé. I si m'equivoco, m'agrada que em corregeixin, així aprenc com es diu bé.

5. Crec que si no saps gramàtica no pots parlar. El meu professor em fa moltes explicacions gramaticals i faig molts exercicis de gramàtica amb un llibre molt gruixut, on hi ha tota la gramàtica i totes les excepcions. Fa tres anys que estudio, però encara no dic res. Haig d'estudiar més gramàtica!

PISTA 15 Exercici 20

1. Estic molt cansat. Avui he fet una conferència molt important al congrés. Després he dinat amb els meus companys i he estat a la consulta tota la tarda. He visitat dotze malalts.

2. Avui estic molt contenta perquè he guanyat els dos judicis que he tingut.

3. Sóc feliç. M'he llevat, he esmorzat amb el meu amant i mentrestant m'han trucat per dir-me que m'han donat un premi molt important. Aquesta novel·la serà un èxit!

4. Estic molt nerviós. Avui és el primer dia a la feina. Espero que els nens siguin macos i el director també.

5. Ja estic cansada d'aquesta feina. Cada dia amunt i avall. Al matí a Nova York, al vespre a París. Demà et lleves a Roma i dorms a Londres... i sempre amb el somriure a la cara: te, cafè?

PISTA 16 Exercici 37

El senyor Aragó és molt jove, té 23 anys. Es va llicenciar a Cambridge. Va estudiar-hi economia i després va fer un màster de comerç als Estats Units... I de la senyora Segarra, què en sabem?

El currículum diu que té 30 anys, que també és economista, que és soltera i que té carnet de conduir. Parla francès i alemany, però no sap anglès... Saps on viuen?

El senyor Aragó viu a Figueres i té disponibilitat per viatjar perquè té cotxe. La senyora Segarra, en canvi, viu a Barcelona, però no té cotxe. Ah, per cert, tenen experiència?

Ell no ha tingut cap feina important. Ella, sí, ha fet de secretària i de cap de secció en una agència de viatges.

El senyor Aragó no ha treballat mai?

Sí, però només en feines de mitja jornada mentre estudiava la carrera a l'estranger.

Tenen fills?

Fills? Això no ho diu, aquí.

Doncs necessito saber-ho perquè la feina és per viure una temporada a Itàlia...

PISTA 17 Exercici 39

Al llarg de la història els viatges dels aventurers, reals o ficticis, han alimentat la imaginació de milers de persones. Ara per ara, quan sembla que pocs territoris queden per explorar, encara hi ha una professió que continua fent somiar molta gent: astronauta. D'ençà que Yuri A. Gagarin va fer, el 12 d'abril de 1961, el primer vol orbital de la història de la humanitat, poques persones han tingut el privilegi d'observar el nostre planeta des de l'espai o de realitzar el somni que Jules Verne va plasmar a una de les seves novel·les més famoses: trepitjar la Lluna. La feina d'astronauta és més que una manera de guanyar-se la vida, és un somni que cada cop més persones podran viure despertes.

La feina dels astronautes consisteix a conduir una nau i a desenvolupar moltes tasques complexes: construir estacions espacials, fer experiments, instal·lar i mantenir complicats aparells d'observació... Per això es necessita personal molt especialitzat. Per tal de poder aspirar a realitzar les proves de selecció d'astronautes, els candidats han de tenir, a part d'un mínim d'hores de vol (com a pilot o com a passatger), un dels títols universitaris que els permetran fer els treballs requerits a l'espai: físic, químic, biòleg, metge, enginyer... Pel que fa a les llengües, es demana el domini de l'anglès, del rus, del xinès i, sobretot, del català, per comunicar-se amb els companys de la tripulació. Si no posseeixen tots aquests requisits, els candidats hauran de formar-se en una agència espacial.

En l'aspecte físic, les proves no són tan dures com eren en un principi, però s'ha de tenir una formació física atlètica. Continua sent fonamental, això sí, no tenir cap disfunció greu (encara que als milionaris que paguen pels seus vols només se'ls demana tenir el cor suficientment fort com per resistir l'enlairament i l'aterratge). Els candidats han de tenir entre 22 i 42 anys, una bona visió, una alçada inferior a un metre noranta-tres i una bona presència. No es poden tenir al·lèrgies de cap tipus ni patir vertigen. Un requisit extra és haver estat escolta de petit.

Pel que fa al menjar, hi ha avantatges i inconvenients. D'una banda, als candidats no se'ls demana que sàpiguen cuinar perquè a l'estació espacial no hi ha nevera, i això significa que no hi ha productes frescos. Els astronautes s'alimenten de productes deshidratats congelats al buit i conservats en bosses. Per això, es demana als candidats que estiguin acostumats a menjar aliments precuinats i congelats, i que tinguin experiència en l'ús del microones.

Els candidats han de demostrar la capacitat de treballar en grup, que és fonamental per tal de formar part d'una tripulació eficient. Es requereix una fortalesa psicològica perquè s'ha de passar llargs períodes de temps tancat dins la nau. Per tant, és imprescindible ser sociable, amable, comunicatiu, simpàtic, organitzat i, sobretot, net, perquè la nau no és gaire gran.

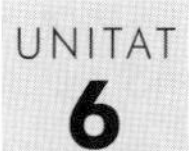

UNITAT 6 QUÈ ÉS AIXÓ?

LLIBRE DE L'ALUMNE

PISTA 18 Exercici 3

Bon dia! Això és el concurs "Quatre de cinc". Els quatre sentits: oïda, olfacte, gust i tacte, que cada concursant haurà de fer servir per endevinar quines coses li anem donant. El premi... ja ho saben, un lot amb tots els productes que el concursant endevini. Que seran molts, i molt variats.

Avui tenim el senyor Pere Pera. Senyor Pera, com anem?

Bé, a veure si serà gaire difícil...

No, home, ja veurà com no. L'únic que no pot fer servir és la vista, ja ho sap, oi?

Sí, és clar.

Senyoreta Cris, pot tapar-li els ulls? Així, molt bé. Veu alguna cosa?

No, no veig res.

Doncs comencem. Primer producte. Temps! Toqui, olori, escolti, tasti...

A veure... És fred, és tou i humit...

Olori, olori..

Fa olor de maduixa. Ho puc tastar?

Tasti, tasti...

Té gust de maduixa. És... un gelat de maduixa!

Molt bé! Sí senyor. Ja té un primer premi. Continuem?

Oh i tant!

Segon producte. Temps!

És llarg, és rodó, és llis, lleuger. No sé de què és.

Olori-ho, home!

Oh! Ja sé què és. Fa olor de cera. És una espelma!

Magnífic, senyor Pera, els seus sentits funcionen de meravella. Anem per al tercer producte?

Endavant! A veure...? És petit, però una mica pesant. És dur i més aviat quadrat. No fa cap olor i no té gust de res. Tampoc no sento cap soroll. Sembla de metall o de plàstic. Té dos quadrats com de vidre; un de més gran i un de més petit. Hi ha una part rodona que també sembla de vidre. Té com unes rodetes...

S'ha acabat el temps! Un nom...?

No ho sé.

Quina llàstima! Però no es preocupi, hi ha més premis. Anem per al quart. Temps!

Això sí que ho sé! És de roba, fa olor de sabó i té una forma allargada. És una tovallola! Però em sembla que és una mica vella, perquè no és gaire suau, és una mica aspra.

Quina rapidesa! Molt i molt bé! Un altre premi per al senyor Pera. I anem per a l'últim objecte. Què deu ser? Temps!

Quins nervis! A veure... És de paper. Sembla com una llibreta allargada, no gaire gruixuda, amb pocs fulls, més finets que les cobertes... Fa olor com de tinta... Pot ser un llibret d'instruccions d'algun aparell?

Una pista: amb aquests papers pot anar molt lluny! I ara, s'ha de decidir. A la una, a les dues, a les tres! Digui un nom!

Un llibret d'instruccions...

De què?

D'una càmera de fotografies?

Nooooo! Ho sentim molt. Però no ha estat malament: s'emporta un magnífic lot de gelats de maduixa, suaus i dolços i ben freds; una capsa amb deu espelmes de cera autèntica amb diferents olors, i una dotzena de tovalloles, noves, eh! Suaus, grans i de colors variats. Felicitats!

Gràcies, gràcies. Puc saber què era el que no he endevinat?

D'aquí a un moment. Ara una pausa per a la publicitat i els radiooients poden trucar per dir-hi la seva. Fins ara mateix, no marxin!

PISTA 19 Exercici 6

Diàleg 1

Digui?

Andreu, sóc en Toni.

Què passa?

Res. És que... Saps on puc trobar un lloc on venguin flors?

Ara? Són les tres de la matinada!

Ara o mai! L'hi he de dir. L'estimo!

Tio, tu estàs boig!

Sisplau, sisplau...!

Potser hi ha alguna botiga oberta a la vora del mercat.

Davant del pàrquing?

No, una mica més amunt.

Gràcies, amic meu! Tu seràs el padrí...

Vés a la...!

Diàleg 2

Perdona, saps on puc trobar una ampolla de whisky?

Ara totes les botigues són tancades.

I les d'urgència? No n'hi ha cap d'urgència?

I si vas a dormir la mona?

No. Si no és per a mi. És per al meu amic, que l'ha deixat la dona i està molt trist.

Ah, ja! Doncs digue-li al teu amic que a l'aeroport hi ha un bar obert tota la nit.

Com s'hi va?

Agafeu l'autobús nocturn. Al capdavall d'aquest carrer hi ha la plaça del Centre i davant del semàfor hi ha la parada. Baixeu al final de tot. I anima el teu amic!

Escolta, això és una mica complicat, oi? No s'hi pot anar amb cotxe?

Nooooooo!!!!!

Diàleg 3

Necessito un paquet de tabac!

Perdoni, això és un hospital.

Ja ho sé. Per això necessito el tabac.

Que no es troba bé?

Sí, sí, molt bé... però la meva dona...

Què li passa? Ha tingut un accident?

No, no, ella està bé!

Doncs miri, no entenc res.

És que acabo de ser tripare.

Com diu?

Sí, acabo de tenir tres nenes.

Ah, que bé! Felicitats!

I el tabac?

Bé. Per a urgències d'aquest tipus, al bar de la cantonada. Sortint giri a l'esquerra, és abans de travessar el carrer.

Diàleg 4

Saps on puc comprar una capsa de preservatius?

A la farmàcia!

Ara està tancada.

Si els vols ara, en trobaràs al bar del carrer de la plaça. Em sembla que el de davant de la font és obert.

Al bar del carrer de la plaça?

Sí, al lavabo. És al capdavall de l'escala. Allà hi ha una màquina.

Gràcies, tia. No saps el favor que m'has fet. És que tinc una urgència.

No sabia que tenies nòvio.

No en tinc, però acabo de conèixer l'home de la meva vida.

D'això se'n diu ser previsora!

PISTA 20 **Exercici 8**

Visiti la nostra planta baixa, amb les boutiques de perfumeria més prestigioses i les seccions de mitges, mitjons i altres complements d'última moda.

Gran oferta de televisors i DVD d'últi-ma generació a la planta setena.

Passin per la quarta planta i parlarem de les millors idees per anar de viatge: en tenim per a tots els pressupostos.

Excepcional moda de tardor-hivern a la primera planta i no oblidin la moda jove a la segona. Tot allò que necessitin: vestits, pantalons, caçadores... de totes les marques, a preus molt assequibles.

A la cinquena planta hi trobarà els nostres suggeriments per a la llar: tot el parament de cuines i banys. Nosaltres l'hi portem tot a casa i l'hi muntem en una setmana. Consulti els nostres experts.

Últimes oportunitats en roba d'esport. Les trobarà a la planta tercera: pantalons i samarretes, xandalls, sabatilles...

S'acosten els reis. Sigui previsor i triï les joguines per als seus fills. Vingui a la sisena planta i faci les reserves.

PISTA 21 **Exercici 12**

Diàleg 1

Perdoni, que no hi ha ningú en aquesta secció?

No, no hi ha ningú, però ara aniré a buscar un dependent. Un moment, sisplau.

I no em pot atendre vostè?

Ho sento, ara estic amb un altre client. Però no es preocupi, vindrà de seguida.

Diàleg 2

En què el puc servir?

Voldria una colònia d'home.

Jove o més aviat gran?

Jove.

Doncs, potser li agradarà aquesta que fa una olor molt fresca. La vol olorar?

Sí. Ui, que bona! M'agrada molt. Me la quedo. Me l'embolica per regalar?

És clar. Ara mateix li faig un paquet ben bonic.

Gràcies.

Diàleg 3

Perdona, d'aquests pantalons, no hi ha la talla 42?

Un moment, que ara ho miro...Ho sento però de 42 no n'hi ha cap. És que és una talla molt estàndard i s'acaba de seguida. Vols emprovar-te la 40 o la 44, per si et van bé?

Sí, me les emprovaré.

Com et van?

Malament. La 40 no m'entra i la 44 em va massa gran.

Llàstima!

Diàleg 4

Us puc ajudar?

No, gràcies. Estem mirant.

T'agrada aquest disc que sona?

No l'he sentit mai.

Doncs escolta'l, que és molt maco.

Sí, no està malament. Té ritme.

A mi m'agrada molt. Me'l compro.

Diàleg 5

M'ensenya rentadores?

Sí, miri aquí té tots aquests models. Són totes molt semblants.

Aquesta és molt més cara!

Sí, perquè també és assecadora.

I funciona bé?

Sí, perfectament. A més té garantia de dos anys.

I em faran descompte?

Si paga en efectiu, li farem un 15%.

Bé, m'ho pensaré una mica.

Com vulgui.

Diàleg 6

Que em pot ensenyar aquest anell que hi ha a l'aparador?

Sí senyora. Miri. És molt bonic. És de plata treballada a mà.

És una mica car...

És que és una peça única.

Què faries, te'l quedaries?

Sí, dona. Et queda molt bé.

Puc pagar amb targeta?

Sí, és clar. Em deixa el carnet?

LLIBRE D'EXERCICIS

PISTA 22 Exercici 12

1. Té una forma allargada. Pot ser de plàstic, de metall i fins i tot d'or. El pots fer servir per fer els exercicis.
2. Tenen una forma més o menys quadrada. Acostumen a estar fetes amb vidre, materials metàl·lics, sintètics... i poden tenir diversos accessoris. N'hi ha de grosses i de petites. Les grosses les solen portar els professionals. A nosaltres ens serveixen per guardar records.
3. Pot ser gros o petit, quadrat, allargat o rodó, de pell o de plàstic. S'obre i es tanca cada vegada que anem a comprar.
4. En venen de molts colors i de moltes formes. Poden servir per fer qualsevol tipus de foc. A vegades serveixen per lligar.
5. Sol ser de plàstic i de metall. Quan la fem servir fa un sorollet: "crec". Serveix per enganxar papers.
6. Són metàl·liques i tenen formes diverses, depèn de les portes. Serveixen per obrir i tancar. No solen anar soles. S'acostumen a perdre dintre de les bosses de les dones, en el millor dels casos!
7. És una capsa de cartró de colors diversos. Conté 20 unitats d'un producte que no és gaire bo per a la salut. A vegades serveix per fer passar els nervis, encara que és difícil trobar un lloc per consumir-lo.
8. És un aparell petit de plàstic i de metall. Té formes diverses, però sol ser més aviat allargat i pla. Fa sorolls diversos, des d'un riiiiing riiiiiing! fins a una simfonia. Sempre n'hi ha algun que sona quan no toca.
9. Estan fetes de metall, de plàstic... Poden tenir moltes formes i molts colors. Sempre tenen dos vidres, o materials similars, iguals: rodons, quadrats, allargats... Serveixen per poder veure les coses tal com són.
10. Normalment són rodons, però la moda els pot canviar la forma. Poden ser de molts colors i de moltes mides. Acostumen a anar cosits a la roba i serveixen per cordar i descordar.
11. Són molt petits, però poden fer molt soroll. Es posen dintre d'una part del cos i, a vegades, la gent que els porta riu o balla sola. Semblen una mica ximples!

PISTA 23 Exercici 20

Cereria Subirà, la més antiga de Barcelona

La botiga més antiga de Barcelona és la cereria Subirà (Baixada de la Llibreria, 7), segons diferents documents públics. L'establiment va obrir les portes l'any 1847, però no es va dedicar a la cera, ciris i espelmes des del primer moment, sinó que, com ha passat amb la major part d'establiments, era inicialment una coneguda botiga de modes que va traspassar el negoci l'any 1909. Va ser llavors que l'establiment es va convertir en una cereria, tot i que, abans d'arribar a mans dels Subirà, va passar pels mestres Jacint Galí i Martí Prat. En morir aquest darrer, se'n va fer càrrec Paulí Subirà, mestre cerer de Vic, ja que les dues germanes Prat desconeixien l'ofici. Actualment el mestre cerer Jordi Subirà, fill de Paulí Subirà, és president de l'Honorable Col·legi de Cerers de Catalunya, i continua amb el negoci que ha hagut d'adaptar –no pas l'establiment– als canviants gustos dels clients. Espelmes aromàtiques, infantils, amb flors i espècies comparteixen espai amb ciris pasquals i baptismals. De fet, la botiga conserva el taulell, els prestatges, les escales i la planta superior tal com eren cent anys enrere. La fusta que cobreix les parets i el paviment, de colors blanc i negre, caracteritzen l'estil de la botiga. Apareix a totes les guies turístiques de Barcelona i és un reclam per a barcelonins i estrangers.

PISTA 24 **Exercici 25**

Els grans magatzems

La moda dels grans magatzems, un lloc on es podia comprar una mica de tot, va començar a principis del segle XX. A Barcelona, establiments com El Siglo o Can Vicenç Ferrer es poden considerar els pioners del concepte de grans magatzems. Més endavant, l'any 1925, es van obrir a la plaça de la Universitat els magatzems El Águila i l'octubre de 1926, els magatzems Jorba, al Portal de l'Àngel.

Els magatzems Jorba de Barcelona van ser un punt de referència durant molts anys, no només de Barcelona sinó també de tot Catalunya. Encara que no eren els primers magatzems a Barcelona, van ser els que van tenir més popularitat dels anys 40 als 60. Els magatzems tenien un pes important a la vida pública de la ciutat, perquè participaven en molts actes com concursos, exposicions d'art, desfilades de moda... fins al 1963 que es van vendre.

Els primers magatzems Jorba van ser els de Manresa, construïts l'any 1904 per l'arquitecte Ignasi Oms. Actualment són una de les poques mostres d'Art déco a Catalunya. En canvi, l'edifici que hi ha al Portal de l'Àngel és d'estil classicista. És un edifici amb una finalitat comercial, majestuós, elegant i molt vistós, amb grans finestres a cada planta i a la planta baixa, que permeten la visió de l'interior de l'edifici des del carrer.

Joan Jorba i Rius, que era el gerent dels magatzems, va desenvolupar el concepte de grans magatzems i va modernitzar els mètodes de venda i de publicitat. De fet, va ser el primer que va utilitzar la venda per correu i el lliurament a domicili com a estratègia de venda. Fins i tot va publicar la Revista Jorba on presentava els seus productes.

L'àrea dels grans magatzems estava limitada entre el Portal de l'Àngel, la plaça Catalunya, la Rambla i el carrer Pelai. Per això, quan El Corte Inglés, número u dels grans magatzems, va decidir instal·lar-se a Barcelona l'any 1962 va fer-ho a la plaça Catalunya. Va comprar l'edifici on hi havia els magatzems Can Vicenç Ferrer i el va enderrocar per construir-hi l'actual edifici de vuit plantes.

PISTA 25 **Exercici 26**

1. Què hi ha a la sisena planta: la secció d'esport o la de joguines?
2. Que hi ha la perfumeria, a la tercera planta?
3. Que és de fusta, aquesta caixa de música?
4. Què és això? Una bombeta?
5. Què hi ha a sota de casa teva? Un bar?
6. Que hi ha un bar, a sota de casa teva?
7. Que em poden atendre, sisplau?
8. Que es vol emprovar els pantalons?
9. Què més vol?
10. Que vol alguna altra cosa?
11. Que el puc ajudar?
12. Què hi ha a baix de tot?
13. Que t'agraden aquests pantalons?
14. Que hi ha cap banc per aquí?
15. Què hi ha aquí?

ÍNDEX